Groot
Indonesisch
Kookboek

In dezelfde reeks verschenen eerder:

Hans Belterman
GROOT ELEKTRO KOOKBOEK

Hans Belterman
GROOT KOOKBOEK VOOR VANDAAG EN MORGEN

Gloria Bley Miller
GROOT CHINEES KOOKBOEK

Wina Born
GROOT INTERNATIONAAL KRUIDENKOOKBOEK

Coen Hemker/Jacques Zeguers
DE VERSTANDIGE KEUKEN

Helena Rooda/Voorlichtingsbureau voor de Voeding
HET GROOT GEZONDHEIDSKOOKBOEK

Martin Willemsen
HET GROOT SEIZOENEN KOOKBOEK

BEB VUYK

Groot Indonesisch Kookboek

(afgewisseld met Chinese recepten)

Uitgeverij Luitingh – Utrecht

Illustraties: Raden Suwondo Sudewo
Foto's: Ichsan Pohan
Styling: Frida Pohan
Omslagontwerp: Henk de Boer

Dertiende druk

© MCMLXXIII Uitgeverij Luitingh B.V., Utrecht
Alle rechten voorbehouden
ISBN 90 245 0171 7

INHOUD

INLEIDING
met een bemoedigend woord voor beginnelingen

De Indonesische keuken is door het veelvuldig gebruik van een grote verscheidenheid aan kruiden gevarieerder dan de Europese. De dagelijkse maaltijd hoeft daarom nog niet meer tijd te kosten dan het koken van de traditionele „Hollandse pot". Het ligt er maar aan wat je op het menu zet. Hetzelfde geldt trouwens voor iedere nationale keuken. Voor vele vrouwen die wel van een kookavontuurtje houden vormt het grote aantal exotische namen van Indonesische ingrediënten een hoge drempel. Ten onrechte overigens. Door de culinaire infiltratie van de afgelopen 25 jaar is een aantal uitheemse gerechten en benamingen vrij bekend geworden. Iedereen weet nu wel hoe kroepoek en saté smaken, bami en nasi goreng zijn bijna nationale gerechten geworden. Sambal en atjar zijn te koop in ieder groot winkelbedrijf en tot in de kleinste dorpswinkeltjes toe, bij de slager en de groenteman en de melkboer (nog net niet bij de bakker). Ik heb bij het opstellen van de verschillende gerechten gebruik gemaakt van zowel Nederlandse als Indonesische benamingen. Uien en knoflook zijn uien en knoflook gebleven, terasi, tempe en tahoe zijn onvertaalbaar, lombok en santen zouden echter wel met Spaanse peper en kokosmelk vertaald kunnen worden. Ze worden echter onder de oorspronkelijke namen verkocht en zijn ook al tamelijk ingeburgerd. Voor djahé heb ik het Nederlandse woord gember gebruikt, in poedervorm is het bij iedere drogist verkrijgbaar. Het had echter geen zin om koenjit met curcuma te vertalen of ketoembar met koriander, dat zou alleen maar hebben betekend dat het ene onbekende woord met een ander, even onbekend, vervangen werd. Djinten is komijn en bekend door de kaas die er naar genoemd werd, wat een verwarrende associatie zou hebben opgeleverd. Laos en kentjoer zijn onvertaalbaar, evenals sereh. Voor wie het nu al duizelt het volgende:
Al deze vreemd-namige kruiderijen zijn in goed geëtiketteerde flesjes en potjes vrijwel overal verkrijgbaar. U heeft niets anders te doen dan het recept goed te lezen en de juiste hoeveelheid uit het juiste flesje te halen. Wie al voldoende vaardigheid heeft opgedaan en de namen in zijn hoofd en de geur in zijn neus heeft zitten kan de kruiden los kopen en ze zelf in potjes opbergen (maar toch vooral het etiket niet vergeten). In grotere hoeveelheden gekocht zijn ze veel goedkoper.

Voor beginnelingen nogmaals een bemoedigend woord. De verschillende gerechten zijn in dit boek in aparte hoofdstukken ondergebracht en zo gerangschikt, dat eerst de makkelijke en met weinig kruiderij bereide gerechten zijn opgenomen. Voor wie nu nog niet genoeg zelfvertrouwen bezit worden hieronder een aantal menu's voor nieuwelingen besproken.

De hier te lande traditionele dagelijkse pot: vlees – groente – aardappelen, vindt zijn Indonesisch equivalent in vlees – sajoer – rijst. Vlees kan precies als hier door een kip-, vis- of eiergerecht vervangen worden, de sajoer door een sambal goreng met veel groenten.

Een rijsttafel in een restaurant bestaat uit tien tot vijftien verschillende gerechten. Daardoor en misschien versterkt door rijsttafelen bij vrienden of familieleden met een Indisch verleden is de indruk gewekt, dat het Indonesische eten uit een groot aantal zeer ingewikkelde gerechten bestaat. Dat is echter alleen maar bij feestelijke gelegenheden het geval. De dagelijkse kost is vrij sober, maar wel altijd met zeer veel zorg en kundigheid bereid en zeer gevarieerd. Bovendien kent de Indonesische keuken een groot aantal gerechten (zie hoofdstuk Gorengans en Atjars, en de droge sambal-gorengs) die in stopflessen lang bewaard kunnen worden. Dat betekent, dat wanneer een onverwachte gast mee aanzit men zonder veel moeite het menu kan uitbreiden. Bovendien leent de eetwijze – rijst, met een aantal bijgerechten – zich

er makkelijk toe om met weinig moeite snel het menu uit te breiden. Een omeletje bakken of een stukje dendeng, een paar tomaten met ketjapsaus en het gastmaal „at pots luck" staat op tafel.

Tips voor nieuwelingen

Bepaal u voorlopig tot de eenvoudige gerechten. Kook de variaties er van een paar maal achter elkaar en zorg dat ze in uw vingers komen te zitten. Houd u zich voorlopig maar aan de vlees-, vis- of kipgerechten die weinig van de Nederlandse afwijken, als Smoor van vlees (136, 137, 138, 139, 140, 141), Belantjang (142), Varkensvlees met tomaat (143), Masak habang (144), Babi koetjai (148), Hachee (149), Piendang (151), Daging setan (152), Frikadel (179), Gebakken makreel (202), Gebakken vis met ketjap (203), Gebakken vis met sambal (206, 207), Vissticks met ketjap (209), Smoor van kip (265, 266), Smoor van kip en tomaten (267), Droog gebakken kip (268, 269), Kip met ketjap (273), Ajam pedas (275), Menadonese kip (281) enz.

Probeer eerst de met santen bereide sambal-gorengs. Er zijn er een groot aantal en ze worden op een enkele uitzondering na met dezelfde kruiden bereid. Hieronder volgen drie menu's, die weinig of niet afwijken in moeilijkheden:

1) *Gesmoorde varkenslapjes (137) met sambal goreng tomaat (44)*
2) *Moegalgal (141) met sambal goreng boontjes (41) of kool (40)*
3) *Droog gebakken kip (268) met sambal goreng prei (42)*

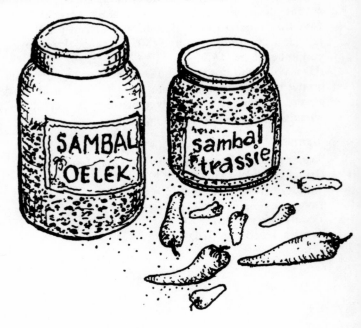

Lees eerst de recepten goed over. Schrijf op wat u er zich voor moet aanschaffen. Zet alles klaar.

Deze drie menu's zijn zo gekozen dat u voor alle drie vrijwel dezelfde ingrediënten nodig heeft. Koop voor deze eerste oefening een flesje sambal oelek en sambal terasi. Bent u wat meer bedreven, dan maakt u de sambals zelf, goedkoper en lekkerder. Bent u nog niet in het bezit van een wrijfsteen (oelekan), snijd dan de uien en knoflook zo fijn mogelijk en druk ze plat met een houten lepel. Bereid eerst het vlees dat enige tijd moet stoven en daarna de sambal goreng. De droge kip wordt, nadat de sambal goreng klaar is, gebakken.

Na deze drie oefeningen heeft u al een zekere routine in het maken van sambal goreng gekregen. Vlees en kip wijken zo weinig van de bekende bereidingen af, dat die geen moeilijkheden zullen opleveren.

De volgende menu's bestaan uit:
4) *Sambal goreng van vlees (53) met een eenvoudige sajoer van kool (91) of boontjes (90);*
5) *Sajoer toemis van taogé (98) met sambal goreng van kippehartjes (57);*
6) *Sajoer asem van tomaat, tahoe en garnalen (106) met gebakken vis met ketjap (203).*

U heeft nu ervaring opgedaan met 6 menu's. U kunt ze onderling afwisselen b.v. bij de droog gebakken kip de sajoer toemis van taogé of bij de Moegalgal de sambal goreng prei geven. U kunt ze ook uitbreiden met een eenvoudig gerecht naar keuze b.v.: Javaanse omelet (334), Belado van eieren (322), Tahoe met ketjap (356), Gorengan tempe (367), Kroepoek oedang (376), Smoor van aubergines (457).

Als u voldoende zelfvertrouwen heeft en ook een beetje trots bent op uw resultaten kunt u voor goede vrienden al een klein etentje geven. Hieronder volgen twee menu's. De gerechten kunnen verwisseld worden naar smaak en keuze.

Menu I.
Sajoer asem van tomaat, taogé en garnalen (106)
Droog gebakken kip (268/269)
Sambal goreng van vlees (53)
Javaanse omelet (334)
Tempe goreng (367)
Kroepoek oedang (376)

De sajoer en de sambal goreng kunnen een dag van tevoren worden gemaakt. De kip half gaar bakken en de dag van het etentje nogmaals opbakken. Met uitzondering van de sajoer hoeven de gerechten niet gloeiend heet op tafel te komen. De kroepoek moet u in de zon, op de verwarming of in een goed sluitende stopfles knappend houden. De omelet kort voor de komst van de gasten bakken.

Menu 11.
Sajoer toemis van taogé (98)
Moegalgal (141)
Sambal goreng van tomaat (44)
Belado van eieren (322)
Tahoe met ketjap (356)
Smoor van aubergines (457)

Als tweede fase volgt hieronder een aantal menu's waarin gerechten zijn opgenomen die wat ingewikkelder van bereiding zijn en waarin een groter aantal kruiden wordt gebruikt.

1. Sajoer kerrie VI (110);
    Lalab van komkommer (433/434)
2. Sajoer lodeh van gemengde groenten (112);
    Ajam setan (276/277)
3. Sajoer oblok-oblok (114);
    Rempah (181)
4. Ikan boemboe Bali (221);
    Droge sambal goreng van tempe (85)

13

Deze menu's kunnen uitgebreid worden met de reeks van gerechten, die aan de eenvoudige menu's werden toegevoegd. U kunt ze ook variëren: Menu 1) met Tempe kemoel (369); Menu 2) met Maiskoekjes (386/389); Menu 3) met Asam van garnalen (252); Menu 4) met Omelet van tahoe (345).
Het feestmenu dat u nu kunt samenstellen uit deze gerechten waar u een zekere oefening in gekregen heeft ziet er zo uit:

Feestmenu I
Sajoer lodeh van gemengde groenten (112);
Droog gebakken kip (268/269);
Rempah (181)
Droge sambal goreng van tempe (85)
Smoor van aubergines (457)
Lalab van komkommers (433/434)
Kroepoek oedang (376)

Feestmenu II
Sajoer toemis van taogé (98)
Sambal goreng van kippehartjes (57)
Boemboe Bali van vis (221)
Asam van garnalen (252)
Maiskoekjes (386/389)
Javaanse omelet (334)
Kroepoek oedang (322)

Wie van plan is regelmatig „rijsttafel" te koken doet er goed aan zo één of twee maal in de maand een middag of avond te reserveren om een aantal gerechten klaar te maken die langer bewaard kunnen worden. Daar vallen in de eerste plaats de sambals onder, die wanneer men ze zelf bereidt goedkoper, lekkerder en in veel meer variaties gemaakt kunnen worden dan de sambals die men kant en klaar koopt. In de koelkast bewaard in goed te sluiten stopflessen (die met een met plastic overtrokken stop zijn daarvoor ideaal) kunnen ze lang goed blijven. Lang houdbaar zijn ook de atjars (zuren) en verschillende droog gebakken gerechten (gorengans) en droge sambal-gorengs als sambal goreng van aardappelen, sambal tempe, sambal asam kemamah, sambal kelapa en seroendeng.
Wie in het groot gaat koken, d.w.z. meer dan twee gerechten, doet er goed aan uien en eventueel lombok in voorraad te snijden. Wie voor een feestmaal meer dan één sambal goreng op het

14

menu zet kan de kruiden voor deze gerechten gezamenlijk klaar maken en daarna in evenveel porties delen als er sambal-gorengs bereid worden.

Zeer veel gerechten hebben naast hun speciale kruidenmengsel een basis van fijngewreven uien, knoflook en sambal oelek. Wrijf dit tesamen of nog makkelijker, draai ze in de mixer en wrijf ze in porties na met de afzonderlijke kruiden. Wie geregeld Indonesisch kookt zal merken dat men met vindingrijkheid en overleg zich veel werk kan uitsparen. Tenslotte nog een raad aan hen, die slechts een enkele keer zich aan een Indonesisch menu zullen wagen. Specialiseer u in enkele gerechten. Kook ze telkens opnieuw tot ze in uw vingers zitten, u zult merken dat de bereiding u steeds makkelijker afgaat. Dan is de tijd gekomen om dit boek eens wat door te snuffelen en uw repertoir uit te breiden. Er is volop keus in eenvoudige en gecompliceerde gerechten, voor hobbyisten, amateurs, onervaren en ervaren kooksters met of zonder Indisch verleden.

Geschiedenis van de Indonesische keuken in Nederland

Sinds de Tweede Wereldoorlog zijn grote groeperingen van het Nederlandse volk op culinair gebied veel avontuurlijker geworden. In de steegjes en straatjes van de oude binnensteden floreren de buitenlandse eethuisjes en kleine restaurants. Je kunt tegenwoordig, en dit geldt vooral voor Amsterdam zowel Italiaans als Spaans, Grieks, Joegoslavisch, Marokkaans, Turks, Surinaams en zelfs Japans gaan eten. Duur, maar dikwijls ook tegen heel redelijke prijzen als je de adressen weet. De moderne reisgewoonten – steeds zuidelijker, pal zuid of zuid-zuid-oost – deden de behoefte aan een wat pikanter smaakje ook buiten de vakantieweken ontstaan en de culinaire variaties van onze gastarbeidersbevolking schiepen er de mogelijkheid toe.

De Indonesische en Chinese keuken zijn onder de mogelijkheden van uitheems eetgenot hier niet opgesomd en dat niet zonder reden. Indisch en Chinees eten is nauwelijks meer een buitenlandse specialiteit, het is al min of meer een vaderlandse gewoonte geworden. Buiten de deur eten behoort niet tot de traditie van het huiselijke Nederlandse volk. Een kleine bovenlaag uitgezonderd waagde men zich niet in het restaurant. Sinds enkele jaren is daar een verandering in gekomen. Het van „bij de Chinees gaan eten" is populair geworden, ook bij die lagen van de bevolking die niet alleen door de hoge prijs, maar ook door hun drempelvrees daar vroeger niet aan toe kwamen. Niet alleen in de grote steden, in alle stadjes en zelfs in vele dorpen treft men tegenwoordig een Chinees of Indisch restaurant aan of een combinatie van beide. Bakmie, nasi goreng, saté en satésaus kun je voorbewerkt in alle grootwinkelbedrijven en zelfs bij de dorpsslager, de groenteman en de kruidenier kopen. Nasiballen vind je naast het worstje en de gehaktbal in iedere automaat. De kroepoek is opgenomen bij de borrelhapjes en wordt zelfs geapprecieerd door mensen die iedere korrel rijst verafschuwen.

Toch kon je reeds lang voor de Tweede Wereldoorlog hier uitstekend Indisch eten. Dat deden toen echter in hoofdzaak diegenen met een Indisch verleden, verlofgangers en gepensioneerden. De Indische restaurants en ook de winkels waar je de ingrediënten voor de rijsttafel kon kopen („Oosters" werden die genoemd; ze verkochten ook in Twente gedrukte sarongs, wierookstokjes, Chinese waaiers en Japanse kimono's) waren er nog niet zo veel;

de meeste bevonden zich in Den Haag, de plaats waar de „Indisch gasten" graag hun verlof doorbrachten of zich na afloop van hun diensttijd vestigden. De verandering kwam eerst na de Tweede Wereldoorlog, toen de grote stroom van Indische Nederlanders in verband met de politieke verandering in Indonesië met honderdduizenden naar Nederland repatrieerden en zich over alle provincies verspreidden. Zij hadden maar weinig bagage bij zich, maar brachten hun eetgewoonten mee, meer zelfs, hun eetcultuur. Ze waren aan lekker eten gewend, twee, soms drie warme maaltijden per dag. Ook de kleine Indo's, die generaties lang aan de rand van de kampong geleefd hadden en nu ineens naar hun moederland moesten verhuizen dat hun vaderland niet was, hadden altijd lekker gegeten. Hun vrouwen waren uitstekende kooksters. Je hoeft niet rijk te zijn om lekker te kunnen eten, fantasie is belangrijker nog dan geld. Ze maakten van de nood een deugd en van hun eetcultuur een bron van inkomsten. Ze begonnen langs allerlei onnaspeurbare wegen Indonesische kruiden en ingrediënten te importeren, openden winkeltjes in hun voorkamer en hun mannen reden in oude auto's die zij „Warong keliling" (rondrijdende winkel) noemden door het hele land met sambals en potjes zuur, met kroepoek, dendeng en zoute vis en alle kruiderijen voor de rijsttafel.

In Indonesië bestaat een uitgebreide handel in toebereide etenswaren. Overal in de steden, maar ook langs de wegen kan men op ieder uur van de dag en op vele plaatsen zelfs tot diep in de nacht eten. Complete maaltijden, maar ook kleine hapjes en versnaperingen. Ze worden rondgevent in draagbare keukentjes of te koop aangeboden in kraampjes, vier bamboepalen, een dak van

17

gevlochten bamboe of een oud zeil, een tafel op schragen en twee losse banken. Deze straathandel is in handen van Indonesiërs en Chinezen. Indische dames, dikwijls weduwen, al of niet met een pensioentje, het kleine pensioentje van een kleine ambtenaar, hadden daarin hun eigen zeer discrete plaats gevonden. Zij leverden maaltijden op bestelling per rantang, vier of vijf op elkaar passende pannetjes, de bovenste afgesloten met een deksel en hangende in een metalen beugel. Sommigen werden plaatselijke beroemdheden om hun jams, hun zuren, hun vruchtensiropen, maar ook om hun koekjes en pasteitjes en taarten. Zij leurden hun produkten niet zelf, daar hadden zij hun bedienden voor; wel adverteerden ze soms, maar de meesten werden bekend door recommandatie.

Deze traditie reisde met hen mee en vond in Nederland nieuwe vormen. De winkeltjes in een deel van het eigen huis, de warongs keliling en voor wie wat kapitaal bijeen kon brengen, een eethuisje.

Dit hele bedrijf zou zich waarschijnlijk niet buiten de eigen groepering van blanke en bruine Indonesische Nederlanders – toch

nog altijd ettelijke honderdduizenden – ontwikkeld hebben als na de soevereiniteitsoverdracht niet tienduizenden Nederlandse militairen waren teruggekeerd, die tijdens hun diensttijd in Indonesië heel wat betere gerechten hadden leren kennen dan de rats, kuch en bonen van het soldatenlied. Zij wilden ook wel weer eens een goede bakmie of een lekkere rijsttafel eten en zij namen hun vaders en moeders, hun zusjes en broertjes, hun vrouwen en meisjes mee naar de Indische en Chinese restaurants, want ook de Chinese restaurants waren in opkomst.

In de periode tussen de beide wereldoorlogen trof je die alleen in de grote havensteden aan, in het Rotterdamse Katendrecht en in de Amsterdamse Bantammerbuurt. In die tijd vonden zij hun klandizie bijna uitsluitend bij hun eigen landgenoten. Na de Tweede Wereldoorlog kregen zij door de ontstane vraag hun kans en vestigden zich over het hele land.

De Chinese en Indonesische keuken die alleen bekendheid had gehad binnen de eigen, vrij beperkte gemeenschappen werd populair bij vrijwel het gehele Nederlandse volk.

De ironie van het lot bracht mee, dat in dezelfde jaren dat Nederland zijn status als koloniale mogendheid kwijt raakte een eettraditie uit de koloniën hier een nieuwe ontwikkeling vond.

De Indonesische keuken stamt uit een eeuwenoude traditie. Zij ontstond en bereikte haar hoogtepunt aan de vorstenhoven. Het was vooral in Midden-Java waar de kookkunst een verfijning en raffinement bereikte die tot op deze dag behouden bleef. De kookkunst is een onderdeel van het cultuurbezit van een volk. De Indonesische cultuur en de Javaanse in het bijzonder is een syncretistische, dat wil zeggen dat ze in staat is een aantal vreemde cultuurelementen harmonieus in haar eigen cultuur te verwerken en tot een nieuwe eenheid te vormen. Ook in de Javaanse kookkunst is dit te merken. De invloeden van de Indiase keuken vindt men terug in de kerries, van de Arabische in de goelais, van de Chinese in de mie-gerechten, het gebruik van tahoe (soyabonenkaas) en tempe (gegiste, geperste soyabonenkoek). Men nam de recepten niet zonder meer over, men vervormde ze tot eigen gerechten. De Indiase kerries zijn scherp van veel cayennepeper, de Javaanse zijn zachter en geuriger, zonder cayennepeper bereid, maar met de toevoeging van gestampte kemirinoten en kokosmelk. Het varkensvlees van de Chinese gerechten werd in de Javaanse keuken vervangen door kip en de reuzel door kokosolie. Indonesiërs zijn voor negentig procent Islamieten en de Islam verbiedt het nuttigen van varkensvlees. Ook Nederlandse in-

vloeden zijn herkenbaar, zelfs in de namen: Sop voor soep, Semoer voor smoor, Perkedel voor frikadel (oudhollandse benaming voor gehakt).
De Javaanse kookkunst heeft zich vanuit de vorstenhoven onder het gewone volk verspreid. Niet via het dagelijkse menu dat heel eenvoudig is, een portie rijst, sambal en sajoer (een soort groentesoepje) of lalab (rauwe groente gedipt in een hete sambal) en al of niet een stukje vis of tahoe of tempe. Ondanks de Islam zijn in Indonesië de tradities van de selamatans, de offermaaltijden, blijven bestaan. Men geeft ze bij de Islamitische feestdagen en dat is op Java heel sterk het geval. Men geeft per jaar tientallen selamatans, bij huwelijk, geboorte en dood, in zaai- en oogsttijden, bij de bouw van een huis, bij de besnijdenis van een zoon en bij naamsverandering. Niet alleen de vorsten maar ook het gewone volk hield selamatans, zij het op veel bescheidener schaal.
Een selamatan is een feest voor de gemeenschap, waarbij verwanten en buren komen helpen en de gasten een bijdrage in geld of in natura leveren. Het koken staat onder leiding van vrouwen die de traditie kennen en de kookkunst verstaan. Door de selamatan kreeg de kookkunst een wijde spreiding onder het volk, zij het dan in wat eenvoudiger vorm. Van dure ingrediënten zoals kip worden alle organen, ook darmen, maag en kammen in gerechten verwerkt. Vlees wordt vervangen door tahoe en tempe. Zo ontwikkelde zich deze kookkunst, die zich kenmerkt door grote verscheidenheid in gerechten en in menging van kruiden.

In Indonesië wonen ongeveer vier miljoen Chinezen die zich in de loop der eeuwen in dit land gevestigd hebben. Zij waren grotendeels afkomstig uit de zuidelijke provincies. Hoewel de meesten momenteel de Indonesische nationaliteit bezitten vormen zij nog steeds een duidelijk afgescheiden groep. Zeer velen van hen spreken geen Chinees meer en hebben weinig bindingen met de Chinese cultuur. Hun eetgewoonten zijn ook aan de Indonesische aangepast, zij eten rijst met bijgerechten, maar onder die bijgerechten bevinden zich Chinese gerechten, al of niet verindonesischt. Op Chinese feestdagen wordt nog wel geheel Chinees gekookt. In de meeste grote en kleine plaatsen treft men Chinese restaurants en eethuisjes aan waar traditioneel Chinees gekookt wordt. Ook via de straathandel kan men Chinees eten.
De Chinese kookkunst stamt eveneens uit een ver verleden. Zij wijkt vrij sterk van de Indonesische af en niet alleen door het

overvloedige gebruik van varkensvlees en reuzel. In Indonesië bestaat het basisgerecht uit rijst die tegelijkertijd met een aantal – en bij feestelijke gelegenheden een zeer groot aantal – gerechten opgediend en gegeten worden. Weliswaar wordt daarna fruit geserveerd en tegenwoordig ook wel soep vooraf, maar dat is de Europese invloed. De Chinese keuken kent wel een aantal gangen bij uitgebreide maaltijden. Sommige gerechten worden met rijst, andere zoals de mie-gerechten zonder rijst gegeten. Klappermelk, ofwel kokosmelk, zo typisch voor de Indonesische keuken wordt niet gebruikt, evenmin de vele scherpe specerijen. Lombok (Spaanse peper) is geheel afwezig. Wel maakt men veelvuldig gebruik van gember, knoflook, prei, bieslook en soms anijs. Een bijzonderheid van de Chinese keuken is ook de toevoeging van een glucomaat, meestal vetsin, een wit poeder dat zelf smakeloos is maar de in het gerecht aanwezige smaken stimuleert. De gerechten worden, uitzonderingen daargelaten, meestal snel bereid, vlees en groenten in kleine stukjes gesneden.

Het waren niet alleen de Chinezen die zich voorgoed in Indonesië vestigden. Ook in de Nederlandse gemeenschap trof men een groot aantal families aan, meestal van gemengd bloed, die „blijvers" genoemd werden. Mensen die na hun pensioenering niet naar Nederland terugkeerden maar zich blijvend in Indone-

sië gevestigd hadden. Ook onder deze groepering ontwikkelde zich een kookkunst die, sterk Indonesisch georiënteerd, ruimte bood voor zeer veel variaties, doordat deze mensen niet gebonden waren aan de spijswetten van de Islam.

Zo ontstond de Indische Rijsttafel, het verrukkelijke produkt van een mengcultuur, waarin men Nederlandse gerechten kan aantreffen, iets afwijkend en meestal veel sterker gekruid, naast Chinese – veel gerechten van varkensvlees – en daarnaast ontelbare Javaanse.

Indonesië is groter dan Java alleen en de vele andere eilanden kennen hun streekspecialiteiten: de visgerechten van de Molukken, de varkensvleesvariëteiten van Bali (de Balinees is geen Islamiet), de vleesgerechten van Sumatra, met zeer veel lombok bereid.

Bij mijn laatste bezoek aan Indonesië, eind 1970 tot begin 1971 viel mij op hoeveel meer bekendheid deze streekgerechten op Java hebben gekregen. De toename van huwelijken tussen de verschillende eilandbewoners, de roulatie van ambtenaren en militairen van Java naar buiten Java en omgekeerd en de studietijd van jongelieden van buiten Java op Java, moeten hiertoe bijgedragen hebben.

Ondanks de appreciatie die de Indonesische en Chinese gerechten hier in Holland ten deel valt worden ze toch heel zelden thuis bereid. Er zijn uitzonderingen, de saté en de satésaus, de nasi goreng en de bakmie. Vooral de beide laatste gerechten zijn in het menu van de Nederlandse huisvrouw opgenomen. Nasi is hier een begrip geworden, maar daar bedoelt men nasi goreng mee en ook de nasiballen (een variatie die men in Indonesië helemaal niet kent), worden van nasi goreng of wat er voor doorgaat bereid.

Nasi is inderdaad een Indonesisch woord. Het betekent gewone droge witte rijst, die dan met een aantal bijgerechten, variërend in aantal van twee tot twintig gegeten wordt. De rijsttafel heeft de reputatie bijzonder bewerkelijk te zijn. Dat is ze ook, maar dat hangt af van de keuze van de bijgerechten – bewerkelijke of minder bewerkelijke – en hun aantal, twee of twintig. In de praktijk vergt een gewone huiselijke rijstmaaltijd niet veel meer tijd van de kookster dan het doorsnee Nederlandse middagmaal, dat ook in bewerkelijkheid varieert.

Een andere oorzaak kan liggen in de huiver voor de vele uitheemse benamingen van verschillende Indonesische kruiden, waarvan een deel, o.a. de wortelsoorten moeilijk te doseren is. In Indonesië worden de kruiden vers gebruikt. Hier in Holland moet men zich behelpen met gedroogde kruiden. De laatste jaren is de commercie ertoe overgegaan om verschillende Indonesische kruiden in poedervorm in flesjes of plastic zakjes te leveren en daardoor is de hele zaak veel eenvoudiger geworden. De dosering levert dan geen moeilijkheden meer op. Twee theelepels djahé (gember) is stukken minder afschrikwekkend dan één stuk gemberwortel ter grootte van een duim. Bovendien zijn de verschillende wortelsoorten moeilijk uit elkaar te houden en wat de geur betreft, die is, voor wie niet van kindsaf de verschillende luchtjes heeft leren onderscheiden, ook niet zo makkelijk.

Wat de uitheemse benamingen betreft, dat is ook een kwestie van organisatie; doe de poeders en de bladeren en wat er nog meer bij hoort elk in een apart stopflesje, plak er een etiket op en haal de vereiste kruiderij uit het flesje dat haar naam draagt.

In zeer veel Indonesische recepten wordt santen (kokosmelk) gebruikt. Santen is in de Indonesische keuken wat melk of room is voor de Hollandse en wijn voor de Zuidfranse. Men gebruikt het als vloeistof voor een sausje, waarin het gerecht wordt gestoofd. In Indonesië bereidt men de santen door de klapper (kokosnoot) in stukken te slaan, het witte vruchtvlees te raspen, het raspsel met warm water te mengen en daarna door een zeef uit te knijpen, waarbij de vezels in de zeef achterblijven en het melkwitte vocht opgevangen wordt. Dat is inderdaad een arbeidsintensieve en bovendien vervelende bezigheid. Sinds jaren is hier in Holland kokosmeel in de handel, geraspte kokos waaraan het water grotendeels onttrokken is. Hiervan kan men santen maken. Deze santen is echter weinig geurig. Wel is dat kokosmeel heel goed bruikbaar voor gerechten waaraan droog gebakken klapperraspel moet worden toegevoegd. Tegenwoordig zijn er echter blokken ingedikte santen in de handel, ze hebben de vorm van pakjes boter. Een half blok vermengd met een halve liter water levert 6 à 7 deciliter santen op.

Dit kookboek is geschreven voor Nederland en voor Nederlandse omstandigheden. In de recepten wordt gebruik gemaakt van gemalen kruiden voor zover die niet in Nederland vers zijn te krijgen. Knoflook b.v. is evenals uien in poedervorm verkrijgbaar, maar aangezien deze beide ingrediënten het hele jaar door te krijgen zijn ben ik in mijn recepten van het verse produkt uitgegaan. Kokosnoten zijn tegenwoordig ook vrijwel altijd te krijgen, maar de bereiding van santen is voor de Nederlandse huisvrouw die het allemaal zelf moet doen zò ingewikkeld, dat ik in mijn recepten liever de blokken santen heb gebruikt.

Tenslotte nog dit. De volgorde waarin de recepten in de verschillende rubrieken zijn geplaatst loopt op van eenvoudig tot meer ingewikkeld. Bovendien is in de rubriek Menu's met het oog op beginnelingen een aantal zeer makkelijk te bereiden maaltijden opgenomen. Voor wie reeds een mindere of meerdere ervaring met het koken van Indonesische en Chinese gerechten bezit, moet het aantrekkelijk zijn dat zij in mijn boek naast de bekende gerechten zoals lodeh, kerrie en boemboe Bali een groot aantal minder bekende recepten zal aantreffen uit streken buiten Java. Bij ieder van deze gerechten is aangegeven vanwaar het afkomstig is.

Keukengerei

Wie meent dat Indonesische en Chinese recepten alleen met uitheemse materialen toebereid kunnen worden kan gerust zijn. De enige, wel noodzakelijke aanschaf is een *tjobèk (wrijfsteen)* met een *oelek-oelek (wrijfhout)* om de verschillende kruiden gezamenlijk fijn te wrijven alvorens ze te fruiten. Ook in de Franse keuken is het met elkaar fijn maken van de kruiden niet onbekend. Ze worden echter niet gewreven, maar in een vijzel gestampt wat op hetzelfde neerkomt. De kruiden moeten „se marier", dat is de aardige Franse uitdrukking, de kruiden moeten een huwelijk sluiten en zich tot één verrukkelijke geur vermengen. Wie in het bezit is van *een stenen vijzel en stamper* (zoals in apotheken gebruikt worden) of van een geglazuurde kleurige Franse, zoals je in de Provence kunt kopen, hoeft zich dus niets extra's aan te schaffen.

De tjobèk kan van natuursteen zijn, gehouwen tot een brede platte schotel en daarbij behoort dan een oelek-oelek van hetzelfde materiaal of uit een roodaarden schotel bestaan met een oelek-oelek van hout. De laatste is goed en goedkoop, maar breekbaar, de eerste duurder (naar gelang de grootte omtrent een tientje), doch onverslijtbaar. Bovendien werkt het ruwe materiaal het stukwrijven van de ingrediënten in de hand. Men wrijft met een korte ruk van de pols. Wie in het bezit is van *een elektrische mixer met messen* kan daarvan gebruik maken om uien en lomboks fijn te snijden en ze vervolgens met de andere kruiden op de tjobèk te wrijven. Een uienhakker kan eveneens voor uien

en lombok gebruikt worden. Maakt men slechts een enkel gerecht, dan is het – om de afwas te beperken – praktischer om alleen maar eventjes de tjobèk te gebruiken.
Wie plezier in het Indonesisch en Chinees koken krijgt doet er
goed aan om zich *een rijststomer* aan te schaffen; *van emaille of
aluminium*. De dagelijkse rijst is makkelijk zonder stomen gaar
te krijgen, maar in dit boek komt ook een aantal recepten voor
waarvoor een rijststomer bij de bereiding vereist wordt.

27

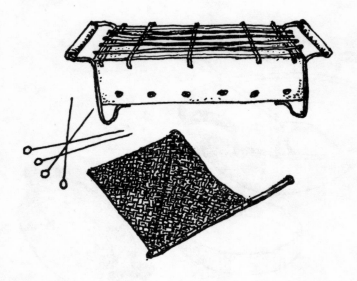

Niet noodzakelijk, maar wel prettig is *een wadjan, een pan van ijzer of emaille met ronde bodem,* die zich uitstekend leent voor de bereiding van sambals goreng en tal van andere gerechten waarvoor de kruiden eerst gefruit moeten worden. En wie zo'n pan koopt doet er goed aan om zich ook *een sodèt* aan te schaffen, een platte lepel waarmee men het gerecht omschept. Wadjans zijn alleen bruikbaar op gas, mits men er een metalen steunring bij koopt die de pan voor wankelen behoedt. Wadjans zijn onbruikbaar op elektrische fornuizen en kookplaten die een pan met platte bodem eisen.

Zeer veel Indonesische gerechten worden geroosterd. Dat kan gebeuren onder *een elektrische grill.* De authentieke smaak krijgt men echter alleen bij het roosteren op houtskool. Gelukkig is de *barbecue* momenteel in de mode, waarvan het kleinste model reeds zeer geschikt is. Men krijgt de houtskool aan het branden door er wat spiritus overheen te gieten en die aan te steken. Eerst als de spiritus is verdampt legt men het vlees op het rooster. Dikke stukken moet men langzamer roosteren, het beste doet men om als ze te bruin worden ze van het vuur af te halen en ze even te laten afkoelen.

INGREDIËNTEN
VOOR DE INDONESISCHE KEUKEN
(te koop in Indische winkeltjes, bij de kruidenier
of de drogist)

ASEM

is het samengeknede vlees van de rijpe vrucht van de tamarinde (Tamarindus Indica). Het wordt o.a. gebruikt voor het mals maken van vlees en gevogelte. Vlees en gevogelte worden voor het braden ingesmeerd met een papje bestaande uit een mengsel van asem en zout. Ook vis wordt op dezelfde manier behandeld en wel om de penetrante lucht weg te werken. Bovendien wordt asem in vele gerechten gebruikt in plaats van azijn. Men maakt daartoe asemwater. *Een stukje asem ter grootte van een walnoot weekt men met 2 à 3 eetlepels warm water, laat dat enige tijd staan, verwijder dan de pitten en vezels door ze te zeven. Vervolgens gebruikt men het bruinige drab.* Tenslotte maakt men van de asempulp limonadesiroop en jam en koekjes. Hier in Holland wordt asem verkocht in kleinere of grotere pakjes samengeperst.

BIHOEN OF MIHOEN
fijne soort mie, uit meel of rijst gemaakt.

DJEROEK POEROET-BLAD
is het blad van de Citrus hystrix, een citroensoort met kleine wrattige vruchtjes. Zowel de vrucht als het blad worden gebruikt om geur te geven aan bepaalde gerechten.

30

DJAHE

(Zingiber officinale), de wortelstok van de gemberplant. Wordt als kruiderij in vele gerechten gebruikt, zowel in Indonesische als in Chinese. Geconfijte gember maakt men van de jonge verse wortelstok. Men kan een enkele maal hier in Holland verse gemberwortel krijgen, meestal is ze erg uitgedroogd.

In de gerechten in dit boek wordt op een enkele uitzondering na gebruik gemaakt van poeder-djahé, oftewel gemberpoeder, in flesjes en plastic zakjes te koop.

DJINTEN

(Cuminum Cyminum), is zowel als zaad als in gemalen vorm in flesjes en zakjes te koop. De Nederlandse naam is komijn, komijnekaas ontleent haar naam aan deze kruiderij. Ongemalen komijn moet voor gebruik in de Indonesische keuken worden fijngestampt.

DENDENG

wordt gemaakt van dun gesneden lappen vlees, licht gezouten en ingewreven met salpeter. Het vlees wordt in de wind gedroogd. Men maakt het o.a. zowel van rund- als van varkensvlees.

Dendeng manis is een zoete dendeng, die behalve met zout en salpeter ook ingewreven is met een papje van Javaanse suiker en verschillende kruiden. Gebakken wordt het als gerecht bij de rijst gegeten, maar men voegt het in kleine stukjes gesneden ook wel als smaakmiddel aan een gerecht toe.

EBI

bestaat uit gedroogde garnalen. Ze zijn in verschillende grootte te koop. Ze worden geweekt aan diverse gerechten toegevoegd, maar ook wel met de kruiderij meegestampt. Sinds enige tijd is ebi hier ook in gemalen vorm te krijgen. Ze worden in zakjes van 100 gram verkocht.

HOEN-KWEE-MEEL

is een fijn en geurig meel, dat gebruikt wordt voor het maken van puddingen en koekjes. Het wordt van katjang hidjau gemaakt.

JAVAANSE SUIKER (GULA DJAWA)

wordt behalve uit het sap van het suikerriet ook bereid uit het sap uit de bloemkolven van vele palmsoorten als de arenpalm en de kokos. Ze ziet donkerbruin, is zeer geurig en heeft de concistentie van borstplaat. In gesmolten toestand wordt ze in zoete gerechten gebruikt. Veelvuldig wordt ze ook in hartige gerechten gebezigd; men schrapt daartoe van het stuk harde suiker enkele schilfers af.

KATJANG HIDJAU
(Phaseolus Radiatus), gedroogde erwtjes. Er wordt taogé van ge-maakt. Ook gebruikt men de erwtjes wel bij de bereiding zowel van soep als van pap.

KLAPPER
of kokosnoot is de vrucht van de kokospalm (Cocos Nucifera). Het witte vruchtvlees van de rijpe vrucht wordt in Indonesië ge-bruikt om olie van te maken. Het geraspte vruchtvlees, gemengd met water wordt uitgeperst en levert een vloeistof, *santen,* die in de Indonesische keuken als melk of room wordt gebruikt. De verse vruchten zijn tegenwoordig wel het gehele jaar door te krijgen,

maar het raspen van het vruchtvlees en het uitpersen van de melk is een nogal arbeidsintensieve bezigheid. In de handel is kokosmeel verkrijgbaar, geraspte en gemalen vruchtvlees waaraan al het water machinaal onttrokken is (desicated coconut). Het is zeer bruikbaar voor het maken van bepaalde koekjes en voor gerechten waarin droog gebakken geraspte klapper wordt gebruikt. Voor de vele gerechten waaraan santen wordt toegevoegd kan men beter gebruik maken van de blokken ingedampt klappermelk, die in de vorm van boterpakjes (à 8 ounces = 227 gram) als Creamed Coconut, maar ook wel onder de naam Santen te koop zijn*. In de koelkast bewaard blijven ze heel lang goed. Om santen te maken lost men het blok of een deel ervan op in kokend water. Een heel blok levert ongeveer 12 dl santen. Heeft men eenmaal van het blok santen gemaakt dan bederft deze vloeistof vrij gauw. Men kan het blok echter makkelijk in vieren of achten delen met een mes om enkele dl santen te krijgen.

KLOEWAK

is de noot van de Pangium Edule. Een Hollandse naam bestaat er niet voor. Het is een kruiderij van zeer overheersende smaak, die in bepaalde vleesgerechten wordt gebruikt, o.a. in rawon. Ze worden onder de naam van kloewakpitten verkocht. Men kraakt de noot, haalt de pit eruit, stampt die fijn en vermengt ze met water.

KEMANGI

is het blad van Ocimum Basilicum/Citratum. Wordt op de wijze van selderie en peterselie bij bepaalde gerechten gebruikt. De Indonesische soort is hier niet verkrijgbaar. Men kan haar althans in de zomer vervangen door haar Hollandse zusje, het tuinkruid Basilicum.

KEMIRI

is de noot van Aleurites Moluccana. Zijn sterk smakende noten die fijngewreven in verschillende gerechten gebruikt worden en gepeld in zakjes te koop zijn. Ze worden voor het gebruik altijd eerst even gepoft, in de oven of, aan een breinaald gestoken, boven de gasvlam, op de laagste stand van de elektrische plaat of in de lauwe oven.

---

* Sinds het verschijnen van dit boek is Santen ook in de vorm van boterkuipjes verkrijgbaar; in grote kuipjes van 8 ounces en platte kuipjes van 4 ounces.

KENARI
de noten van Canarium Commune (Java Almond). Ze worden in
het oosten van Indonesië voor verschillende gerechten gebruikt.
Ze kunnen ook rauw als amandelen gegeten worden.

KENTJOER
de wortelstok van Kaempferia Galanga. Is in gemalen vorm in
flesjes en zakjes verkrijgbaar. Kentjoer heeft een sterk overheersende smaak en wordt in combinatie met andere kruiden in
kleine hoeveelheid aan bepaalde gerechten toegevoegd. Wees
voorzichtig met de dosering!!

KETJAP
Indonesische soya gemaakt uit soyabonen, waaraan verschillende
kruiden o.a. anijs zijn toegevoegd. Men kan kiezen uit drie soorten: zoete, zoute en half zoute. De laatste soort wordt in de meeste
gerechten gebruikt.

KETOEMBAR
(Coriandrum Sativum), de Hollandse naam is Koriander. Is zowel als zaad en in gemalen vorm verkrijgbaar. In mijn recepten
ga ik van de gemalen vorm uit. Ketoembar wordt in combinatie
met djinten in vele Indonesische gerechten gebruikt. Op enkele
uitzonderingen na is de verhouding 1 deel djinten op 2 delen
ketoembar.

KOENJIT (KOENIR)
de wortelstok van Curcuma domestica, in het Hollands kurkuma
of geelwortel geheten. Het geeft niet alleen aroma maar ook een
mooie gele kleur aan de gerechten. Koenjit is zowel in wortelvorm
als gemalen verkrijgbaar. Het mag nooit rauw gebruikt worden,
maar moet of gepoft of even meegebakken of meegekookt worden. Koenjit wordt in alle kerriemengsels gebruikt.

KOEPING TIKOES
letterlijk muizenoortjes. Een soort gedroogde Chinese champignons (Auricularia spec. div.), die in Chinese gerechten gebruikt wordt. Voor het gebruik enige tijd weken.

KOETJAI
bieslook, ook wel uienkruid genoemd, in de zomer vers verkrijgbaar. Kan zowel in de volle grond als in een bloempot of bloembak makkelijk zelf gekweekt worden.

KROEPOEK
wordt van verschillende ingrediënten gemaakt. Men kent in Indonesië wel een dertig soorten kroepoek. Hier in Nederland kan men slechts drie soorten krijgen, de Kroepoek Oedang, gemaakt van meel en garnalen; de Kroepoek Palembang, gemaakt van meel en vis en de Emping belindjoe, gemaakt van de belindjoevrucht. Voor het bakken moet de kroepoek door en door droog zijn. Kroepoek oedang is in gebakken vorm in plastic zakken verkrijgbaar.

LAKSA (SO-OEN)
transparante Chinese vermicelli.

LAOS
is de wortelstok van Alpinia Galanga. De Nederlandse naam is grote galanga, maar er zullen niet veel mensen zijn die dat weten. Laos is zowel als gedroogde wortel en in gemalen vorm verkrijgbaar. In mijn recepten gebruik ik de poedervorm. Laos wordt vrijwel in alle sajoers en sambals goreng gebruikt en in nog vele andere gerechten. Koop ze dus niet in te kleine hoeveelheid, maar schaf u dadelijk een zakje van 50 gram aan.

LOMBOK
de vrucht van de Capsicum Annuum of wel Spaanse peper. 's Zomers in verse vorm, zelfs op markten en in de groentewinkels

te krijgen. Er zijn rode en groene lomboks, de laatste is minder heet en wordt in bepaalde gerechten gebruikt.

MIE
is een Chinese spaghettisoort, gemaakt van tarwe- of tapiocameel. Gebruikt als grondstof o.a. in de bakmie.

PETEHBONEN
sterk ruikende bonen van Parkia Speciosa, gebruikt in sambals goreng en sajoers. Ze zijn gepekeld in flesjes en gedroogd in plastic te koop. De gedroogde bonen moeten eerst voorgeweekt worden. Een enkele maal zijn ze ook vers als grote peulen te krijgen.

PETIS
Pasta gemaakt van gegiste garnalen. Wordt in verschillende Indonesische gerechten gebruikt.

REBOENG
bamboespruiten, in Nederland alleen verkrijgbaar in blikjes uit Hongkong. Worden in Indonesische en vooral in Chinese gerechten gebruikt.

SALAM
blad van Eugenia Polyantha, de laurier. Het blad is iets donker-
der van kleur en iets anders van smaak dan het laurierblad dat
wij in de Europese keuken gebruiken. Wel kan het daar eventueel
door vervangen worden.

SANTEN (zie klapper)

SEDEP MALEM
de bloem van Polianthus Tuberosa, tuberoos. Wordt in gedroogde
vorm (van te voren weken) in Chinese recepten gebruikt.

SEREH
Andropogon Nardus, citronellagras. Wordt in gedroogde vorm
verkocht en wordt meestal in combinatie met salamblad in vele
gerechten gebruikt.

SJALOTTEN
Allium Cepa. Kleine roodpaarse uitjes. Er gaan ongeveer 10 à 12
in 100 gram. Ze worden vrijwel in alle Indonesische recepten verwerkt. Hier zijn ze soms niet te krijgen. Ze zijn geuriger dan de
grote uien en scherper, maar kunnen in geval van nood door deze
vervangen worden.

TAOGÉ
wordt gemaakt van katjang hidjau, die men in een vochtige
warme atmosfeer heeft laten ontkiemen. Ze zijn behalve in de
Indische winkeltjes ook op de markt en in vele groentewinkels te
koop. Het restant van de schilletjes spoelt men er onder de kraan
af. Ze kunnen ook zo afgeschept worden wanneer ze in een pan
met ruim water boven komen drijven. Overigens kan een overgebleven schilletje geen kwaad.

TAHOE
wordt gemaakt van soyabonenmeel en in balkjes van ± 25 cm
lang verkocht. Men kan ze een dag of wat in water bewaard in
de koelkast goed houden. Ze bevat zeer veel plantaardige eiwitten. Ze vormt het hoofdingrediënt zowel van Indonesische als
Chinese gerechten.

TAOTJO
donkerbruine brij van gegiste verschillende soorten Chinese
bonen. Taotjo heeft een sterke, enigszins wijnachtige smaak. Ze
wordt zowel in Indonesische als Chinese recepten gebruikt.

TEMOE KOENTJI
jonge wortelstok van Gastrolichus Panduratum. Verkrijgbaar in Indische winkeltjes; wordt slechts in bepaalde recepten gebruikt.

TEMPÉ
koeken van soyabonen, waarop een bepaalde schimmel geënt is geworden, die de soyaboon zeer goed verteerbaar maakt. Zeer eiwitrijk. Tempé wordt zowel gebakken als gekookt in gerechten verwerkt en is in plastic verpakt.

TERASI
wordt van garnalen bereid en tot koeken geperst. Terasi wordt in bijna alle Indonesische gerechten in kleine hoeveelheid gebruikt. Het ruikt zeer sterk in rauwe toestand. Men kan ook reeds voorgebakken terasi kopen, die de hinderlijke lucht mist. Bewaren in een goed afgesloten jampot of in plastic, niet in de koelkast.

TERI
kleine gedroogde visjes, tamelijk zout. Ze worden in zakjes verkocht en òf als apart gerecht òf als ingrediënt voor een gerecht gebruikt. Ze moeten goed droog bewaard worden.

RIJST

Rijst is het basisgerecht van de Indonesische keuken. Evenals bij een Hollandse maaltijd, waarbij de aardappelen aangebrand of tot een zoute pap gekookt zijn, de groente en het vlees hoe voortreffelijk ook toebereid niet smaken, evenmin zullen een aantal heerlijke bijgerechten niet hun appreciatie vinden als daar harde of kapot gekookte rijst bij geserveerd wordt. Rijst hoort droog gekookt op tafel te komen met de oorspronkelijke korrel nog goed te onderscheiden. Vele huisvrouwen hier te lande vinden dit erg moeilijk. Het komt waarschijnlijk omdat men hier generaties lang rijst als nagerecht heeft gegeten, rijst met pruimen, rijst met krenten, rijst met kaneelsaus, rijst met bessesap of rijst met boter en suiker, om van rijstepap gekookt met melk of karnemelk helemaal niet te spreken. Door de nieuwere voedingsleerinzichten zijn al die dikmakende nagerechten grotendeels komen te vervallen. Maar de methode om rijst met veel te veel water te koken, 1 deel rijst op 3 delen water zoals in ouderwetse kookboeken wordt opgegeven, speelt als een soort erfenis van hun moeders nog vele goede kooksters door het hoofd.

Op Java wordt de rijst niet gekookt maar gestoomd. Men wast de rijst, overgiet haar met kokend water en doet haar in de koekoesan, een puntig uitlopend mandje. Dit mandje hangt men vervolgens in de dandang, een kookpot meestal van roodkoper en wel zo, dat de punt van de koekoesan het water in de dandang net niet raakt. Men dekt de koekoesan met een pannedeksel af en laat de rijst stomen tot ze samenhangt. Daarna wordt de rijstmassa overgedaan in een grote pan of kom en overgoten met water uit de dandang totdat ze een vingerbreed onder staat. Dichtgedekt laat men haar ongeveer een kwartier staan, zodat de korrels gelegenheid hebben het water op te nemen. Vervolgens wordt de rijst weer teruggedaan in de koekoesan en de dandang bijgevuld met kokend water. De rijst moet nu nog een uur nastomen. U ziet, eenvoudig is de methode niet.

Misschien maakt de beschrijving op u de indruk van een soort ritueel. Daar heeft het dan ook iets van weg, niet in het minst door de zorgvuldige manier waarmee iedere korrel rijst voor verspilling wordt behoed. Dat herinnerde mij altijd aan een Javaans gezegde, ,wie rijst verspilt zal honger lijden'. In de Javaanse mythologie werd de rijst door de goden aan de mensen geschonken en aan Dewi Sri, de godin van de rijst wordt, ondanks de Islam, nog altijd door de Javaanse boer geofferd.

Ook in de grote steden van Java waar men het tegenwoordig met minder bedienden doet en waar bovendien vele vrouwen werken, is men op een moderne methode overgegaan. De rijst wordt nog wel altijd gestoomd, maar in een stoompan. Deze stoompannen zijn hier o.a. in de Indische winkeltjes te koop. Het stomen van de rijst is in het bijzonder op Java in gebruik. In vele streken van Indonesië wordt de rijst gekookt, maar dan niet één op drie, maar

een deel rijst op anderhalf maal zoveel water. Men gebruikt er altijd een pan met dikke bodem voor. Dat blijft ook hier een allereerste vereiste. Bijzonder praktisch zijn de pannen die aan de binnenkant zijn bedekt met een krasvrije laag van kunststof. De makkelijkste methode is de rijst op een elektrische plaat te koken. De toevoer van de hitte wordt daarbij regelmatig over het bodemoppervlak van de pan verdeeld. Er zijn ook elektrische rijstkokers in de handel die met een thermostaat werken. Wie op gas kookt moet de hitte temperen met een asbestplaat, desnoods met twee op elkaar.

De laatste jaren is er voorgekookte rijst in de handel waarvan de bereiding bijzonder makkelijk is. De smaak is echter wat flauw. De kookmethode staat op de verpakking aangegeven en kan dus hier achterwege blijven. Rijst wordt in Indonesië zonder zout gekookt, enkele recepten uitgezonderd. Een goede gewoonte. Waarom zouden we zout toevoegen aan een gerecht dat zonder zout al goed smaakt. We krijgen dagelijks toch al te veel zout naar binnen.

1. RIJST in de STOOMPAN (4 à 5 pers.)

$^{1}/_{2}$ liter rijst
$^{3}/_{4}$ liter water

Was de rijst tot het waswater helder is. Zet de rijst op met $^{3}/_{4}$ liter water uit de warmwaterkraan. Draai het vuur laag zo gauw de rijst kookt en laat haar 8 minuten zachtjes koken.

Vul het reservoir van de stoompan en breng het water aan de kook. Doe na 8 minuten de rijst over in het bovenste gedeelte van de stoompan, die een geperforeerde bodem heeft. Zet de bovenste pan op de onderste. Het water mag de rijst niet raken.

Stoom de rijst tot ze gaar is, circa een half uur. Schep haar gedurende het stomen een keer of wat om met een houten lepel. Doe haar op in een schaal en laat haar even uitdampen.

Men kan ook de rijst van tevoren half gaar koken en haar pas een half uur voor de maaltijd stomen. Overgebleven gare rijst kan de volgende dag opgestoomd worden. Ze zal dan in ongeveer tien minuten voldoende warm zijn.

43

2. RIJST KOKEN

¹/₂ liter rijst
³/₄ liter water

Was de rijst als aangegeven in vorig recept. Gebruik nooit een emaille pan waar stukjes af zijn, die kunnen wanneer de rijst zich vastzet op de bodem verder afbrokkelen.
Laat de rijst 8 minuten doorkoken. Roer haar met een houten lepel een keer om. Draai daarna het vuur laag en gebruik bij gas een asbestplaat. Sluit de pan en laat haar nu circa 20 minuten koken.
Draai daarna het vuur uit en laat de rijst nog 10 minuten goed afgedekt staan.

3. RIJST KOKEN (op de manier van aardappelen)

¹/₂ liter rijst
kokend water

Was de rijst als aangegeven in recept 1. Zet haar op met ruim water en laat haar 8 minuten doorkoken. Giet haar daarna af op de manier als aardappelen worden afgegoten.
Zet haar daarna weer op het vuur, draai het laag en gebruik bij gas een asbestplaat. Laat de rijst op deze manier in 12 à 15 minuten gaar worden. Schep haar halverwege een keer om met een houten lepel om het vastzetten te voorkomen.

4. NASI TIM I
(zacht gekookte rijst voor kinderen en zieken)

1 dl rijst
kippeborst of kippepoot van ± 150 gram
1 laurierblad
¹/₂ theelepel zout
¹/₂ liter water

Was de rijst en zet haar op met het stuk kip, het laurierblaadje en het water en zout. Laat de rijst circa een uur lang heel zacht koken. Gebruik bij gas een asbestplaat en een dikke pan.

Roer haar enkele malen goed om en voeg zo nodig een weinig water toe.

Voor dit gerecht kan zowel gebroken als papkokende rijst gebruikt worden.

5. NASI TIM II (voor kinderen of zieken)

1 dl rijst
100 gram kalfsgehakt
100 gram gesneden worteltjes
$^1/_2$ liter water
1 theelepeltje zout

Zet het water op met de wortelen en het zout. Roer het kalfsgehakt aan met enkele eetlepels water tot een papje. Doe het daarna bij de kokende wortelen en voeg ook de gewassen rijst toe. Laat dit alles zachtjes koken zoals dit in het vorig recept is aangegeven.

6. NASI GORENG I (gebakken rijst)

Nasi goreng wordt in Indonesië als ontbijt gegeten. Het wordt gemaakt van restjes die van de avondmaaltijd zijn overgebleven. Restjes koude rijst, koude kip of koud vlees, ook restjes sambal.

500 gram gekookte rijst
200 gram fijn gesneden uien
2 teentjes knoflook, ook fijngesneden
2 à 3 theelepeltjes sambal
4 eetlepels olie
restjes vlees, kip of garnalen
2 eetlepels zoute ketjap

Wrijf uien met knoflook en sambal met een weinig zout in een tjobek fijn of draai ze in een mixer.
Bak dit mengsel in de olie tot de uien lichtgeel zijn. Voeg er de restjes vlees aan toe en bak die even mee. Werk er nu lepelsgewijs de koude rijst doorheen.
Maak de nasi goreng af met twee eetlepels zoute ketjap.
Geef er een gebakken ei bij en een zure augurk.

7. NASI GORENG II (Chinees)

In Chinese restaurants vormt het nasi goreng-gerecht een complete maaltijd. Bij de bereiding wordt reuzel en varkensvlees gebruikt. Er wordt meestal kool, selderie en taogé meegebakken. Nasi goreng speciaal wordt met garnaal of krab bereid en gegarneerd met ham.

500 gram gekookte rijst
200 gram fijngesneden uien
3 teentjes fijngesneden knoflook
100 gram taogé
100 gram fijngesnipperde witte kool en 1 eetlepel
fijn gehakte bieslook
1 eetlepel fijngehakte selderie
250 gram fijngesneden varkensvlees, kip, garnalen
of krab gemengd
100 gram ham
4 eieren
4 eetlepels reuzel (varkens- of spekvet)
$^{1}/_{2}$ theelepel vetsin

Bak uien, knoflook en vlees in reuzel zoals in recept I is aangegeven. Bak ook taogé en kool even mee, niet langer dan 2 minuten. Voeg er daarna de rijst aan toe. Kluts 2 eieren met een weinig zout en roer die door de warme massa tot ze stollen. Maak van de overige 2 eieren een omelet die aan twee kanten wordt gebakken, daarna wordt opgerold en in fijne reepjes gesneden. De nasi goreng wordt afgemaakt met ketjap en vetsin en gegarneerd met de reepjes omelet, de fijngesneden ham, bieslook en selderie.

De Indonesische keuken kent een aantal rijstgerechten die bij bepaalde selamatans (offermaaltijden) wordt gebruikt. De rijst wordt daartoe voorgekookt op de gewone manier en daarna gestoomd met santen en verschillende kruiden.
Nasi Koening (gele rijst) geeft men bij feestelijke selamatans, o.a. bij bruiloften. In Indonesische families viert men de verjaardagen met nasi koening. Wanneer men een selamatan geeft omdat een wens in vervulling is gegaan bestaat het hoofdgerecht uit Nasi Keboeli. Op Lebaran, het grote feest na de Islamitische Vasten bestaat het selamatan-eten uit Ketoepat- en Lontonggerechten.
Ketoepat is rijst gekookt in kleine gevlochten mandjes van jong klapperblad. Iedere streek heeft zijn eigen variaties en daar zijn zeer sierlijke en ingewikkelde mandjes onder. Hier in Nederland is echter geen klapperblad te krijgen en we hoeven er dus niet aan te beginnen. Anders ligt het met de lontong. Inplaats van pisangblad kan men gebruik maken van plastic zakjes, die reeds gevuld met rijst in de Indische winkeltjes te koop zijn: Lontong.

*Men hoeft niets anders te doen dan ze in ruim water met zout één
à anderhalf uur zachtjes te koken. Wil men ook de groene kleur
van het pisangblad nabootsen dan kan men een paar spinazie-
blaadjes aan het kookwater toevoegen. Een andere methode is
rijst heel lang te koken, dan uit te strijken in een met koud water
omgespoelde platte schotel, koud laten worden en ze vervolgens
in stukken te snijden.*
*Bij Indonesische families wordt ketoepat en lontong gebruikt als
picknick-eten en om mee te nemen op reis. Ze worden namelijk
koud gegeten en zijn makkelijk mee te nemen. Hoewel wij hier
geen selamatans houden zijn al deze rijstgerechten zo lekker, dat
ze zich bij ons ook goed voor feestmaaltijden lenen. Elk van deze
bijzondere rijstgerechten wordt met bepaalde bijgerechten gegeten.*

8. NASI KOENING (Gele Rijst)

5 dl rijst
7^1/$_2$ dl water
^{1}/$_4$ blok santen
2 theelepels koenjit
3 laurierblaadjes
2 à 3 theelepels zout

Was de rijst. Breng het water aan de kook met het zout en de
koenjit. Voeg de rijst eraan toe en kook ze met de laurierblaadjes
halfgaar in $\pm$ 8 minuten. Schilfer het blokje santen door de rijst
en roer deze er goed door heen. Stoom daarna de rijst minstens
één uur. Doe de rijst over in een met water gespoelde kom. Druk
haar goed aan. Keer haar om op een schotel en versier de rijst
met stukjes komkommer, reepjes fijngesneden lombok, selderie-
blaadjes en fijngesneden reepjes omelet.
Geef er frikadelletjes bij, sambal goreng, hati-boontjes, sambal
goreng hati-kool, seroendeng en empal of dendeng ragi.

9. NASI KEBOELI

1 liter rijst
1^1/$_2$ liter water

zout
150 gram fijn gesneden ui
3 teentjes fijn gesneden knoflook
1/4 stokje kaneel
3 kruidnagels
1 mespuntje nootmuskaat
8 eetlepels olie of boter

Stamp uien, knoflook en kruiden met elkaar fijn en fruit ze geel
in de olie of boter. Breng dit met het water en het zout aan de
kook en laat dit alles eventjes trekken.
Voeg er daarna de gewassen rijst aan toe en kook haar 8 minuten
zachtjes door. Daarna stomen zoals opgegeven in recept I.
Nasi keboeli is afkomstig uit Arabië. Men eet er goelai bij, rempah, saté kambing en atjar ketimoen en stukjes gebraden kip.

10. NASI GOERIH (pittige rijst) I (Java)

1 liter rijst
1 1/2 liter water
KRUIDEN:
1/4 blok santen
5 eetlepels
gesnipperde uien
2 salamblaadjes
2 eetlepels olie
zout

Was de rijst tot het water helder is. Breng de rijst aan de kook met zout en salamblad. Laat alles gedurende 8 minuten zachtjes koken. Schilfer het blokje santen eroverheen. Breng de rijst over in de stoompan en stoom tot ze gaar is. Bak de uien in de olie goudgeel en knappend en strooi ze over de rijst. Men eet er droge sambelans (o.a. seroendeng, sambal kelapa), sambal goreng boontjes, kool, bruine bonen, gebakken stukjes kip, saté naar keuze bij.

11. NASI GOERIH II (Sumatra)

1 liter rijst
1¹/₂ liter water
1 kleine kip (niet uit de diepvries)
KRUIDEN:
5 eetlepels gesnipperde uien
1 gesnipperd teentje knoflook
1 theelepel ketoembar
¹/₂ theelepel djinten
1 theelepel laos
2 gepofte kemiris
1 theelepel terasi
1 salamblaadje

Kook de kip halfgaar en snijd het borstvlees en andere mooie delen in kleine stukjes. Breng het water aan de kook met het salamblad en het zout.
Wrijf uien, knoflook, ketoembar, djinten, laos en terasi tot een brij met de gepofte kemiries en kook dit mee. Voeg er dan de rijst aan toe en laat alles gedurende 8 minuten koken tot de rijst al het vocht heeft opgenomen. Schilfer de santen over de rijst en roer die met het halfgare kippevlees door de rijst. Doe de rijst dan over in een stoompan en stoom haar tot ze gaar is.
Voor bijgerechten, zie Nasi Goerih I.

12. LONTONG I

Koop lontongrijst in zakjes van plastic.
Kook ze in ruim water met zout in 1 à 1¹/₂ uur gaar. Na afkoeling in stukjes van 1 cm dikte en 2 à 3 cm lengte snijden.

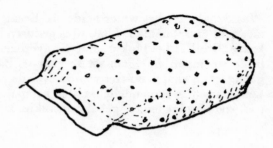

13. LONTONG II

^{1}/$_2$ liter rijst
2 eetlepels ketan (kleefrijst)
1^1/$_2$ liter water
zout

Was de rijst gemengd met de ketan en breng haar aan de kook
met het zout. Draai zo gauw de rijst kookt het vuur op laag en
gebruik bij gas een asbestplaat. De rijst mag stuk koken en moet
zeer gaar zijn.
Spoel een schotel om met koud water. Strijk daarop de rijst uit.
Laat haar afkoelen en snijd haar in rechthoekige stukken.
Bijgerechten: droge sambelans, opor van kip, saté, gado-gado of
petjel.

14. KETAN (kleefrijst), zwart of wit

^{1}/$_2$ liter ketan
1^1/$_2$ liter water
^{1}/$_{10}$ blok santen
zout

Kook de ketan op de gewone manier van rijst, maar gebruik bij
het stomen minder santen.
Kleefrijst wordt als basis grondstof bij de bereiding van zowel
zoete als zoute gerechten gebruikt.

SAMBALS

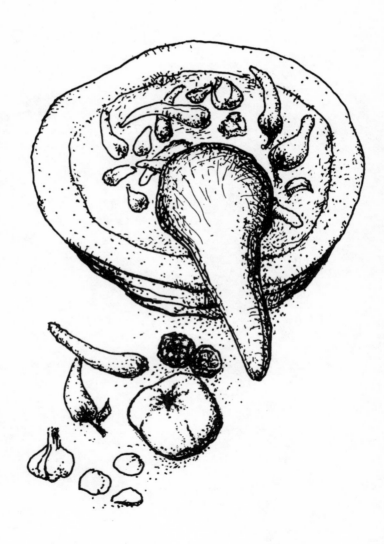

Sambal is een lik rode hetigheid die je op de rand van je bord deponeert, zoals bij Europees eten mosterd of piccalilly. Zo kennen wij hier de sambal. In Indonesië is sambal echter een belangrijk gerecht; hèt belangrijkste gerecht zou je bijna kunnen zeggen, hoewel het weinig voedingswaarde heeft. Dit laatste is niet helemaal waar, want sambal is bijzonder rijk aan vitamine C. Toch zal niemand daarom de sambal eten. Zonder sambal smaakt de Indonesiër de maaltijd niet.

Voor een buitenlander mag dan iedere sambal er precies eender uitzien, er zijn echter tientallen sambalvariaties, op een enkele na allemaal rood en allemaal van smaak verschillend. Sambal is scherp, heet zeg je op z'n Indisch, tot zeer heet. Dat hangt af van de soort rode pepers die ervoor gebruikt is en van de bereiding. In Indonesië groeien allerlei soorten rode pepers, van heel grote en vlezige die weinig heet zijn, tot heel kleine kleintjes toe, de rawit, heet als de hel. Hier in Nederland hebben wij met de middelsoort te maken die Spaanse pepers genoemd worden en in deze recepten met „lombok" worden aangeduid. De Nederlander – met uitzondering van hen die een Indisch verleden hebben – is een beetje huiverig voor al te scherpe spijzen en al die rode pepers lijken hem gevaarlijk. Gelukkig zijn er diverse bereidingswijzen die het gerecht zijn rode kleur doen behouden en tegelijk de scherpte temperen.

Een echt hete sambal krijgt men door de lombok in zijn geheel met zaad en al te gebruiken. De gerechten worden al dadelijk belangrijk minder scherp wanneer men dit zaad verwijdert door de opengesneden lombok even onder de kraan af te spoelen na de zaadstreng met een scherp mesje te hebben losgesneden. Durft men het dan nog niet aan dan kan men de opengesneden en van hun zaad ontdane lomboks een poos in kokend water laten ontheten. En tenslotte – maar dat is voor de bangerds – kan men de sambal „vervalsen" met er een theelepel tomatenpuree aan toe te voegen. U treft dit recept van deze sambal aan onder de naam van Sambal Tomaat. Om de middenweg te bewandelen geef ik hier alle recepten met ontpitte lomboks.

Sambal oelek is een sambal uitsluitend bestaande uit stuk gewreven lombok met zout. Sambal terasi verschilt er alleen van doordat een stukje terasi is meegewreven. Om tijd en werk te sparen (de Nederlandse huisvrouw beschikt in tegenstelling tot de Indonesische slechts zelden over huishoudelijke hulp) kan men aan een groot aantal gerechten in plaats van de lombok apart te wrijven een theelepeltje – of meer – van een van deze sambals toevoegen. Zorg er voor een flinke jampot sambal oelek of sambal terasi in voorraad te hebben. U bespaart er het stuk wrijven van de lombok voor ieder gerecht apart mee. Beide sambals zijn rauw, wat wil zeggen dat ze niet heel lang houdbaar zijn; dus bewaren in de koelkast.

In Indonesië poft men voor het gebruik de lombok om haar makkelijker te kunnen stuk wrijven. Afwassen met warm water heeft hetzelfde effect, maar dan wel zonder ze eerst open te snijden, want daarmee gaat veel van de scherpte verloren.

Groene lombok is geen variëteit van de rode, maar onrijpe. Ze zijn minder scherp en worden in bepaalde gerechten verwerkt. Ze worden als men ze enige tijd bewaart rood, ook in de koelkast en ze kunnen dan als rode lombok verwerkt worden. Lombok wordt, dank zij de grote vraag, de laatste jaren ook in Nederland verbouwd in kassen. Ze zijn een deel van het jaar niet vers verkrijgbaar, wel in diepvries, maar dan alleen in de grote steden als Amsterdam en Den Haag. Wie daar niet woont en een diepvrieskastje heeft doet er goed aan in het seizoen dat ze goedkoop zijn (omtrent augustus) er een voorraadje van in te vriezen. Koop een kilo of wat en verpak ze met twintig à vijfentwintig tegelijk in een plastic zakje. Niet wassen en niet half gaar maken zoals bij sommige groenten gebeurt; rauw er in, dat alleen! Zelf ingevroren en bevroren gekochte lombok moeten in de diepvrieskast of minstens in het vriesvak van de koelkast bewaard worden.

Wie geen vrieskast bezit en geen winkel in de buurt heeft waar men diepvries lombok verkoopt kan sambal maken van gedroogde lombok. Die lombok moet eerst enkele uren weken. De sambal die men verkrijgt is scherp en weinig geurig. Meer aan te bevelen is het om dan maar liever een paar jampotten sambal oelek in voor-

vruchtenstalletje op de markt met

links boven: rode djamboe aer,

rechts ervan: salaks (bruin), vervolgens met de klok mee: djamboe keloetoek (guavas), sawo en weer djamboe keloetoek (geel-groen); in het midden djamboe bol (rood gestreept)

raad te maken of die sambal bij de kruidenier of in een Indisch winkeltje per pot te kopen. Vergeet echter niet: bewaren in de koelkast.

Hier volgen vijfentwintig sambalrecepten van de eenvoudigste soort, alle afgeleid van het basisrecept, de sambal oelek en de sambal terasi.

15. SAMBAL OELEK

20 lomboks
2 theelepels zout

Was en snijd de lomboks, eventueel in een mixer met mesjes. Wrijf ze met het zout op de tjobèk tot een brij. Doe ze over in een met sodawater afgewassen jampot en bewaar ze afgesloten in de koelkast.

16. SAMBAL TERASI

20 lomboks
^{1}/₂ theelepel zout
1 theelepel terasi

Bereiding als sambal oelek, wrijf de terasi mee.

17. SAMBAL MANIS

5 lomboks
1 stukje asem ter grootte van een walnoot
2 theelepels Javaanse suiker
snufje zout

Wrijf lombok, suiker, zout en asem op een tjobèk fijn. Verwijder onder het wrijven de vliezen en pitten van de asem.

18. SAMBAL TOMAAT

5 lomboks
1/2 theelepel zout
1 theelepel tomatenpuree

Maak sambal oelek of sambal terasi en roer er een theelepel tomatenpuree doorheen.
Deze sambal is, ook in de koelkast, niet lang houdbaar.

19. SAMBAL DJEROEK (citroen)

5 lomboks
1 theelepel zout
Sap van 1/4 citroen

Maak sambal oelek of terasi en meng er het citroensap goed doorheen. Deze sambal is ook in de koelkast, niet lang houdbaar.

20. SAMBAL PETIS

5 lomboks
1/2 theelepel zout
1 à 2 theelepels petis

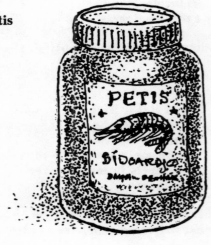

Maak een sambal oelek maar met minder zout. Wrijf er naar smaak 1 à 2 theelepels petis doorheen (zie ook sambal goreng petis).

21. SAMBAL KEMIRI

5 lomboks
¹/₂ teentje knoflook
5 stuks kemiri
1 theelepel zout

Wrijf de lombok met de knoflook en het zout fijn. Pof de kemiri. Dit kan of boven het gas gebeuren geregen aan een breinaald of metalen satépen of in een foliebakje op een elektrische plaat. De plaat moet op de laagste stand staan en de kemiri moet nu en dan omgedraaid worden. Ze mag niet zwart branden. Stamp de kemiri, terwijl ze nog warm is, fijn en wrijf ze daarna samen met de lombok, de knoflook en het zout.

22. SAMBAL PINDA

5 lomboks
¹/₂ teentje knoflook
1 theelepel zout
1 eetlepel pindakaas

Maak deze sambal als de sambal kemiri, maar vervang de kemiri door pindakaas.

23. SAMBAL UI

5 lomboks
¹/₂ teentje knoflook
1 theelepel terasi
1 eetlepel fijn gesneden ui

Maak sambal terasi, maar wrijf de fijngesneden uien en de fijngesneden knoflook mee.
Deze sambal is, ook in de koelkast, niet lang houdbaar.

24. SAMBAL BIESLOOK

5 lomboks
1/2 teentje knoflook
1 theelepel terasi
1 eetlepel fijngehakte bieslook
paar druppels citroensap

Maak een sambal terasi met knoflook en meng er zonder wrijven
de bieslook doorheen. Maak haar af met een paar druppels
citroensap.
Deze sambal is, ook in de koelkast, niet lang houdbaar.

25. SAMBAL SELDERIE

5 lomboks
1/2 teentje knoflook
1 theelepel terasi
1 eetlepel fijngehakte selderie
paar druppels citroensap

Maak een sambal terasi met knoflook en meng er zonder wrijven
de gehakte selderie doorheen. Afmaken met een paar druppels
citroensap.
Deze sambal kan niet bewaard worden.

Iets ingewikkelder zijn de volgende sambals. Naast de lombok die
het voornaamste ingrediënt blijft, worden er uien, knoflook en
een aantal kruiderijen aan toegevoegd. Deze soort sambals wordt
in een weinig olie even opgebakken en zijn langer houdbaar dan

de rauwe soorten, die in de tropen in een dag bedorven zijn, wanneer ze niet in de koelkast worden bewaard. De eenvoudigste van deze sambals is de Sambal Serdadoe (de soldatensambal) die deze rij van sambals opent en als basisrecept dient.

26. SAMBAL SERDADOE

10 gesnipperde lomboks
200 gram gesnipperde uien
2 theelepels terasi
1 eetlepel olie
zout

Wrijf lombok, uien en zout tesamen fijn. Fruit ze in de olie, maak terasiwater door de terasi fijn te wrijven in 4 eetlepels warm water. Voeg dit aan de massa toe. Laat de sambal stoven tot de uien gaar zijn en de brij voldoende ingedikt is.

27. SAMBAL ASEM

10 gesnipperde lomboks
100 gram gesnipperde ui
1 stuk asem ter grootte van 2 walnoten
2 eetlepels Javaanse suiker
1 eetlepel olie
zout

Week de asem in 1 dl water. Wrijf haar door een zeef en kook haar zachtjes op met de Javaanse suiker. Wrijf lombok en uien met het zout fijn. Fruit ze in de olie. Voeg er als de uien geel zijn het asem-suikermengsel aan toe.
Zachtjes door laten koken tot de massa dik wordt.

28. SAMBAL BRANDAL

10 gesnipperde lomboks
8 kemiris
1 theelepel terasi
2 djeroek poeroetbladeren
stukje asem ter grootte van een walnoot
2 eetlepels olie
zout

Pof de kemiri en stamp ze fijn. Wrijf lombok, terasi en zout tesamen met de kemiri. Maak van de asem 3 eetlepels asemwater. Fruit de gewreven kruiden en voeg er het asemwater aan toe. Even zachtjes doorkoken tot ze indikt.
Deze sambal is zeer scherp.

29. SAMBAL BADJAK

10 gesnipperde lomboks
200 gram gesnipperde uien
3 teentjes gesnipperde knoflook
12 stuks kemiri
1 theelepel laos
asem ter grootte van een walnoot
1 theelepel terasi
3 theelepels Javaanse suiker
2 sprieten sereh in vieren geknipt
¹/₈ blok santen
2 eetlepels olie
zout

Wrijf de gepofte kemiri met de uien en knoflook, suiker, laos,

zout en terasi fijn. Fruit dit alles met elkaar tot de uien geel zijn.
Maak asemwater en gebruik daarvoor 4 eetlepels warm water.
blokje santen. Zachtjes doorkoken tot de massa dik begint te wor-
Voeg dit aan de gefruite kruiden toe gelijk met de sereh en het
den en de olie uit de santen boven komt drijven. Verwijder de
sereh.

30. SAMBAL van RODE en GROENE LOMBOK

 5 gesnipperde rode lomboks
 5 gesnipperde groene lomboks
 2 theelepels terasi
 1 eetlepel olie
 zout

Wrijf de lomboks met het zout fijn. Fruit ze in de olie. Maak
terasiwater door de terasi fijn te wrijven in 4 eetlepels warm
water. Voeg dit aan de massa toe, laat de sambal stoven tot de
brij voldoende is ingedikt.

31. SAMBAL BOET

 10 rode lomboks zonder pit
 1 teentje knoflook
 1 stukje asem ter grootte van 3 walnoten
 5 kemiries (gepoft)
 1 theelepel terasi
 3 theelepels Javaanse suiker
 ¹/₂ theelepel ketoembar
 ¹/₂ theelepel
 laos
 mespuntje
 kentjoer
 zout

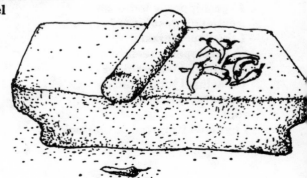

Haal de pitten uit de asem. Wrijf asem met kemiri, terasi, knof-look, ketoembar, laos, kentjoer met het zout en de helft van de suiker tot een brij. Voeg er dan de fijngesneden lombok aan toe en wrijf deze mee. Doe wanneer dit alles tot een homogene massa is geworden, er de rest van de suiker bij en meng deze tot ze op-gelost is. Niet alle suiker tegelijk toevoegen, dat geeft moeilijk-heden met het wrijven.

Dit is een tamelijk ingewikkelde sambal. Ze is echter bijzonder geurig en mild en kan, mits in de koelkast in een afgesloten pot, zeer lang bewaard worden.

32. SAMBAL TERI (Tapanoeli)

    10 gesnipperde lomboks
    5 eetlepels gesnipperde ui
    1 spriet sereh
    2 eetlepels tomatenpuree
    50 gram ikan teri
    6 eetlepels olie

Wrijf de lomboks en de gesnipperde uien fijn en voeg er tomaten-puree aan toe. Bak dit mengsel in 2 eetlepels olie. Bak de teri in 4 eetlepels olie tot ze geel is. Meng de teri met de gebakken krui-den en doe ze op.

Aan dit gerecht wordt geen zout toegevoegd omdat de teri zelf al zout is.

33. SAMBAL LOEAT (Timor)

    10 gesnipperde lomboks
    3 eetlepels gesnipperde uien
    1 theelepel terasi
    $^{1}/_{2}$ theelepel ketoembar
    1 theelepel witte suiker
    1 theelepel tomatepuree
    sap van $^{1}/_{2}$ citroen
    zout
    1 eetlepel fijngehakte bieslook

Wrijf lombok, uien, terasi, zout, ketoembar en suiker tesamen fijn en voeg daar de tomatenpuree aan toe. Bak ze op tot de uien geel worden en voeg dan het citroensap toe. Meng er voor het opdoen de bieslook door.

34. ASAM KEMAMAH (Atjeh)

1 stuk geweekte stokvis van ± 150 gram
5 gesnipperde lomboks
4 gesnipperde teentjes knoflook
10 eetlepels gesnipperde uien
asem ter grootte van een walnoot
1/2 eetlepel witte suiker
1/8 blok santen
4 eetlepels olie
zout

Wrijf lombok, uien, knoflook met suiker en zout fijn. Bak ze in de olie tot de uien lichtgeel zijn. Stamp de stokvis in uiterst fijne stukjes en bak die mee. Maak asemwater van de asem met 4 eetlepels warm water. Voeg die aan de massa toe, evenals het blokje santen. Roer dit alles goed door elkaar en laat het gerecht nog enige tijd stoven tot de stokvis gaar is. Zo nodig 1 à 2 eetlepels water toevoegen. Deze sambal behoort vrij droog te zijn en kan, ook in de koelkast, niet lang bewaard worden.

35. SAMBAL MALAKA

10 gesnipperde lomboks
10 eetlepels gesnipperde ui
6 teentjes gesnipperde knoflook
2 theelepels laos
1 spriet sereh in vieren geknipt
asem ter grootte van een walnoot
1/8 blok santen
4 eetlepels olie
zout
2 theelepels terasi

Wrijf ui, knoflook, laos, sereh, terasi en zout tesamen fijn. Bak ze in de olie tot de uien geel zijn.

Stamp intussen de lombok fijn. Voeg lombok, asemwater gemaakt van de asem en 4 eetlepels warm water, aan de massa toe. Roer er een blokje santen doorheen en kook de sambal door tot de uien gaar zijn en de olie uit de santen boven drijft.

36. SAMBAL BOEBOEK KERING

3 volle eetlepels gestampte ebi (gedroogde garnaaltjes)
2 theelepels sambal oelek
2 teentjes knoflook
$1/2$ theelepel kentjoer
$1/2$ theelepel terasi
1 eetlepel witte suiker
3 djeroek poeroetblaadjes

Stamp de sambal oelek, knoflook, kentjoer, terasi, djeroek poe-roetblaadjes en de suiker met elkaar fijn. Voeg daarna de fijne ebi er aan toe en meng de massa goed dooreen.

Maak de olie heet. Haal de pan (Gebruik een koekepan of een wadjan met dikke bodem!) van het vuur en roer er de gestampte massa doorheen. Draai dan het vuur op z'n laagst (gebruik bij gas een asbestplaatje). Zet de pan er weer op en roer de sambal nog 2 à 3 minuten goed door. Laat ze dan afkoelen op een bord en doe de sambal dan over in een goed afgesloten jampot. Mochten er nog restjes djeroek poeroetblaadjes zichtbaar zijn, haal die dan weg voor het opdoen.

37. SAMBAL KELAPA

100 gram geraspte klapper (kokosmeel)
4 theelepels sambal terasi
1 theelepel laos
2 theelepels ketoembar
$1/2$ theelepel kentjoer
2 theelepels Javaanse suiker
4 djeroek poeroetblaadjes

¹/₂ theelepel zout
2 eetlepels olie

Meng de sambal terasi met de laos, ketoembar, kentjoer, de suiker en het zout goed door elkaar. Maak de olie heet in een koekepan of wadjan, beide met een dikke bodem, fruit dit mengsel in de olie. Neem de pan van het vuur en roer onder voortdurend omscheppen het kokosmeel doorheen. Zet de pan terug op het vuur, draai deze op z'n laagst (gebruik bij gas een asbestplaatje). Bak de sambal onder voortdurend omscheppen nog enkele minuten door tot ze geelbruin ziet. De kleur mag vooral niet te donker worden. Laat de sambal niet in de pan staan. Doe ze op een bord en laat ze afkoelen. Doe ze daarna over in een goed afgesloten jampot. Voor het opdoen zichtbare djeroek poeroetblaadjes verwijderen.

38. SAMBAL KELAPA (Kokos) / DJAGOENG (Mais)

100 gram kokosmeel
100 gram jonge maïs uit blik (laten uitlekken)
4 theelepels sambal terasi
¹/₂ theelepel kentjoer
ontpitte asem ter grootte van een walnoot
4 djeroek poeroetblaadjes (fijngewreven)
2 eetlepels fijngesneden bieslook
zout

Al deze ingrediënten in een tjobèk bij elkaar goed vermengen en dan opdoen. Bij gebruik van verse mais kan eventueel wat Javaanse suiker mee gemengd worden. Deze sambal kan, ook in de koelkast, niet lang bewaard blijven.

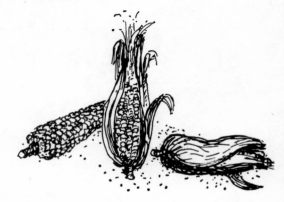

39. SAMBAL TAOTJO

10 fijngesneden lomboks
100 gram fijngesneden ui
3 teentjes fijngesneden knoflook
5 stuks kemiri
1 theelepel Javaanse suiker
1 theelepel terasi
2 eetlepels taotjo
asem ter grootte van een walnoot
3 eetlepels olie
zout

Stamp de gepofte kemiri fijn. Wrijf uien, knoflook, terasi, zout en suiker samen met de kemiri. Braad dit mengsel in de olie op. Voeg er, als de uien geel zijn, de lombok en de taotjo aan toe. Afmaken met asemwater, gemaakt van de asem met 3 eetlepels warm water. Deze sambal moet enigszins vochtig blijven.

SAMBAL GORENG

Sambal goreng is een veel voorkomend gerecht, dat vrijwel altijd op het dagelijkse menu voorkomt. Bij meer uitgebreide etentjes kan men zelfs twee, drie of meer sambals goreng geven. Ze zijn vrij eenvoudig te maken, het aantal kruiden is beperkt en het aantal variaties vrijwel onbeperkt. Sambal oelek of sambal terasi worden gebakken met uien, knoflook, laos en Javaanse suiker in combinatie met groenten, vlees, kip, vis of garnalen, tahoe of tempe en vervolgens gestoofd in santen waaraan een blaadje salam en een spriet sereh is toegevoegd. Gebruikt men vlees of vis dan voegt men er ook nog een paar eetlepels asemwater aan toe, gemaakt van een stukje asem ter grootte van een walnoot. Dit is het basisrecept waarmee je altijd goed uitkomt.

Wie dit in zijn vingers heeft is al in staat tot het maken van een eenvoudige rijsttafel voor huiselijk gebruik. Daar men met uitzondering van de bladgroenten vrijwel alles aan dit gerecht kan toevoegen is het aantal variaties ongeveer onbeperkt. Bovendien kan men de verschillende groenten combineren met diverse vleessoorten, garnalen, tahoe, tempe, eieren enz. Een wat vochtige sambal goreng kan, althans voor dagelijks gebruik de sajoer vervangen. Men moet dan wel de hoeveelheid verdubbelen.

Naast de natte sambals goreng bestaan ook droge sambals goreng, die hier afzonderlijk behandeld zullen worden omdat ze er sterk van afwijken. Naast deze afwijking bestaan nog een aantal variaties die noch in de rubriek natte, noch in de rubriek droge sambals goreng ondergebracht kunnen worden en hier in het slot van dit hoofdstuk bijeen zijn gebracht.

40. SAMBAL GORENG KOOL

¹/₄ kg kool (witte, groene, savooye- of spitskool, bloemkool of spruitjes)
3 eetlepels gesneden ui

1 teentje gesneden knoflook
1 theelepel sambal terasi (of 1 theelepel sambal oelek
en ¹/₂ theelepel terasi)
1 theelepel laos
1 theelepel Javaanse suiker
1 spriet sereh
1 salamblaadje
¹/₈ blok santen
2 eetlepels olie
wat zout

Snijd de kool uiterst fijn en was haar. Wrijf ui, knoflook, sambal,
en laos met de suiker en het zout tot een brij. Gebruikt men sambal oelek, dan ook de terasi meewrijven. Fruit dit alles in de olie
tot de uien geel zijn. Voeg er daarna de kool aan toe en fruit die
een paar minuten mee tot ze slap is. Doe er vervolgens het blokje
santen bij, de sereh en de salam en, als de massa erg droog is, een
scheutje water. Laat het gerecht stoven tot de olie uit de santen
komt, ongeveer 5 à 6 minuten. De kool mag niet helemaal gaar
worden. Verwijder, voor het opdienen de sereh en het salamblaadje.

41. SAMBAL GORENG BOONTJES

¹/₄ kg snij- of prinsessebonen
3 eetlepels gesneden ui
1 teentje knoflook
1 theelepel sambal terasi (of 1 theelepel sambal oelek
en ¹/₂ theelepel terasi)
1 theelepel laos
1 theelepel Javaanse suiker
1 spriet sereh
1 salamblaadje
¹/₈ blok santen
2 eetlepels olie
wat zout

Was de bonen. Breek de prinsessebonen in drie à vier stukjes.
Snijd de snijbonen op de gewone manier. Maak deze sambal goreng als de sambal goreng kool. Voeg aan de prinsessebonen ge-

lijk met de santen 1 dl water toe. Bij snijbonen die onder het koken zelf veel vocht produceren zal dat niet nodig zijn. Beide bonensoorten mogen niet helemaal gaar worden.

42. SAMBAL GORENG PREI

1/4 kg prei
3 eetlepels gesneden ui
1 teentje knoflook
1 theelepel sambal terasi (of 1 theelepel sambal oelek
en 1/2 theelepel terasi)
1 theelepel laos
1 theelepel Javaanse suiker
1 spriet sereh
1 salamblaadje
1/8 blok santen
2 eetlepels olie
wat zout

Gebruik dikke prei. Spoel ze af onder de koude kraan. Verwijder wortels en de donkergroene bladeren. Snijd de prei in stukjes van 1/2 cm. Gebruik alleen het gele en lichtgroene gedeelte.
Maak deze sambal goreng verder als sambal goreng kool.
Zorg er voor dat de prei niet helemaal gaar wordt.

43. SAMBAL GORENG PEULTJES

1/4 kg peultjes
3 eetlepels gesneden ui
1 teentje knoflook
1 theelepel sambal terasi (of 1 theelepel sambal oelek
en 1/2 theelepel terasi)
1 theelepel laos
1 theelepel Javaanse suiker
1 spriet sereh
1 salamblaadje
1/8 blok santen
2 eetlepels olie
wat zout

73

Haal de peultjes af en was ze. Laat de peultjes in hun geheel, een enkele grote kan schuin doorgesneden worden.
Maak deze sambal goreng als sambal goreng kool. De peultjes moeten knappend blijven.

44. SAMBAL GORENG TOMAAT

$^1/_4$ kg tomaten
3 eetlepels gesneden ui
1 teentje gesneden knoflook
1 theelepel sambal terasi (of 1 theelepel sambal oelek
en $^1/_2$ theelepel terasi)
1 theelepel laos
2 theelepels Javaanse suiker
1 spriet sereh
1 salamblaadje
$^1/_8$ blok santen
2 eetlepels olie
wat zout

Was de tomaten en snijd ze in vieren of zessen. Maak deze sambal goreng als de sambal goreng kool. Let er op dat er iets meer suiker in dit recept is aangegeven. Kook ze zo kort mogelijk, de tomaten mogen niet tot moes koken.

45. SAMBAL GORENG TAOGE

$^1/_4$ kg taogé
3 eetlepels gesneden ui
1 teentje gesneden knoflook
1 theelepel sambal terasi (of 1 theelepel sambal oelek
en $^1/_2$ theelepel terasi)
1 theelepel laos
1 theelepel Javaanse suiker
1 salamblaadje
1 spriet sereh
$^1/_8$ blok santen
2 eetlepels olie
wat zout

Doe de taogé in een zeef. Spoel ze af onder de koude kraan. Verwijder de groene schilletjes. Laat ze uitlekken. Maak deze sambal als de sambal goreng kool. Stoof ze zo kort mogelijk.

46. SAMBAL GORENG DJAGOENG (Mais)

1 blikje maiskorrels of zes halfrijpe maiskolven
3 eetlepels gesneden ui
1 teentje gesneden knoflook
1 theelepel sambal terasi (of 1 theelepel sambal oelek en $\frac{1}{2}$ theelepel terasi)
1 theelepel laos
1 theelepel Javaanse suiker
1 spriet sereh
1 salamblaadje
$\frac{1}{8}$ blok santen
2 eetlepels olie
wat zout

Laat de mais uit blik eerst op een zeef uitlekken. Gebruikt men verse mais let dan op dat de kolven niet te oud zijn. Snijd de korrels met een scherp mes van de kolf af. Maak deze sambal goreng vervolgens als de sambal goreng kool. Verse mais mag iets langer doorkoken.

47. SAMBAL GORENG van BRUINE BONEN

$1/4$ kg gekookte bruine bonen, al dan niet uit blik
3 eetlepels gesneden ui
1 teentje gesneden knoflook
1 theelepel sambal terasi (of 1 theelepel sambal oelek
en $1/2$ theelepel terasi)
1 theelepel laos
1 theelepel Javaanse suiker
1 spriet sereh
1 salamblaadje
$1/8$ blok santen
2 eetlepels olie
wat zout

Wrijf ui, knoflook, sambal, laos, suiker en zout met elkaar tot een brij. Fruit die in de olie tot de uien geel zijn. Voeg er 4 lepels kookwater van de bonen aan toe en het blokje santen, de sereh, de bonen en de salam en stoof dit tot de olie uit de santen boven komt drijven. Verwijder voor het opdienen de sereh en het salamblaadje.

48. SAMBAL GORENG van CAPUCIJNERS

$1/4$ kg gekookte capucijners, verse of uit blik
3 eetlepels gesneden ui
1 teentje gesneden knoflook
1 theelepel sambal terasi (of 1 theelepel sambal oelek
en $1/2$ theelepel terasi)
1 theelepel laos
1 theelepel Javaanse suiker
1 spriet sereh
1 salamblaadje
$1/8$ blok santen
2 eetlepels olie
wat zout

Bereid dit recept op de manier van sambal goreng bruine bonen.

49. SAMBAL GORENG van WITTE BONEN

$^1/_4$ kg gekookte witte bonen, al dan niet uit blik
3 eetlepels gesneden ui
1 teentje gesneden knoflook
1 theelepel sambal terasi (of 1 theelepel sambal oelek
en $^1/_2$ theelepel terasi)
1 theelepel laos
1 theelepel Javaanse suiker
1 spriet sereh
1 salamblaadje
$^1/_8$ blok santen
2 eetlepels olie
zout
2 theelepels tomatenpuree

Bereid dit recept op de manier van sambal goreng bruine bonen.
Voeg er echter 2 theelepels tomatenpuree aan toe.

50. SAMBAL GORENG van PAPRIKA

$^1/_4$ kg paprika, rode en groene door elkaar
3 eetlepels gesneden ui
1 teentje gesneden knoflook
1 theelepel sambal terasi (of 1 theelepel sambal oelek
en $^1/_2$ theelepel terasi)
1 theelepel laos
1 theelepel Javaanse suiker
1 spriet sereh
1 salamblaadje
$^1/_8$ blok santen
2 eetlepels olie
zout

Was de paprika's. Snijd ze doormidden, verwijder vliezen en het
zaad. Snijd de paprika's vervolgens in niet te smalle repen.
Maak deze sambal goreng als de sambal goreng kool. Ze mag niet
gaar worden.

51. SAMBAL GORENG
van RODE en GROENE LOMBOKS

10 rode lomboks en 10 groene lomboks
3 eetlepels gesneden ui
1 theelepel terasi
1 theelepel laos
2 theelepels Javaanse suiker
2 eetlepels asemwater gemaakt van een stuk asem ter
grootte van 2 walnoten
1 spriet sereh
1 salamblaadje
¹/₈ blok santen
2 eetlepels olie
zout

Was de lomboks, verwijder het zaad. Kook ze enkele minuten op in ¹/₂ liter water. Droog ze af en snijd ze in repen van circa 1 cm. Wrijf uien, knoflook, laos, suiker, zout en terasi met elkaar fijn. Fruit dit mengsel in de olie tot de uien geel beginnen te worden. Voeg er daarna de stukjes lombok bij en vervolgens het asemwater, gemaakt van 1 dl water en het stukje asem en dan het blokje santen, de sereh en het salamblaadje. Stoof dit tot de olie uit de santen boven komt drijven. Verwijder voor het opdienen de spriet sereh en het salamblaadje.
Deze sambal goreng is hoewel ze van veel lomboks is gemaakt niet erg scherp.

52. SAMBAL GORENG van SJALOTTEN

2 fijngesneden rode lomboks
2 fijngesneden groene lomboks
3 eetlepels sjalotten, grofgesneden
1 eetlepel Javaanse suiker
1 dl asemwater gemaakt van een stukje asem ter grootte
van een walnoot
4 eetlepels olie
1 spriet sereh
1 salamblaadje
zout

Bak de uien in de olie lichtbruin. Laat ze uitlekken. Wrijf de groene en de rode lomboks met suiker en zout tot een brij. Bak ze op in de olie. Maak ze af met 4 eetlepels asemwater en voeg er daarna de gebakken uien, de sereh en het salamblaadje aan toe. Laat dit alles nog eventjes doorkoken.

53. SAMBAL GORENG van VLEES

$^1/_4$ kg vlees, onverschillig van welk soort
3 eetlepels gesneden ui
1 teentje gesneden knoflook
1 theelepel sambal terasi (of 1 theelepel sambal oelek
en $^1/_2$ theelepel terasi)
1 theelepel laos
1 dl asemwater gemaakt van een stukje asem ter grootte
een walnoot
1 theelepel Javaanse suiker
1 spriet sereh
1 salamblaadje
2 djeroek poeroetblaadjes
$^1/_8$ blok santen
4 eetlepels olie
zout

Snijd het vlees in blokjes van ongeveer 2 cm. Braad het op in de olie. Wrijf uien, knoflook, sambal, laos, suiker en zout tezamen tot een brij. Voeg als het vlees een minuut of vijf, zes gebakken heeft deze kruiden bij het vlees en braad ze mee. Doe er dan het asemwater, het blokje santen, de sereh, de djeroek poeroetblaadjes en het salamblaadje bij. Laat dit tesamen stoven tot het vlees gaar is.

54. SAMBAL GORENG HATI (Lever)

1/4 kg lever, onverschillig van welke soort
3 eetlepels gesneden ui
1 teentje gesneden knoflook
1 theelepel sambal terasi (of 1 theelepel sambal oelek
en 1/2 theelepel terasi)
1 theelepel laos
1 dl asemwater gemaakt van een stukje asem ter grootte
van een walnoot
1 theelepel Javaanse suiker
1 spriet sereh
1 salamblaadje
1/8 blok santen
4 eetlepels olie
zout

Snijd de lever in blokjes van ongeveer 2 cm. Bak ze in de olie lichtbruin. Wrijf ondertussen uien, knoflook, sambal, laos, suiker en zout tesamen tot een brij. Voeg als de lever een minuut of vijf, zes gebakken heeft deze kruiden erbij en braad ze mee. Doe er dan het asemwater bij, het blokje santen, de sereh, en het salamblaadje. Laat dit nog 5 à 6 minuten zachtjes stoven, lever die lang doorstooft wordt hard. Verwijder voor het opdienen de sereh en de salam.

55. SAMBAL GORENG van NIER

1/4 kg nier (varkens-, runder-, kalfs- of lamsnier)
3 eetlepels fijngesneden ui
1 teentje gesneden knoflook
1 theelepel sambal terasi (of 1 theelepel sambal oelek
en 1/2 theelepel terasi)
1 theelepel laos
1 dl asemwater gemaakt van een stukje asem ter grootte
van een walnoot
1 theelepel Javaanse suiker
1 spriet sereh
1 salamblaadje

1/8 blok santen
4 eetlepels olie
zout

Spoel de nier goed onder de kraan af. Kook haar daarna in ruim water met zout. Laat haar afkoelen en snijd haar doormidden. Snijd de kern die uit vet en vel bestaat weg, verdeel de nier verder in blokjes van circa 2 cm. Maak deze sambal goreng verder als de sambal goreng hati.

56. SAMBAL GORENG van TONG

1/4 kg tong, varkenstong of 2 lamstongetjes van ± 1/4 kg
1 laurierblad
3 eetlepels gesneden ui
1 teentje gesneden knoflook
1 theelepel sambal terasi (of 1 theelepel sambal oelek en 1/2 theelepel terasi)
1 theelepel laos
1 theelepel Javaanse suiker
1 spriet sereh
1 salamblaadje
wat citroensap
1/8 blok santen
4 eetlepels olie
zout

Kook de tong met zout en een laurierblad tot het vel los laat. Snijd haar in dobbelsteentjes. Maak deze sambal goreng zoals in sambal goreng vlees is aangegeven, maar gebruik geen asemwater en in plaats daarvan het sap van 1/2 citroen. Men kan dit recept ook maken van het achterstuk van een ossetong. De bouillon kan gebruikt worden voor soep of saus.

57. SAMBAL GORENG van KIPPEHARTJES

1/4 kg kippehartjes en maagjes
3 eetlepels gesneden ui
1 teentje gesneden knoflook
1 theelepel sambal terasi (of 1 theelepel sambal oelek
en 1/2 theelepel terasi)
1 theelepel laos
1 theelepel Javaanse suiker
asem ter grootte van een walnoot
1 spriet sereh
1 salamblaadje
1/8 blok santen
4 eetlepels olie
zout

Was de maagjes en hartjes. Zet de maagjes op met 1/4 liter water waaraan de asem is toegevoegd. Kook ze circa een half uur heel zachtjes. Voeg de laatste vijf minuten de hartjes er aan toe. Snijd hartjes en maagjes in kleine stukjes. Van de maagjes moeten de vellen en vetranden weggesneden worden. Maak deze sambal goreng op de manier van sambal goreng van vlees en voeg het restant van het kookwater er aan toe. Laat deze sambal goreng nog 3 kwartier à 1 uur nastoven.

58. SAMBAL GORENG van EI

6 kippe- of eende-eieren
3 eetlepels gesneden ui
1 teentje gesneden knoflook
1 theelepel sambal terasi (of 1 theelepel sambal oelek
en 1/2 theelepel terasi)
1 theelepel laos
1 theelepel Javaanse suiker
1 spriet sereh
1 salamblaadje
1 theelepel tomatenpuree
1/8 blok santen
2 eetlepels olie
zout

Kook de kippe-eieren 10 en de eende-eieren 15 minuten. Spoel ze af met koud water en pel ze. Wrijf uien, knoflook, sambal, laos, tomatenpuree, suiker en zout tesamen tot een brij. Bak ze op in de olie. Doe er na een minuut of vijf het blokje santen bij, de sereh, de salam en 1 dl water. Voeg er daarna de eieren in hun geheel aan toe en laat ze nog ongeveer 10 minuten stoven tot de olie uit de santen boven komt drijven. Verwijder de sereh en het salam-blaadje. Halveer de eieren, rangschik ze op een schaaltje en giet de saus er over heen.

59. SAMBAL GORENG van SPIEGELEIEREN

4 eieren
boter
3 eetlepels gesneden ui
1 teentje gesneden knoflook
1 theelepel sambal terasi (of 1 theelepel sambal oelek
en $^1/_2$ theelepel terasi)
1 theelepel laos
1 spriet sereh
1 salamblaadje
1 eetlepel zoete ketjap
$^1/_8$ blok santen
2 eetlepels olie
1 eetlepel boter
zout

Bak de eieren in de boter aan beide zijden tot de dooier in zijn geheel gestold is. Doe ze op een schotel en houd ze warm.
Wrijf uien, knoflook, sambal, laos en zout tezamen tot een brij. Bak dit in de olie. Voeg er na enkele minuten de santen, de sereh en salam en de ketjap aan toe. Laat deze saus circa 10 minuten stoven, verwijder de sereh en de salam en giet de saus daarna over de eieren.

60. SAMBAL GORENG van OMELET (Dadar)

4 eieren
3 eetlepels gesneden ui
1 teentje gesneden knoflook

1 theelepel sambal terasi (of 1 theelepel sambal oelek
en $^1/_2$ theelepel terasi)
1 theelepel laos
1 theelepel Javaanse suiker
1 spriet sereh
1 salamblaadje
$^1/_8$ blok santen
gehakte selderie en bieslook, tesamen 1 eetlepel
2 eetlepels olie
1 eetlepel boter
zout en peper

Klop de eieren met zout en peper tot de vliezen stuk zijn. Roer er
de selderie en bieslook doorheen en laat dit mengsel een kwartiertje staan tot de luchtbellen die bij het kloppen zijn ontstaan ver-
dwenen zijn. Bak een omelet, draai haar om en bak ook de andere
zijde. Rol haar op en laat haar koud worden. Snijd haar daarna
in reepjes van ongeveer $^1/_2$ cm.
Maak deze sambal goreng verder op de manier van sambal goreng
ei, maar stoof de reepjes omelet niet mee. Ze worden pas als de
saus klaar is er even doorheen geroerd en daarna opgedaan.

61. SAMBAL GORENG TAHOE

$^1/_2$ balk tahoe
3 eetlepels gesneden ui
1 teentje gesneden knoflook
1 theelepel sambal terasi (of 1 theelepel sambal oelek
en $^1/_2$ theelepel terasi)
1 theelepel laos
asem ter grootte van een walnoot
1 spriet sereh
1 salamblaadje
1 eetlepel zoete ketjap
$^1/_8$ blok santen
6 eetlepels olie
zout
peper

Snijd de balk in plakken van ongeveer 2 cm dik. Snijd iedere plak
daarna weer in zessen. Week de asem tesamen met het zout in

4 eetlepels water. Zeef dit en laat hierin de met peper bestrooide stukjes tahoe 1 uur marineren. Nu en dan omscheppen! Laat ze daarna uitlekken en bak ze vervolgens in de olie geel. Wrijf uien, knoflook, sambal en laos tesamen tot een brij. Bak dit op in olie. Voeg er dan de sereh, santen en salam aan toe en warm in dit sausje nog even de stukjes tahoe op. Voeg er voor het opdoen de ketjap aan toe.

62. SAMBAL GORENG TEMPE

$^{1}/_{2}$ plak tempe
3 eetlepels gesneden ui
1 teentje gesneden knoflook
1 theelepel sambal terasi (of 1 theelepel sambal oelek
en $^{1}/_{2}$ theelepel terasi)
1 theelepel laos
1 theelepel Javaanse suiker
1 spriet sereh
1 salamblaadje
asem ter grootte van 2 walnoten
$^{1}/_{8}$ blok santen
6 eetlepels olie
zout

Snijd de tempe in dobbelstenen van circa 2 cm. Week de asem met het zout in 8 eetlepels water, zeef dit en laat hierin de stukjes tempe ongeveer een kwartier marineren. Nu en dan omscheppen! Wrijf uien, knoflook, sambal, laos en suiker tot een brij. Fruit deze in de olie. Voeg er de stukjes tempe bij en bak die even mee. Doe er daarna het blokje santen bij, sereh, salam en 8 eetlepels water. Stoof deze massa nog ongeveer 10 minuten.

63. NJOMOK TEMPE

1/2 plak tempe
1/8 blok santen met 1/2 liter water
3 eetlepels olie
2 eetlepels gesnipperde uien
1 gesnipperd teentje knoflook
1/2 theelepel sambal terasi
2 groene lomboks (ontpit en in vieren gesneden)
1 theelepel ketoembar
1/2 theelepel djinten
1 theelepel laos
1/2 theelepel koenjit
2 salamblaadjes
1 theelepel Javaanse suiker
4 eetlepels asemwater gemaakt van asem ter grootte van walnoot

Snijd de tempe in dobbelsteentjes van circa 1 cm en week ze in het asemwater ongeveer 1 uur. Wrijf ondertussen de uien, knoflook, sambal, ketoembar, djinten en laos tot een brij en fruit die in de olie. Doe er als de uien geel zijn de in water opgeloste santen bij, laat dit even doorkoken, voeg er vervolgens de tempe met het gezeefde asemnat, de suiker, de groene lomboks en de salamblaadjes bij. Laat het gerecht op een niet te groot vuur zachtjes gaar stoven.

64. SAMBAL GORENG KOOL/HATI (Lever)

1/4 kg kool (witte, groene, savooye- of spitskool)
100 gram lever (iedere soort is bruikbaar)
3 eetlepels gesneden ui
1 teentje gesneden knoflook
1 theelepel sambal terasi (of 1 theelepel sambal oelek en 1/2 theelepel terasi)
1 theelepel laos
stukje asem ter grootte van 1/2 walnoot
1 spriet sereh
1 theelepel Javaanse suiker
1 salamblaadje

¹/₈ blok santen
3 eetlepels olie
zout

Snijd de kool uiterst fijn en was haar. Snijd de lever in blokjes van ongeveer 2 cm. Wanneer men een restje lever gebruikt kunnen de blokjes iets kleiner zijn, ze worden dan niet vooruit gebakken. Wrijf ui, knoflook, sambal en laos met de suiker en het zout tot een brij. Gebruikt men sambal oelek dan ook de terasi meewrijven. Bak de lever even op in de olie; haal ze er uit. Fruit nu in dezelfde olie het gewreven kruidenmengsel tot de uien geel zijn. Voeg er daarna de kool aan toe en fruit die een paar minuten mee tot ze slap is. Doe er vervolgens het blokje santen bij, de sereh en de salam en 3 à 4 lepels asemwater gemaakt van het stukje asem. Voeg nu ook de lever toe. Laat het gerecht stoven tot de olie uit de santen komt, na 5 à 6 minuten. De kool mag niet helemaal gaar worden.
In plaats van lever kunnen in ditzelfde recept ook andere soorten vlees worden verwerkt.

65. SAMBAL GORENG BOONTJES/HATI
(Lever)

¹/₄ kg snij- of prinsessebonen
100 gram lever (iedere soort is bruikbaar)
3 eetlepels gesneden ui
1 teentje knoflook
1 theelepel sambal terasi (of 1 theelepel sambal oelek en ¹/₂ theelepel terasi)
1 theelepel laos
1 theelepel Javaanse suiker
1 spriet sereh
1 salamblaadje
asem ter grootte van ¹/₂ walnoot
¹/₈ blok santen
3 eetlepels olie
zout

Was de bonen. Breek de prinsessebonen in 3 à 4 stukjes en snijd de snijbonen op de gewone manier. Snijd de lever in blokjes van circa 2 cm. Wanneer men een restje lever gebruikt kunnen de blokjes iets kleiner zijn, ze worden dan niet vooruit gebakken. Wrijf ui, knoflook, sambal en laos met de suiker en het zout tot een brij. Gebruikt men sambal oelek dan ook de terasi meewrijven. Bak de stukjes lever even op in de olie. Haal ze er uit. Fruit nu in dezelfde olie het gewreven kruidenmengsel tot de uien geel zijn. Voeg er daarna de boontjes aan toe en fruit die een paar minuten mee. Doe er vervolgens het blokje santen bij, de sereh, de salam en 3 à 4 lepels asemwater gemaakt van het stukje asem. Aan snijboontjes niet meer dan 2 lepels asemwater toevoegen. Roer er nu ook de gebakken lever doorheen. Laat het gerecht stoven tot de olie uit de santen komt, voor snijboontjes 5 à 6 minuten, voor prinsesseboontjes iets langer. De lever kan vervangen worden door andere vleessoorten.

66. SAMBAL GORENG PEULTJES/HATI
(Lever)

Maak deze sambal goreng als sambal goreng boontjes/hati

67. SAMBAL GORENG PREI met NIER

$^1/_4$ kg prei
100 gram nier (varkens-, runder-, kalfs- of lamsnier)
3 eetlepels gesneden ui
1 teentje gesneden knoflook
1 theelepel sambal terasi (of 1 theelepel sambal oelek en $^1/_2$ theelepel terasi)
1 theelepel laos
1 theelepel Javaanse suiker
1 spriet sereh
1 salamblaadje
asem ter grootte van $^1/_2$ walnoot
$^1/_8$ blok santen
3 eetlepels olie
zout

Was de nier onder de kraan, kook haar daarna in ruim water met wat zout. Laat haar afkoelen, snijd haar door midden en verwijder de kern die uit vet en vliezen bestaat. Verdeel de nier verder in blokjes van circa 2 cm. Gebruik dikke prei. Spoel ze af onder de kraan. Verwijder wortels en donkergroene bladeren. Snijd de prei in stukjes van circa $1/2$ cm. Gebruik alleen het gele en lichtgroene gedeelte. Wrijf ui, knoflook, sambal en laos met de suiker en het zout tot een brij. Bij gebruik van sambal oelek ook terasi meewrijven. Fruit het gewreven kruidenmengsel tot de uien geel zijn, voeg er daarna de prei aan toe en fruit die een paar minuten mee tot ze slap is. Doe er nu de stukjes nier bij en vervolgens het blokje santen, de sereh en de salam en 3 à 4 eetlepels asemwater gemaakt van het stukje asem. Laat de sambal goreng doorstoven tot de olie van de santen boven komt drijven (na 5 à 6 minuten). Men kan dit gerecht ook maken van restjes vlees zoals lever. De combinatie prei/nier is echter bijzonder lekker.

68. SAMBAL GORENG van GARNALEN

$1/4$ kg garnalen
3 eetlepels gesneden ui
1 teentje gesneden knoflook
1 theelepel sambal terasi (of 1 theelepel sambal oelek
en $1/2$ theelepel terasi)
1 theelepel laos
1 theelepel Javaanse suiker
1 spriet sereh
1 salamblaadje
asem ter grootte van een walnoot
2 djeroek poeroetblaadjes
$1/8$ blok santen
4 eetlepels olie
zout

Wrijf uisnippers, knoflook, sambal, laos, suiker en zout tesamen tot een brij. Fruit dit in de olie tot de uien geel zijn. Doe er dan de garnalen bij en fruit die nog even mee. Voeg er vervolgens het asemwater bij gemaakt van het stukje asem en 3 eetlepels water, het blokje santen, de sereh, de salam en de djeroek poeroetblaadjes. Laat de sambal goreng nog even stoven tot de olie komt boven drijven (na ongeveer 5 à 6 minuten).

69. SAMBAL GORENG PEULTJES
met GARNALEN

Maak deze sambal goreng als sambal goreng peultjes en laat 50 gram garnalen meestoven.

70. SAMBAL GORENG TAOGE
met GARNALEN

Maak sambal goreng taogé en stoof er 50 gram garnalen in mee.

71. SAMBAL GORENG TOMAAT
met GARNALEN

Maak deze sambal goreng als sambal goreng tomaat en stoof er 50 gram garnalen in mee.

72. SAMBAL GORENG TOMAAT/EI

Maak deze sambal goreng als sambal goreng tomaat en stoof er 2 hardgekookte en gehalveerde eieren in mee.

73. SAMBAL GORENG TOMAAT met TAHOE

Maak sambal goreng tomaat. Snijd 2 plakken tahoe in dobbelsteentjes, week ze in asemwater met zout (zie recept sambal goreng tahoe), bak ze en stoof ze mee in de sambal goreng tomaat.

74. SAMBAL GORENG BRUINE BONEN
met SPEK

$^1/_4$ kg gekookte bruine bonen, al dan niet uit blik
100 gram mager rookspek, in stukjes gesneden
3 eetlepels gesneden ui
1 teentje gesneden knoflook
1 theelepel sambal terasi (of 1 theelepel sambal oelek
en $^1/_2$ theelepel terasi)
1 theelepel laos
1 theelepel Javaanse suiker
1 spriet sereh
1 salamblaadje
asem ter grootte van een walnoot
$^1/_8$ blok santen
1 eetlepel olie
zout

Wrijf ui, knoflook, sambal, laos, suiker en zout met elkaar tot
een brij. Bak het spek met de olie heel zachtjes, zodat het vet er
uit kan lopen zonder dat het spek te hard wordt. Haal daarna het
knappende spek uit de pan. Voeg aan het restant olie en spekvet
de kruiden toe en bak ze tot de uien geel zijn. Bak daarna ook
de uitgelekte bruine bonen mee, doe er daarna de santen bij, het
asemwater gemaakt van het stukje asem met 4 lepels kookwater,
de sereh en salam en stoof dit tot de olie uit de santen boven komt
drijven. Roer er voor het opdoen het gebakken spek doorheen.

75. SAMBAL GORENG CAPUCIJNERS met SPEK

Maak het recept van sambal goreng bruine bonen met spek en vervang de bruine bonen door gekookte capucijners.

76. SAMBAL GORENG WITTE BONEN met SPEK

Maak het recept van sambal goreng bruine bonen met spek en vervang de bruine bonen door gekookte witte bonen. Voeg er 2 theelepels tomatenpuree aan toe. Gebruik voor dit gerecht geen witte bonen in tomatensaus, die zijn op een speciale manier gekruid en de combinatie met Indonesische kruiden is niet lekker.

77. SAMBAL GORENG van VIS (Bandjarmasin)

$^1/_2$ kg gefileerde kabeljauw
3 eetlepels gesneden ui
1 teentje gesneden knoflook
1 theelepel sambal terasi (of 1 theelepel sambal oelek
en $^1/_2$ theelepel terasi)
1 theelepel laos
$^1/_2$ theelepel koenjit
3 stuks kemiri
1 spriet sereh
asem ter grootte van een walnoot
1 dl olie
zout

Was de kabeljauwfilet, zout ze en laat het zout enige tijd intrekken. Droog de filets daarna af en snijd ze in circa 8 grove stukken. Maak de olie heet en bak daar de vis goudbruin in. Laat ze daarna uitlekken. Pof de kemiri. Wrijf ui, knoflook, sambal, laos, koenjit en de kemiri tot een brij. Zeef de olie waar de vis in gebakken is en gebruik hiervan circa 2 eetlepels om het kruidenmengsel in te fruiten. Doe dan de vis hierin weer terug. Week de asem in $^1/_2$ dl water en maak hiermee het gerecht af. Schep voor het opdoen de vis om en om.

78. SAMBAL GORENG PANAS HATI
(van garnalen)

50 gram gekookte garnalen
3 eetlepels gesneden ui
2 teentjes gesneden knoflook
20 stuks groene lomboks
1 theelepel gemberpoeder
2 eetlepels zoute ketjap
4 eetlepels olie
citroensap

Was de lomboks, ontdoe ze van de pitjes en snijd ze in stukjes van circa 1 cm. Fruit ui met knoflook, lomboks en gemberpoeder. Bak 1 minuut de garnalen mee in de olie tot de uien geel zijn geworden. Maak dan deze sambal goreng verder af met de ketjap en het citroensap. Gebruik vooral geen zout. Gekookte garnalen kunnen aan de zoute kant zijn.

79. SAMBAL GORENG PERENTIL
(Pasarminggoe)

$^1/_2$ kg rundergehakt
1 grote aardappel
50 gram peultjes
3 eetlepels gesneden ui
2 teentjes gesneden knoflook
1 theelepel sambal oelek
1 ei
1 theelepel laos
1 salamblaadje
1 theelepel Javaanse suiker
asem ter grootte van een walnoot
$^1/_8$ blok santen
zout
4 eetlepels olie

Zout het gehakt, dat eerst aangemaakt is met het ei in en draai er balletjes zo groot als soepballetjes van. Snijd de aardappel in dobbelsteentjes en de peultjes in stukjes van circa 1 cm. Wrijf ui, knoflook, sambal, laos en de suiker tot een brij. Maak van de asem met 1 dl water asemwater. Fruit het kruidenmengsel in de olie tot de ui geel is. Voeg hier de balletjes gehakt aan toe en schep ze voorzichtig om en om. Als de balletjes half gaar zijn, doe er dan de stukjes aardappel en peultjes bij en laat die enkele minuten meebakken. Doe er vervolgens het asemwater bij, het blokje santen en het salamblaadje.

Laat dit alles dan nog even doorstoven.

80. SAMBAL GORENG TAOTJO (Bogor)

100 gram vlees
100 gram prinsessebonen
5 eetlepels taotjo
3 eetlepels gesneden ui
1 teentje gesneden knoflook
5 stuks groene lomboks
$^1/_2$ theelepel Javaanse suiker
1 salamblaadje
$^1/_{10}$ blok santen
4 eetlepels olie

Snijd het vlees in kleine blokjes. Was en breek de bonen. Snijd de groene lomboks en fruit ze (zonder ze eerst te wrijven) samen met de uien en knoflook en het vlees. Voeg er na enkele minuten de boontjes aan toe. Wanneer de boontjes slap beginnen te worden kan er een scheut water bij gedaan worden en het blokje santen. Als de santen is opgelost dan pas de taotjo en de salam toevoegen. Laat deze sambal goreng verder stoven tot het vlees gaar is.

81. SAMBAL GORENG van VARKENSVLEES met MIESO
(Indonesisch gerecht van Chinese afkomst)

$1/4$ kg varkensvlees
100 gram mieso (Chinese vermicelli)
4 eetlepels fijngesneden ui
2 teentjes fijngesneden knoflook
1 theelepel terasi aangelengd met 1 dl water
100 gram fijngesneden prei of bieslook
2 eetlepels ketjap
2 eetlepels olie
peper
zout

Dit gerecht kan van rauw of een restje gebraden varkensvlees gemaakt worden. In het eerste geval kookt men het met een weinig water eerst halfgaar. Wrijf uien, knoflook, peper en zout samen en fruit dit mengsel op in de olie. Bak als de uien geel zijn het in stukjes gesneden vlees even mee. Vervolgens voegt men de prei of bieslook of een mengsel van beide toe en na enkele minuten 1 dl kookwater van het vlees of een restje jus. Wanneer dit kookt kan de grof gebroken mieso er bij gedaan worden en wanneer deze gaar is wordt het gerecht afgemaakt met de ketjap.

82. SAMBAL GORENG van KIP

Restjes rauwe kip
4 eetlepels ui, fijngesneden
1 teentje fijngesneden knoflook
$1/2$ theelepel sambal oelek

1 theelepel laos
2 theelepels gemberpoeder
1 theelepel ketoembar
1/2 theelepel djinten
1 spriet sereh
asem ter grootte van een walnoot
4 eetlepels olie
citroensap
zout

Dit is een gerecht dat bijzonder geschikt is om van restjes rauwe kip te maken. Gebruik de mooiste stukken als borst en poten voor iets anders, b.v. droog gebakken kip of kerrie van kip. Hak de rest van de kip met botten en al in stukjes en marineer ze minstens een uur in een papje van ontpitte asem, zout en enkele lepels water. Bak daarna de stukjes kip in de olie lichtbruin. Wrijf de ui, knoflook, sambal met laos, gemberpoeder, ketoembar en djinten tot een brij en braad ze mee met de kip. Voeg er daarna een scheut water aan toe, het sap van een halve citroen en de sereh. Laat dit alles nog enige tijd stoven tot de kip gaar is.
Dit gerecht is enigszins vochtig.

83. ZOET-ZURE SAMBAL GORENG (Indisch)

1/4 kg restjes gaar vlees of kip
4 eetlepels gesneden ui
2 teentjes gesneden knoflook
1 theelepel sambal terasi
4 eetlepels asemwater, gemaakt van asem ter grootte van een walnoot
3 theelepels Javaanse suiker
1/2 dl azijn (ongekruid)
olie
zout

Snijd vlees of kip in kleine blokjes. Wrijf uien, knoflook en sambal met het zout tot een brij. Fruit dit in de olie tot de uien geel worden. Voeg het vlees of de kip er aan toe en bak dit even mee. Doe er daarna het asemwater bij en laat dit alles enkele minuten (5 à 6 minuten) stoven. Voeg er dan de suiker en de azijn bij en kook alles door tot de suiker opgelost is.

tetampa (rijstwan) met in het midden een schaal rijst met hierom-
heen met de wijzers van de klok mee gerangschikt:

midden boven: atjar tjampoer adoek, verder sambal goreng tempe
kering, atjar ketimoen (gele), rendang, atjar
taogé, sambal boet, babi ketjap, seroendeng

84. SEROENDENG

200 gram kokosmeel
3 à 4 eetlepels pinda's
6 eetlepels gesneden uien
2 teentjes gesneden knoflook
2 theelepels laos
4 theelepels ketoembar
2 theelepels djinten
1 theelepel zout
6 theelepels Javaanse suiker
asem ter grootte van 2 walnoten
$^1/_2$ theelepel kentjoer
2 djeroek poeroetblaadjes
4 salamblaadjes
1 spriet sereh
3 eetlepels olie

Wrijf ui, knoflook, laos, ketoembar, djinten, kentjoer, zout en suiker tesamen tot een brij. Maak van de asem met 2 eetlepels warm water een dik papje en zeef dit. Wrijf het moes door de kruiden. Maak de olie warm in een koekepan of wadjan. Bak daarin de pinda's lichtgeel. Haal de pan van het vuur en schep met de schuimspaan de pinda's er uit. Zet de olie weer op en fruit hierin het kruidenmengsel tot de uien lichtgeel zijn. Voeg er nu het kokosmeel bij. Draai het vuur laag en gebruik bij gas een asbestplaat. Roer de gebraden kruiden goed door het kokosmeel. Schep de massa om en om tot ook de kokos lichtgeel begint te worden. Schuif met een lepel – een sodet is hiervoor heel geschikt – vanuit het midden van de pan krachtig over de bodem in de richting van de rand. Voeg er de salamblaadjes en de sereh aan toe en fruit die mee. Zorg dat de korrelige massa zich niet aan de pan vasthecht. Als dat toch het geval is haal dan de pan even van het vuur. Roer er als de seroendeng mooi egaal goudbruin is geworden de gebakken pinda's doorheen. Laat dit gerecht niet in de pan afkoelen, maar doe het zo gauw het de gewenste kleur heeft over op een schotel bedekt met een stuk keukenpapier. Laat het afkoelen en doe het daarna over in een goed af te sluiten stopfles. De blaadjes en de sereh blijven er in.
Seroendeng kan, mits droog bewaard maandenlang goed blijven. Het wordt er zelfs lekkerder op. In plaats van pinda's kan men ook kleine stukjes zoete dendeng meebakken.

85. DROGE SAMBAL GORENG van TEMPE

1 plak tempe
5 eetlepels fijngesneden uien
3 teentjes fijngesneden knoflook
5 ontpitte en fijngesneden rode lomboks
1 theelepel laos
1 theelepel terasi
asem ter grootte van 2 walnoten
2 eetlepels Javaanse suiker
1 spriet sereh
2 salemblaadjes
1½ dl olie
zout

Snijd de plak tempe in de lengte doormidden. **Snijd vervolgens** iedere helft in uiterst dunne plakjes. Laat ze drogen in de zon of op de kachel. Bak ze met gedeelten tegelijk in de olie geelbruin. Wie een frituurpan heeft doet er goed aan ze in de frituurpan te bakken. Laat ze uitlekken op een stuk keukenpapier. Meng de uien, knoflook en lombok door elkaar (niet wrijven) en bak ze in het restant olie dat eerst gezeefd is tot ze droog beginnen te worden. De laos, de ontpitte asem, de terasi en het zout worden samen gewreven. De Javaanse suiker wordt met 1 dl water opgekookt, gezeefd en even ingekookt tot een half dikke stroop, tezamen met de salam en de sereh. Doe de gewreven kruiden bij de bakkende uien, knoflook en lomboks. Fruit ze even mee met de pan van het vuur. Doe er ook de suikerstroop bij. Laat dit tesamen goed aan de kook komen en meng daar doorheen de gebakken stukjes tempe tot alle stukjes omhuld zijn door de kleverige saus. Af laten koelen en opbergen in een goed gesloten stopfles. Deze sambal goreng kan wekenlang bewaard worden.

86. DROGE SAMBAL GORENG van AARDAPPELEN

400 gram aardappelen
5 eetlepels fijngesneden uien
3 teentjes fijngesneden knoflook
5 ontpitte en fijngesneden lomboks
1 theelepel laos
asem ter grootte van 2 walnoten
1 theelepel terasi
2 eetlepels Javaanse suiker
1 spriet sereh
2 salamblaadjes
1^1/$_2$ dl olie
zout

Snijd de aardappels in stokjes ter dikte van 2 lucifers. Bak ze in de olie tot ze lichtgeel en knappend zijn. Laat ze uitlekken. Het prettigste is dit in een frituurpan te doen. Maak de sambal goreng verder zoals bij droge sambal goreng tempe is aangegeven.

87. DROGE SAMBAL GORENG van KIP

^{1}/$_2$ kg kippeborst of kippepoten
3 eetlepels gesneden uien
2 teentjes gesneden knoflook
1 theelepel sambal oelek

2 theelepels ketoembar
1 theelepel djinten
¹/₂ theelepel koenjit
5 gepofte kemiries
asem ter grootte van een walnoot
¹/₄ blok santen
2 eetlepels olie
zout

Maak van de asem met 2 lepels water en het zout een papje. Verwijder de pitten en vezels en wrijf hiermee het kippevlees in.
Laat ze minstens 1 uur marineren. Wrijf knoflook, sambal, ketoembar, djinten, koenjit en de gepofte kemiries tot een brij.
Meng hier doorheen de gesneden uien en fruit dit mengsel in de
olie tot de uien geel zijn. Voeg er daarna 3 dl water bij en het
blokje santen. Doe er de kip bij zo gauw dit mengsel kookt.
Is de kip gaar haal haar dan eruit en verwijder de beentjes. Pluk
met 2 vorken het vlees uit elkaar. Doe dit uitgerafelde vlees weer
terug in het sausje en laat het op een laag vuur zachtjes doorkoken tot de massa bijna droog is.

88. SÈNG GÈSÈNG (Madoerees gerecht)

¹/₄ kg rundvlees
5 eetlepels gesneden ui
2 teentjes gesneden knoflook
1 theelepel terasi
asem ter grootte van 2 walnoten
6 eetlepels olie
zout

Snijd het vlees in dobbelstenen van ± 2 cm. Braad het op in de
olie. Voeg er de gesneden uien en knoflook aan toe en bak die
even mee. Maak ondertussen van de asem met 5 eetlepels water
asemwater, haal de pitten en vezels eruit en wrijf het door een
zeef. Meng de terasi met 1 eetlepel lauw water. Vervolgens doet
men dit asem-terasi-mengsel bij het vlees en laat dit alles op een
laag vuur stoven tot het vlees gaar is en het gerecht bijna droog.
Zo nodig enige eetlepels water toevoegen.

89. SAMBAL GORENG REBOENG met HAM
(Bamboespruitjes met ham)

1 blikje reboeng
$^1/_4$ kg ham
3 eetlepels gesneden uien
1 teentje gesneden knoflook
1 theelepel sambal oelek
$^1/_8$ blok santen
1 theelepel laos
1 theelepel Javaanse suiker
1 spriet sereh
2 salamblaadjes
2 tomaten
2 eetlepels olie
zout

De reboeng en de ham in blokjes snijden. De tomaat even in
kokend water dompelen en schillen. Wrijf de uien, de knoflook
met de sambal, de suiker en het zout fijn. Fruit dit mengsel in de
olie, doe er`dan de blokjes reboeng en ham bij en laat die nog
even meebakken. Voeg er daarna de in stukjes gesneden geschilde
tomaten bij en vervolgens de santen, de sereh en de salam. Eventueel een paar lepels reboengvocht uit het blikje toevoegen. Het
gerecht nog verder laten doorstoven op een zacht pitje. Het mag
echter niet te droog worden, het moet smeuïg blijven.
In plaats van reboeng kan men eventueel schorseneren (ook uit
blik) gebruiken.

SAJOER en SOEP

Sajoer wordt als gerecht bij vrijwel iedere Indonesische maaltijd gegeven. Sajoer is een gekruid groentesoepje waarin een of meerdere groenten zijn verwerkt, dikwijls in combinatie met vlees, tahoe en tempe. Evenals bij de sambals goreng mogen de groenten niet helemaal gaar zijn. Meestal wordt er geen bindmiddel aan toegevoegd, met uitzondering van aardappels die men in Indonesië, net als in Frankrijk tot de groenten rekent en in enkele gevallen wat laksa (een soort Chinese vermicelli), die doorzichtig blijft.

In de Europese keuken geeft men soep vooraf. Dit is geen Indonesische gewoonte, althans geen oorspronkelijke. De westerse invloed is de laatste jaren echter ook in de eetgewoonte zichtbaar geworden. Bij feestjes geeft men dikwijls soep vooraf en soms wordt in de huiselijke maaltijden de sajoer door soep vervangen. Wordt een Europese soep bereid dan is ze meestal wel aangepast aan de Indonesische smaak, sterker gepeperd en met meer uien bereid.

Soep behoort wel tot de Chinese kooktraditie. De Chinese keuken kent zelfs een grote variatie aan soepen, van erg eenvoudige – wat jonge voorjaarsgroenten overgoten met kokend water – tot uiterst ingewikkelde en gecompliceerde. Kiemlo is zo'n Chinese soep waarin meer dan tien ingrediënten zijn verwerkt, lelieblaadjes en muizenoortjes (koeping tikoes = muizensoortjes zijn een soort gedroogde Chinese champignons).

Bakmie koeah is een voorbeeld van een zeer voedzame soep bereid met mie, de ook bij ons bekende Chinese vermicelli. Kiemlo en Bakmie koeah verraden nog door hun naam hun Chinese afkomst, maar er zijn ook soepen die alleen door hun kruiderijen – geen lombok, maar wel gember en vetsin – en door hun wijze van bereiding en servering – de ingrediënten worden afzonderlijk gekookt en de bouillon met de kruiderijen getrokken en in de kom of op het bord over de overige ingrediënten gegoten – als van Chinese oorsprong herkenbaar zijn. Een voorbeeld van zo'n soep is de Soto Ajam van Oost-Java. De Sop Kambing, geitesoep, is waarschijnlijk van Arabische afkomst, hoewel ook Europese invloed mogelijk blijft. Van de beste delen van een geit worden satés gemaakt, van de minder mooie stukken een goelai, een kruidig vleesgerecht dat zijn Arabische oorsprong duidelijk verraadt en van de rest van de botten, zeentjes, restjes vlees en organen wordt na uren koken een sterke bouillon getrokken. Als kruiden voegt men er alleen uien en knoflook en peperkorrels aan toe en als vulling wat selderie en een enkele aardappel in grove stukken gesneden. Men eet haar met rijst.

Dit hoofdstuk begint met enkele zeer eenvoudige sajoers. De beide eerste recepten van kool en van boontjes zijn gerechten van eigen vinding. Ze leken mij bijzonder geschikt voor beginnelingen.

De Sajoer toemis behoort wel tot de vele bereidingswijzen van de Indonesische keuken. De sajoer toemis hoort weinig scherp te zijn en ook die eigenschap maakt haar aantrekkelijk voor wie voor het eerst eens een Indonesisch menu op tafel wil brengen. De sajoer toemis is bijzonder geschikt voor de bereiding van bladgroenten, zoals de daarop volgende recepten ook bewijzen.

Ook de Sajoer Asem behoort tot de sajoersoorten waarvan de bereiding voor de nieuweling weinig moeilijkheden oplevert. De kruiden zijn dezelfde als die voor sajoer toemis, maar men voegt er een stukje asem en wat Javaanse suiker aan toe. Ook worden enkele gepofte kemiries met de andere kruiden mee gewreven. Kemiri tempert de scherpte, men kan dan iets meer sambal gebruiken. Gebruikt men geen kemiri dan is wrijven in dit geval niet noodzakelijk en worden de uien en knoflook, alleen maar fijn gesneden, samen met de laos toegevoegd. De kruiden worden dan niet eerst opgebakken, maar direct mee gekookt. De hoeveelheid asem kan men naar gelang men al of niet van zuur houdt zelf regelen. Wel moet, wanneer men meer asem gebruikt dan in het recept is opgegeven ook wat meer Javaanse suiker toe gevoegd worden. De asem wordt per stukje ter grootte van een walnoot met 2 à 3 eetlepels water even geweekt, gekneed en vervolgens gezeefd.

Sajoer asem wordt vrijwel altijd met vlees bereid. Ossestaart of osse- of varkenstong is er bijzonder geschikt voor. De bouillon moet krachtig zijn. Zonder of met ontvette bouillon bereid kan deze sajoer opgenomen worden in een vetloos dieet. In de sajoer asem worden meestal verschillende soorten groenten gebruikt, geen bladgroenten, wel een combinatie van kool en bonensoorten.

90. EENVOUDIGE SAJOER van BOONTJES

400 gram prinsessebonen
KRUIDEN:
3 eetlepels gesnipperde uien
1 gesnipperd teentje knoflook
$^1/_2$ theelepel sambal oelek
2 eetlepels olie
1 bouillonblokje opgelost in $^1/_2$ liter water of restje
bouillon of jus

Breek de bonen in drieën. Bereid ze als sajoer kool, maar los het
bouillonblokje op in meer water en laat de bonen minstens 10 minuten doorkoken tot ze bijna gaar zijn.

91. EENVOUDIGE SAJOER van KOOL

$^1/_4$ **kg fijngesnipperde kool** (groene, savooye- of witte
kool)
KRUIDEN:
3 eetlepels gesnipperde uien
1 gesnipperd teentje knoflook
$^1/_2$ theelepel sambal oelek
2 eetlepels olie
1 bouillonblokje, opgelost in 3 dl water of restje
bouillon of jus

Fruit uien, knoflook en sambal in de olie tot de uien geel zijn.
Voeg er kool eraan toe en fruit die even mee tot ze slap wordt.
Doe er daarna de bouillon bij en laat de sajoer hoogstens 2 minu-
ten doorkoken.

92. SAJOER TOEMIS KOOL

$^1/_4$ **kg kool** (groene, savooye- of witte kool)
KRUIDEN:
3 eetlepels gesnipperde ui
1 gesnipperd teentje knoflook
$^1/_2$ theelepel sambal terasi
1 theelepel laos

1 bouillonblokje
2 eetlepels olie

Bereid deze sajoer als eenvoudige sajoer kool, maar voeg er
1 theelepel laos aan toe.

93. SAJOER TOEMIS van BOONTJES

400 gram prinsessebonen
KRUIDEN:
3 eetlepels gesnipperde ui
1 gesnipperd teentje knoflook
$^1/_2$ theelepel sambal terasi
1 theelepel laos
1 bouillonblokje
2 eetlepels olie

Bereid deze sajoer toemis op dezelfde wijze als de eenvoudige
sajoer boontjes, maar voeg er 1 theelepel laos aan toe.

94. SAJOER TOEMIS van TOMAAT

$^1/_2$ kg tomaat
KRUIDEN:
3 eetlepels gesnipperde ui
1 gesnipperd teentje knoflook
$^1/_2$ theelepel sambal terasi
1 theelepel laos
1 bouillonblokje
2 eetlepels olie

Was de tomaten en snijd ze naar gelang van de grootte in de
helft, in vieren of in zessen. Wrijf uien, knoflook, sambal en laos
met elkaar fijn, bak ze op in de olie tot de uien geel zijn. Voeg er
daarna de tomaten aan toe en fruit die even mee. Doe er het
bouillonblokje bij (eventueel nog een scheut water) en laat de
sajoer nog enkele minuten doorkoken.

95. SAJOER TOEMIS BAJAM (Spinazie)

$^3/_4$ kg spinazie
KRUIDEN:
3 eetlepels gesnipperde ui
1 gesnipperd teentje knoflook
$^1/_2$ theelepel sambal terasi
1 theelepel laos
1 bouillonblokje
2 eetlepels olie
1 eetlepel ketjap

Was de spinazie, laat haar uitlekken en snijd haar in grove stukken. Wrijf uien, knoflook, sambal en laos fijn en bak ze in de
olie. Voeg er als de uien geel zijn de spinazie met een handvol
tegelijk aan toe en fruit die even mee. Doe er dan het bouillonblokje bij en maak de sajoer af met een lepel ketjap.
De spinazie moet helgroen blijven en zo rauw mogelijk.

96. SAJOER TOEMIS van ANDIJVIE

$^1/_2$ kg andijvie
KRUIDEN:
3 eetlepels gesnipperde ui
1 gesnipperd teentje knoflook
$^1/_2$ theelepel sambal terasi
1 theelepel laos
1 bouillonblokje
1 eetlepel azijn of sap van $^1/_2$ citroen
2 eetlepels olie

Gebruik voor deze sajoer mooie gele, dus het binnenste, andijvie. Snijd ze fijn en was ze enkele malen. Wrijf uien, knoflook, sambal en laos fijn en bak ze in de olie. Voeg er als de uien geel zijn de uitgelekte andijvie aan toe. Doe er dan het bouillonblokje bij, zo nodig nog een scheut water en maak de sajoer af met de azijn of het citroensap.

97. SAJOER TOEMIS van RAAPSTELEN

³/₄ kg raapsteeltjes
KRUIDEN:
3 eetlepels gesnipperde ui
1 gesnipperd teentje knoflook
¹/₂ theelepel sambal terasi
1 theelepel laos
1 bouillonblokje
1 eetlepel azijn of sap van ¹/₂ citroen
2 eetlepels olie

Snijd het wortelgedeelte weg van de bosjes raapstelen. Snijd de rest van de bosjes in stukjes van 2¹/₂ cm. Was ze enkele malen en laat ze uitlekken. Bereid dit gerecht verder als sajoer toemis van spinazie.

98. SAJOER TOEMIS TAOGE

400 gram taogé
KRUIDEN:
3 eetlepels gesnipperde ui
1 gesnipperd teentje knoflook
¹/₂ theelepel sambal terasi
1 theelepel laos
1 theelepel gemberpoeder
1 bouillonblokje opgelost in 3 dl water
2 eetlepels gesnipperde selderie
1 eetlepel ketjap
sap van ¹/₂ citroen
2 eetlepels olie

Doe de taogé op een zeef en spoel er onder de lopende kraan zoveel mogelijk de groene schilletjes af. Laat ze uitlekken. Wrijf uien, knoflook, sambal, laos en gemberpoeder tesamen tot een brij en bak die in de olie tot de uien geel zijn. Voeg met een handvol tegelijk de taogé toe en bak die 1 minuut mee. Doe er daarna het in warm water opgeloste bouillonblokje bij en laat dit alles aan de kook komen. Draai daarna onmiddellijk het vuur uit en roer er de selderie, citroensap en ketjap doorheen.

99. SAJOER TOEMIS van PEULTJES en GARNALEN

$^1/_2$ kg peultjes
100 gram gekookte garnalen
$^1/_2$ liter kippebouillon, gemaakt van kippebouillon-
blokjes of restje kippebouillon
2 eetlepels olie
KRUIDEN:
3 eetlepels gesnipperde uien
1 gesnipperd teentje knoflook
1 theelepel laos
$^1/_2$ theelepel gemberpoeder
$^1/_2$ theelepel sambal oelek
zout

Wrijf uien, knoflook, sambal, laos en gemberpoeder tot een brij en bak dit mengsel in de olie. Bak ook eventjes de peultjes mee. Voeg er dan de bouillon aan toe, de garnalen en kook dit zachtjes tot de peultjes half gaar zijn.

100. SAJOER TOEMIS van SESAWI
(Chinese kool)

$^1/_2$ kg sesawi
3 eetlepels olie
$^1/_2$ liter bouillon gemaakt van 1 bouillonblokje
KRUIDEN:
3 eetlepels gesnipperde ui

1 gesnipperd teentje knoflook
1 theelepel sambal terasi
1 theelepel laos
2 eetlepels ebi (gedroogde garnalen)

Week de gedroogde garnalen minstens 1 uur. Laat ze uitlekken en stamp ze samen met de kruiden.
Snijd de sesawi in grove stukken op de manier van andijvie. Was en laat ze uitlekken. Fruit de Chinese kool met een handvol tegelijk samen met de kruiden. Voeg er de bouillon aan toe en laat de sajoer nog 5 à 6 minuten stoven.

101. SAJOER ASEM van BRUINE BONEN

1 blik bruine bonen
100 gram fijngesneden soepvlees of restjes tong of staartvlees
4 dl sterke bouillon
KRUIDEN:
3 eetlepels gesnipperde uien
2 gesnipperde teentjes knoflook
1 theelepel sambal terasi
1 theelepel laos
4 eetlepels asemwater gemaakt van een stukje asem ter grootte van 2 walnoten
1 theelepel Javaanse suiker
1 salamblaadje
zout

Laat de bruine bonen uitlekken. Breng de bouillon met het vlees, het bonenvocht, het salamblad en het asemwater aan de kook.
Voeg er de uien, knoflook, de sambal, laos en de suiker aan toe en vervolgens de bonen. Laat dit alles nog even doorstoven tot de uien gaar zijn.
Dit sajoerrecept is afkomstig van Bogor (het vroegere Buitenzorg). In die streek worden veel bruine bonen verbouwd. Men gaat in Indonesië uit van verse bruine bonen, die bij ons slechts een enkele maal en wel gedurende de zomermaanden verkrijgbaar zijn. Gebruikt men verse bruine bonen of voorgeweekte gedroogde, dan moeten de bonen eerst gekookt worden. Eventueel samen met het vlees.

Deze sajoer is bijzonder geschikt voor een eenvoudig menu met als enig bijgerecht een lalab-tomaat of komkommer en een stukje kroepoek. In dat geval kan men er meer vlees in doen.

102. SAJOER ASEM (Winter-recept)

100 gram kool (savooye-, witte of groene kool) **in grove stukken gesneden**
100 gram prei, in grove stukken gesneden
4 à 5 eetlepels gekookte bruine bonen
¼ stuk tempe in blokjes gesneden
6 dl sterke bouillon, eventueel vermengd met merg
100 à 200 gram restjes vet vlees
2 eetlepels fijngesneden selderie
KRUIDEN:
1 eetlepel gesnipperde ui
2 gesnipperde teentjes knoflook
2 theelepels sambal terasi
1 theelepel laos
4 eetlepels asemwater gemaakt van een stukje asem ter grootte van 2 walnoten
2 theelepels
Javaanse suiker
1 salamblaadje
zout

Breng de bouillon aan de kook met de knoflook, ui, sambal, laos, suiker, asemwater, vlees en het salamblaadje. Voeg er de tempe aan toe en de bruine bonen.
Laat dit alles een minuut of 5 zachtjes koken. Doe er dan de prei bij en even later de kool. Zachtjes door laten koken tot de kool slap begint te worden.
Roer er voor het opdoen de selderie doorheen.

103. SAJOER ASEM (Zomer-recept)

100 gram gesneden spitskool
100 gram gebroken prinsessebonen
100 gram gedopte tuinbonen
1 kleine paprika in repen gesneden
1 kleine aubergine
100 à 200 gram vlees
1/2 liter sterke bouillon
KRUIDEN:
3 eetlepels gesnipperde ui
1 gesnipperd teentje knoflook
1 theelepel sambal terasi
1 theelepel laos
2 eetlepels asemwater gemaakt van een stukje asem ter grootte van 1 walnoot
1 theelepel Javaanse suiker
1 salamblaadje
zout

Breng de bouillon aan de kook met het salamblaadje en het vlees. Stamp alle kruiden samen en maak asemwater. Voeg dit alles aan de kokende bouillon toe. Doe er ook de prinsesse- en de tuinbonen bij en laat die ongeveer 10 minuten meekoken. Voeg er daarna de spitskool aan toe en als die slap begint te worden de paprika en vervolgens de aubergine, die slechts even mag meekoken. Dit recept kan ook van uitsluitend bonen, prinsessebonen of kool gemaakt worden of in combinatie van beide.

104. SAJOER ASEM bereid met KEMIRI

200 gram gesneden kool
200 gram prinsessebonen, gebroken
1 à 2 tomaten, in grove stukken gesneden
100 à 200 gram vlees
4 dl sterke bouillon, eventueel met merg
KRUIDEN:
3 eetlepels gesnipperde uien
2 gesnipperde teentjes knoflook
1 theelepel sambal terasi
4 gepofte kemiris
2 eetlepels asemwater gemaakt van een stukje asem ter grootte van 1 walnoot
1 theelepel laos
2 theelepels Javaanse suiker
1 salamblaadje
zout

Wrijf de gepofte kemiri terwijl ze nog warm is samen met de andere kruiden fijn. Breng de bouillon met het asemwater, het salamblaadje en het vlees aan de kook. Voeg er de gewreven kruiden aan toe. Doe er ook de gebroken boontjes bij en laat die minstens 10 minuten meekoken. Vervolgens wordt de kool eraan toegevoegd en eerst als die slap geworden is de tomaten.

105. SAJOER ASEM KOOL met EBI
(gedroogde garnalen)

1/2 kg gesneden kool
2 eetlepels ebi
1 bouillonblokje
1/2 liter water

KRUIDEN:
3 eetlepels gesnipperde uien
2 gesnipperde teentjes knoflook
1 theelepel sambal terasi
4 gepofte kemiris
2 eetlepels asemwater gemaakt van een stukje asem ter
grootte van 1 walnoot
1 theelepel laos
1 theelepel Javaanse suiker
1 salamblaadje
zout

Week de ebi ± 1 uur. Wrijf de kruiden met de ebi en de gepofte kemiri samen fijn. Breng het water met het bouillonblokje en het asemwater, de salam en de gewreven kruiden en ebi aan de kook en laat dit alles een minuut of 10 trekken. Voeg er dan de kool aan toe en kook de sajoer zachtjes door tot de kool slap begint te worden.

106. SAJOER ASEM van TOMAAT, TAHOE en GARNALEN

4 dl sterke bouillon
$^1/_2$ blok tahoe
$^1/_2$ kg harde, liefst halfrijpe tomaten
100 gram gekookte garnalen
KRUIDEN:
3 eetlepels gesnipperde uien
2 gesnipperde teentjes knoflook
1 theelepel sambal terasi
1 eetlepel asemwater gemaakt van een stukje asem ter
grootte van een $^1/_2$ walnoot
1 theelepel laos
2 theelepels Javaanse suiker
1 salamblaadje
zout

Breng de bouillon aan de kook met het asemwater, het salamblaadje en de garnalen. Laat dit zachtjes een minuut of 6 trekken. Snijd de tahoe in dobbelsteentjes van ± 2 cm en voeg ze toe. Na ongeveer 5 minuten kunnen de tomaten erbij gedaan worden.

Laat ze even mee aan de kook komen en draai dan het vuur uit. Laat echter deze sajoer wel nog een poos staan alvorens ze op te dienen, zodat de smaak van kruiden en garnalen in de tahoe kan trekken.

107. SAJOER KERRIE I

Vleugeltjes, hart, maag en lever van een kip (rauw)
200 gram bloemkool
200 gram worteltjes
1 grote aardappel
1 eetlepel geknipte laksa
KRUIDEN:
3 eetlepels gesnipperde uien
2 gesnipperde teentjes knoflook
1 theelepel sambal oelek
1 theelepel laos
1 theelepel koenjit
1 theelepel gemberpoeder
1 theelepel ketoembar
$^1/_2$ theelepel djinten
2 theelepels Javaanse suiker
4 gepofte kemiris
1 eetlepel asemwater, gemaakt van asem ter grootte van
$^1/_2$ walnoot
$^1/_6$ blok santen
zout

Trek van de resten rauwe kip $\pm$ $^3/_4$ liter bouillon. Knip de laksa in stukjes van ongeveer 2 cm en week ze in een kopje lauw water. Wrijf de kruiden met elkaar fijn en doe ze na ongeveer een $^1/_2$ uur bij de bouillon, evenals het blokje santen. Laat dit alles samen nog ongeveer 15 minuten trekken.
Snijd de groenten in grove stukken. Doe ze bij de bouillon. Na ongeveer 15 minuten het asemwater toevoegen en de goed uit-geknepen geweekte laksa. Daarna de sajoer nog enkele minuten laten doorkoken.

117

108. SAJOER KERRIE II

$^1/_2$ **kg kool** (witte, groene of savooye-kool)
$^1/_2$ **blok tahoe**
$^3/_4$ **liter bouillon** (restje of gemaakt van bouillonblokjes)
$^1/_6$ **blokje santen**
**1 eetlepel in lauw water geweekte, daarna in stukjes van
2 cm lengte geknipte laksa**
KRUIDEN:
3 eetlepels gesnipperde uien
2 gesnipperde teentjes knoflook
1 theelepel sambal oelek
1 theelepel laos
1 theelepel koenjit
1 theelepel gemberpoeder
1 theelepel ketoembar
$^1/_2$ **theelepel djinten**
2 theelepels Javaanse suiker
4 gepofte kemiris
1 eetlepel asemwater, gemaakt van asem ter grootte van
$^1/_2$ **walnoot**
zout

Breng de bouillon aan de kook. Wrijf de kruiden met elkaar en
doe ze samen met het blokje santen bij de bouillon. Laat dit
mengsel ongeveer een kwartier trekken. Snijd de kool in grove
stukken en de tahoe in blokjes van ± 2 cm en kook ze mee. Voeg
na ongeveer 10 minuten het asemwater toe en de goed uitgeknepen laksa. Daarna de sajoer nog enkele minuten laten doorkoken.

109. SAJOER KERRIE III

$^1/_4$ **kg peultjes**
$^1/_4$ **kg worteltjes**
1 grote aardappel
100 gram gekookte garnalen
$^3/_4$ **liter kippebouillon van bouillonblokjes**
$^1/_6$ **blokje santen**
**1 eetlepel in lauw water geweekte, daarna in stukjes van
2 cm lengte geknipte laksa**

KRUIDEN:
3 eetlepels gesnipperde uien
2 gesnipperde teentjes knoflook
1 theelepel sambal oelek
1 theelepel laos
1 theelepel koenjit
1 theelepel gemberpoeder
1 theelepel ketoembar
$^1/_2$ theelepel djinten
2 theelepels Javaanse suiker
4 gepofte kemiris
1 eetlepel asemwater, gemaakt van asem ter grootte van
$^1/_2$ walnoot
zout

Wrijf de kruiden met elkaar en doe ze samen met het blokje
santen bij de bouillon. Laat dit samen een kwartier trekken.
Snijd aardappel en worteltjes in grove stukken en doe ze bij de
bouillon. Voeg er na ongeveer 10 minuten de garnalen en de
peultjes in hun geheel aan toe. Na een minuut of 5 kunnen het
asemwater en de goed uitgeknepen laksa erbij gedaan worden.
Daarna de sajoer nog enkele minuten laten doorkoken.

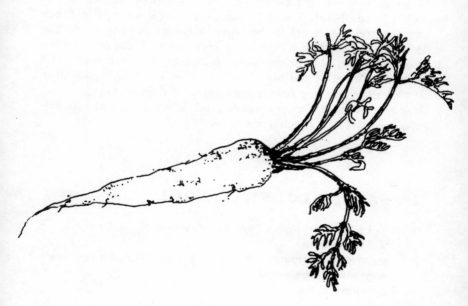

110. SAJOER KERRIE IV

1 liter bouillon getrokken van $^1/_2$ kg runderpoulet
$^1/_2$ kg prinsessebonen
$^1/_2$ blik bruine bonen
$^1/_4$ blok tempe
$^1/_4$ blok santen
KRUIDEN:
5 eetlepels gesnipperde uien
3 gesnipperde teentjes knoflook
$1^1/_2$ theelepel sambal oelek
$1^1/_2$ theelepel laos
$1^1/_2$ theelepel koenjit
$1^1/_2$ theelepel gemberpoeder
2 theelepels ketoembar
1 theelepel djinten
3 theelepels Javaanse suiker
6 gepofte kemiris
2 eetlepels asemwater, gemaakt van asem ter grootte van
1 walnoot
zout

Wrijf de kruiden met elkaar en doe ze tesamen met het blokje
santen bij de bouillon met het vlees. Laat dit tesamen nog een
kwartier trekken. Breek de boontjes in drieën en voeg ze toe aan
de bouillon. Snijd de tempe in blokjes van ± 2 cm en voeg die
er ook aan toe. Doe er de bruine bonen bij met het vocht. Het
asemwater komt er pas bij als de prinsessebonen half gaar zijn.
Daarna de sajoer nog enkele minuten laten doorkoken.
Deze zeer voedzame sajoer is zeer geschikt om zonder andere bijgerechten met rijst gegeten te worden.

111. SAJOER LODEH van KOOL

$^3/_4$ kg kool (groene, witte of savooye-kool)
$^1/_4$ blok santen
asemwater gemaakt van asem ter grootte van een walnoot met 3 lepels water
2 eetlepels olie

KRUIDEN:

5 eetlepels gesnipperde uien
2 gesnipperde teentjes knoflook
2 theelepels sambal terasi
3 gepofte kemiris
2 theelepels laos
2 theelepels Javaanse suiker
2 eetlepels ebi (gedroogde garnalen)
1 spriet sereh
1 salamblaadje
zout

Pof de kemiries, wrijf ze fijn met de overige kruiden met uitzondering van de sereh en de salam. Week de ebi minstens 1 uur van
tevoren in wat lauw water en snijd de kool in grove stukken.
Fruit de gewreven kruiden tot de uien geel zijn. Fruit dan ook de
uitgelekte kool mee tot de bladeren slap worden. Voeg er 6 à 7 dl
kokend water aan toe, het blokje santen, salam, sereh, de geweekte
ebi en het asemwater.
Laat de sajoer nog ± 10 minuten doorkoken en verwijder de
sereh en salam.

112. SAJOER LODEH
van GEMENGDE GROENTEN

200 gram bloemkool
$^1/_2$ liter bouillon gemaakt van 1 blokje vleesbouillon
200 gram prinsesseboontjes
200 gram worteltjes
asemwater gemaakt van asem ter grootte van een walnoot met 3 eetlepels water
1 grote aardappel
$^1/_4$ blok santen
2 eetlepels olie

KRUIDEN:

5 eetlepels gesnipperde uien
3 gesnipperde teentjes knoflook
2 theelepels sambal terasi
3 gepofte kemiries
2 theelepels laos
2 theelepels Javaanse suiker

1 spriet sereh
1 salamblaadje
zout

Pof de kemiries, wrijf ze fijn met de overige kruiden met uitzondering van de sereh en de salam. Snijd de groenten en de
aardappel in grove stukken. Fruit de fijn gewreven kruiden tot
de uien geel zijn. Fruit ook de groenten mee. Voeg daarna de
bouillon eraan toe, het blokje santen, de sereh en de salam. Laat
de sajoer doorkoken tot de groenten bijna gaar zijn. Voeg er eerst
dan het asemwater aan toe.
Laat de sajoer nog even door stoven en verwijder sereh en salam.

113. SAJOER OELIH (Bali)

450 gram prinsesseboontjes
200 gram taogé
$^1/_6$ blok santen
KRUIDEN:
3 eetlepels gesnipperde uien
1 gesnipperd teentje knoflook
1 theelepel sambal terasi
2 stuks gepofte kemiri
$^1/_2$ theelepel kentjoer
2 salamblaadjes
sap van $^1/_2$ citroen
zout

Spoel de taogé schoon.
Kook de bonen half gaar; maak van het blokje santen met $^1/_2$ liter
water dikke santen. Wrijf knoflook, sambal, gepofte kemiri en
de kentjoer met elkaar fijn en fruit ze. Voeg santen en de gefruite
kruiden aan de kokende boontjes toe, doe er ook de uitgelekte
taogé bij en laat dit alles nog even doorkoken. Bak ondertussen
de uien goudbruin en roer ze voor het opdoen door de sajoer.
Maak het geheel af met het citroensap en het zout.

114. SAJOER OBLOK-OBLOK

200 gram prinsesseboontjes
200 gram kool (groene, witte of savooye-kool)
½ plak tempe
3 groene lomboks
5 petehbonen (gezouten of verse)
2 eetlepels ebi (gedroogde garnalen)
¼ blok santen

KRUIDEN:
¾ liter vleesbouillon, restje of van bouillonblokje
gemaakt
3 eetlepels gesnipperde uien
2 gesnipperde teentjes knoflook
2 theelepels sambal terasi
1 theelepel laos
2 salamblaadjes

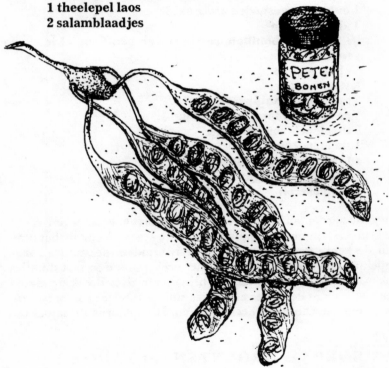

Week de ebi minstens 1 uur van tevoren. Schil de petehbonen en
snijd ze in vieren; de gezouten peteh moet eerst in water geweekt

worden. Wrijf de kruiden met elkaar uitgezonderd de salam-blaadjes.

Breng de groenten, ook de groene lomboks die opengespleten en van de pitten ontdaan zijn, in de bouillon aan de kook. Voeg er de kruiden, de peteh en de geweekte ebi aan toe en laat dit even meetrekken. Snijd de kool in grove stukken, de tempe in blokjes van ± 2 cm en breek de boontjes. Kook ze mee in de bouillon, samen met de santen en de salamblaadjes tot de groenten gaar zijn.

115. SAJOER GOELAI van EIEREN, BOONTJES en AARDAPPELEN (Padang)

$^1/_2$ kg prinsesseboontjes
1 in blokjes gesneden grote aardappel
4 kleine eieren
$^1/_2$ liter vleesbouillon, restje of van bouillonblokje gemaakt
$^1/_6$ blok santen
KRUIDEN:
3 eetlepels gesnipperde uien
1 gesnipperd teentje knoflook
2 theelepels sambal oelek
1 theelepel laos
1 theelepel gemberpoeder
$^1/_2$ theelepel koenjit
1 spriet sereh

Snijd de aardappel in dobbelsteentjes en breek de boontjes. Wrijf de kruiden fijn met uitzondering van de sereh. Breng de bouillon aan de kook; voeg hier de gewreven kruiden, de stukjes aard-appel, de boontjes, de santen en de sereh aan toe en laat dit alles koken tot de stukjes aardappel bijna gaar zijn. Breek de eieren een voor een in de sajoer en laat ze stollen zonder er in te roeren, op de manier van gepocheerde eieren. Dien daarna de sajoer op.

116. SOEP van GROENTEN met TAHOE

$^1/_2$ kg runderpoelet
2 plakken tahoe

100 gram worteltjes
100 gram bloemkool
100 gram prei
100 gram prinsesseboontjes
2 eetlepels olie
KRUIDEN:
1 eetlepel fijngehakte selderie
1 eetlepel fijngehakte peterselie
foelie
salamblaadje
zout en peper

Trek van de poelet met de salam en foelie een sterke bouillon van $3/4$ liter. Snijd de plakjes tahoe in dobbelsteentjes van 1 cm en voeg die toe aan de bouillon. Snijd de groenten in stukjes, fruit ze in de olie, giet hier de bouillon overheen en laat die nog 5 minuten doorkoken.
Roer de selderie en peterselie op het laatste ogenblik door de soep. Afmaken met peper en zout.

117. SOEP van KATJANG HIDJAU

250 gram katjang hidjau
1 liter bouillon
100 gram prei
KRUIDEN:
3 eetlepels gesnipperde uien
3 eetlepels gehakte selderie
4 eetlepels olie

Week de katjang hidjau een nacht, zet haar op met het weekwater en de bouillon. Kook haar gaar en zeef haar. Fruit de uien goudbruin in de olie, haal ze eruit en fruit in de rest van de olie de in stukjes gesneden prei en de gehakte selderie. Heel lekker is ook een paar plakjes spek mee te bakken.
Roer dit alles door de soep. Laat haar nog enkele minuten doorkoken. Doe de soep op gegarneerd met de gebakken uitjes.

118. SOP KAMBING

Sop kambing betekent geitesoep, maar minstens zo lekker smaakt ze van lams- of schapevlees.

> 1 kg been en vlees
> 2 grote aardappelen
> 5 eetlepels gehakte selderie
> KRUIDEN:
> 3 grote uien fijngesneden
> 1/2 eetlepel peperkorrels
> 1/2 theelepel kentjoer
> stuk gemberwortel van ± 1 cm lengte
> 3 djeroek poeroetblaadjes
> zout

Zet vlees en been op in 3 liter water met de gesnipperde uien, de kentjoer, het stuk gemberwortel, de djeroek poeroetblaadjes, de peper en een weinig zout. Laat dit een nacht lang trekken, op een zacht vuur, er moet nog ongeveer 1 1/2 liter bouillon overblijven. Schep de botten eruit en snijd het vlees klein en de aardappels in grove stukken. Voeg vlees en aardappelen toe aan de soep en laat die nog ± 20 minuten meekoken.
Roer er voor het opdoen de selderie doorheen en verwijder de blaadjes en het stukje gemberwortel.

119. KIEM-LO (voor 10 à 12 personen)

> 1 grote vette soepkip, niet uit de diepvries
> 1 kg schouderkarbonade in stukjes gehakt (varkens-)
> 200 gram gekookte garnalen
> 1 klein blikje krab
> 1/4 kg varkensgehakt
> 1 klein ei (voor het gehakt)
> 4 eieren (voor de omelet)
> 1/4 kg kool (witte, groene of savooyekool)
> 1/4 kg taogé
> 2 à 3 dikke preien
> 1/2 blikje doperwten
> 4 eetlepels gehakte selderie
> 50 gram sedep malam

50 gram koeping tikoes
250 gram laksa

KRUIDEN:

6 eetlepels gesnipperde uien
6 gesnipperde teentjes knoflook
3 eetlepels taotjo
stukje gemberwortel van ± 50 gram
olie, zout, peper, vetsin, ketjap, citroensap

Kook de kip samen met de varkenskarbonade, knoflook, uien en gemberwortel in ± 4 liter water tot het vlees gaar is. Haal de botten eruit en snijd het vlees in kleine stukjes. Doe het vlees weer terug in de bouillon, samen met de garnalen, de krab en de taotjo. Week de sedep malam, de koeping tikoes en de laksa in lauw water. Maak het gehakt aan met peper en zout en het ei, draai er kleine balletjes van en braad ze in de olie.

Bak een omelet aan beide kanten, rol haar op en snijd haar in dunne reepjes.

Snijd de kool uiterst fijn en spoel de taogé schoon onder de kraan. Voeg aan de kokende bouillon eerst de laksa toe en na enkele minuten de sedep malam en de koeping tikoes. Als de massa weer kookt doet men er de kool en de taogé bij en op het laatst de doperwten met vocht en al.

Dien de soep op in een grote pot of terrine en roer er de reepjes omelet, de gehakte selderie en de gehaktballetjes doorheen. Afmaken met ketjap, vetsin en citroensap.

120. CHINESE SOEP
van VOORJAARSGROENTEN

1 liter kippebouillon
2 eieren
10 gram sterrekers of raapstelen
sap van 1 teentje knoflook
mespuntje vetsin, zout en peper

Knip de sterrekers of snijd de raapstelen na van hun wortels te zijn ontdaan in kleine stukjes. Klop de eieren met zout en peper als voor een omelet. Breng de bouillon aan de kook. Roer de eieren er doorheen, zodat ze schiften in uiterst dunne slierten.

Doe de sterrekers of de raapsteeltjes (gebruik alleen uiterst jonge raapstelen) in soepkoppen of terrine en schenk de kokende bouillon erop. Afmaken met knoflooksap en vetsin en eventueel met een paar druppels citroensap.

121. CHINESE VISSOEP

1 liter visbouillon, eventueel kippebouillon
$^1/_2$ pak diepvries kabeljauwfilets
2 eetlepels maizena
3 sjalotten
KRUIDEN:
mespuntje vetsin
sap van 1 teentje knoflook
mespuntje gemberpoeder
2 eetlepels sherry
1 eetlepel Japanse soya
peper en zout

Snijd de kabeljauwfilets in vliesdunne schijfjes. (Van diepvrieskabeljauw gaat dat heel makkelijk.) Maak de maizena aan met de sherry, de soya, knoflooksap, gemberpoeder en eventueel nog een klein beetje koud water. Laat de visschijfjes hierin minstens $^1/_2$ uur marineren.
Snijd de sjalotten in zo dun mogelijke plakjes. Breng de bouillon aan de kook. Voeg er de sjalotten aan toe en onder goed roeren de stukjes vis met de aanhangende marinade. Laat de soep nog 3 minuten doorkoken. Maak ze af met peper, vetsin en eventueel nog wat zout.

122. CHINESE SOEP van PREI met GARNALEN

1 liter kippebouillon
100 gram prei
100 gram garnalen (gekookt)
50 gram laksa
sap van 1 teentje knoflook

mespuntje gemberpoeder
2 eetlepels sherry
1 eetlepel Japanse soyasaus
mespuntje vetsin
peper
zout

Week de laksa minstens een kwartier in wat lauw water. Snijd de prei in stukjes van ± 2 cm en deze stukjes weer in de lengte in uiterst dunne reepjes. Breng de bouillon aan de kook met het knoflooksap en de gemberpoeder. Voeg er de uitgeknepen laksa aan toe, de prei, de vetsin en laat dit alles 3 minuten doorkoken. Maak de soep af met de sherry en de soya. Doe de garnalen in soepkoppen of terrine en giet de kokende soep eroverheen.

123. CHINESE SOEP van KOMKOMMERS en VARKENSVLEES

1 liter heldere bouillon, onverschillig van welke vleessoorten
1 kleine komkommer zonder zaad
150 gram mager varkensvlees, b.v. van een varkenshaasje
1 eetlepel maizena
sap van een teentje knoflook
mespuntje anijspoeder (gemalen anijszaad)
2 eetlepels sherry
2 eetlepels Japanse soyasaus
zout
peper

Schil de komkommer en snijd haar in uiterst dunne plakjes. Snijd ook het vlees vliesdun. Maak een sausje van de maizena, 1 eetlepel soya, de sherry, knoflooksap, zout, peper en anijs. Marineer hierin de schijfjes vlees minstens $^1/_2$ uur. Breng de bouillon aan de kook. Doe het vlees er onder goed roeren bij en laat het 2 minuten meekoken. Voeg er dan de schijfjes komkommer aan toe en kook de soep nog een minuut door. Afmaken met het restant soya, peper en zo nodig nog een weinig zout.

124. CHINESE SOEP van CHAMPIGNONS met GEHAKTBALLETJES

1 liter bouillon, onverschillig van welke vleessoort
100 gram champignons
100 gram varkensgehakt
1 eetlepel maizena
1 eetlepel soyasaus
1 eetlepel sherry
sap van 1 teentje knoflook
1 eiwit
mespuntje anijspoeder of fijngestampt anijszaad
zout
peper

Maak het gehakt aan met de maizena, het losgeklopte eiwit, knoflooksap, anijs, peper en zout. Draai er kleine balletjes van. Het makkelijkst gaat dit als de binnenkant van de handen even bestoven worden met een weinig maizena. Snijd de schoongemaakte champignons in de lengte in vliesdunne schijfjes. Breng de bouillon aan de kook, doe er de gehaktballetjes bij en na 2 minuten de champignons. Laat de soep nog 3 minuten doorkoken en maak ze af met sherry en soya.

125. CHINESE KRABSOEP

1 liter kippebouillon
1 klein blikje krab
2 eieren

KRUIDEN:
sap van 1 teentje knoflook
mespuntje vetsin
2 eetlepels sherry
1 eetlepel Japanse soya
1 eetlepel fijngesneden of geknipte bieslook
peper
zout

Breng de bouillon aan de kook met het knoflooksap. Klop de
eieren met peper en zout als voor een omelet en roer ze door de
bouillon, zodat ze schiften in uiterst dunne slierten. Doe de inhoud van het blikje krab over in soepkoppen of terrine. Maak de
bouillon af met de soya, sherry en vetsin en giet die over het krabvlees. Roer er de bieslook doorheen. Proef of er peper en zout
bij moet.

126. CHINESE SOEP van MOSSELEN

$^1/_2$ kg mosselen
25 gram gedroogde Chinese champignons
$^1/_2$ blikje bamboespruiten
KRUIDEN:
sap van 2 teentjes knoflook
2 eetlepels sherry
2 eetlepels Japanse soya
2 eetlepels maizena
zout
peper

Week de champignons tenminste een half uur in lauw water.
Spoel de mosselen onder de kraan even af (koop vooral gewassen
mosselen, waarvan de baarden reeds verwijderd zijn). Breng
1 liter water aan de kook met sherry, knoflooksap en soya. Doe
er de mosselen bij. Laat dit $\pm$ 5 minuten koken tot alle mosselen
zich hebben geopend en roer ze geregeld om en om. Schud de
mosselen op een zeef en vang het kookvocht op. Haal de mosselen
uit de schalen.
Vul de mosselbouillon met kokend water aan tot 1 liter. Wanneer
de bouillon niet sterk genoeg is, brokkel er dan een gedeelte van
een blokje kippebouillon doorheen.

Kook de uitgelekte champignons ongeveer 3 minuten tesamen met deze bouillon. Doe er daarna de in stukjes gesneden bamboe-spruiten bij. Bind de soep met de maizena, aangemaakt met sherry en soya en warm de mosselen erin op.

127. CHINESE SCHERPZURE SOEP

1 liter bouillon, onverschillig welke
250 gram mager varkensvlees;
50 gram gedroogde Chinese champignons
$1/4$ balk tahoe
1 sjalot
2 eieren
1 eetlepel maizena
KRUIDEN:
2 eetlepels sherry
sap van 1 teentje knoflook
sap van 1 grote citroen
1 eetlepel soya
2 grote augurken
zwarte peper
zout
vetsin
mespuntje gemalen anijs

Week de gedroogde champignons tenminste een half uur in lauw water. Snijd het varkensvlees en de tahoe in zeer dunne schijfjes. Breng de bouillon aan de kook met de anijs en het knoflooksap en laat het varkensvlees en de champignons zachtjes 10 minuten meekoken. Voeg er daarna de tahoe aan toe. Maak de maizena aan met de sherry en de soyasaus en bind de soep hiermee. Klop het ei los met peper en zout en voeg dit onder goed roeren aan de kokende massa toe. Het ei moet in dunne draden schiften. Maak de soep af met nog wat peper, zout, vetsin, de gehakte sjalot, de gehakte augurken en het citroensap.

128. CHINESE SOEP van KIP en TAHOE

1 liter sterke kippebouillon met restjes kippevlees
$1/4$ blok tahoe

100 gram ham
1 eetlepel fijngesneden of geknipte bieslook
1 eetlepel maizena
KRUIDEN:
sap van 1 teentje knoflook
mespuntje vetsin
2 schijfjes verse gemberwortel
2 eetlepels sherry
1 eetlepel Japanse soya

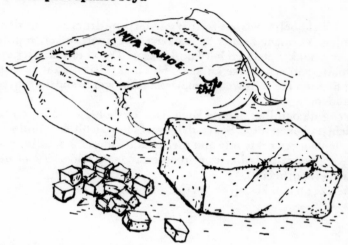

Snijd de tahoe in blokjes van 1 cm en laat ze marineren in een
papje gemaakt van maizena, sherry, soya, knoflooksap en de geraspte gemberwortel. Snipper de ham uiterst dun. Breng de bouillon aan de kook. Laat de tahoe er 3 minuten in meekoken. Doe
ham en bieslook in soepkoppen of terrine. Maak de soep af met
vetsin en giet ze over de ham en bieslook. Roer alles goed om.

129. CHINESE MIE-SOEP
met VISBALLETJES (Bakso-mie)

1 liter visbouillon, eventueel kippebouillon van bouillontabletten
200 gram kabeljauwfilets (mag uit de diepvries)
1 eetlepel maizena

1 eiwit
100 gram mie
KRUIDEN:
sap van 3 teentjes knoflook
$^1/_2$ theelepel vetsin
$^1/_2$ theelepel suiker
2 eetlepels fijngehakte selderie
zout
peper

Hak de kabeljauwfilets zo fijn mogelijk of draai ze door de vleesmolen. Vermeng ze met de maizena, het eiwit, suiker, zout, peper
naar smaak, vetsin en het knoflooksap. Draai er balletjes van ter
grootte van een flinke knikker. Het makkelijkst gaat het als men
de handen met een weinig maizena of bloem bestuift of met natte
handen.
Breng de bouillon aan de kook. Doe er de balletjes bij en laat ze
zachtjes koken tot ze boven drijven. Schep ze uit de bouillon, voeg
er de voorgeweekte mie aan toe. Laat de soep 2 à 3 minuten doorkoken, warm de balletjes erin op en roer de selderie voor het opdoen erdoorheen.
Dien ze op met ketjap en partjes citroen.

130. CHINESE SOEP van MIE
met GARNAAL BALLETJES

1 liter visbouillon of kippebouillon van bouillontabletten
200 gram garnalen
1 eetlepel maizena
100 gram mie
KRUIDEN:
sap van 3 teentjes knoflook
$^1/_2$ theelepel vetsin
$^1/_2$ theelepel suiker
2 eetlepels fijngehakte selderie
zout
peper

Hak de garnalen zeer fijn of draai ze door de vleesmolen. Be-
handel de garnalen als de vis uit het vorig recept maar maak de

134

balletjes wel iets kleiner. Voor de verdere bereiding, zie vorig recept.

Eveneens opdienen met ketjap en partjes citroen.

131. CHINESE KIPPESOEP met JONGE MAIS

2 stukken kippeborst, tesamen ± ¹/₂ kg (niet uit de diepvries)
1 blikje mais
2 eieren
1 liter kippebouillon van 2 bouillontabletten
1 eetlepel soyasaus
1 eetlepel maizena
KRUIDEN:
3 eetlepels gesnipperde uien
sap van 1 teentje knoflook
1 eetlepel olie
snufje vetsin
zout
peper

Snijd het vlees van de borststukken in nette dunne plakjes. Marineer ze in een papje van maizena, aangelengd met wat water uit het blikje met mais, knoflooksap, peper en zout naar smaak, vetsin en soyasaus.

Zet de botten van de borststukken met restjes aanhangend vlees op met de gesnipperde uien in de kippebouillon en laat die ± ³/₄ uur trekken. Haal de botten uit de bouillon en voeg er de stukjes kip met de marinade bij. Laat die ± 10 minuten meekoken tot ze gaar zijn. Roer er dan de inhoud van het blikje mais doorheen. Laat de maiskorrels goed warm worden en roer er voor het opdoen de geklopte eieren door.

132. CHINESE KIPPESOEP met ASPERGES en KRAB

2 stukken kippeborst, tesamen ± ¹/₂ kg (niet uit de diepvries)
1 blikje soepasperges

135

2 eieren
1 liter kippebouillon van 2 bouillontabletten
1 eetlepel soyasaus
2 eetlepels maizena
$^1/_2$ eetlepel krab uit een blikje
KRUIDEN:
3 eetlepels gesnipperde uien
sap van 1 teentje knoflook
1 eetlepel olie
vetsin
zout
peper

Bereid deze soep als de kippesoep met mais.
Roer er in plaats van de mais en de soepasperges het krabvlees
doorheen.

133. SOTO MADOERA

1 grote vette kip (geen diepvrieskip)
4 hardgekookte eieren
2 grote gekookte aardappelen
250 gram taogé
100 gram laksa
$^1/_{10}$ blok santen
1 grote citroen in partjes gesneden
KRUIDEN:
10 eetlepels gesnipperde uien
3 gesnipperde teentjes knoflook
3 gepofte kemiris
1 theelepel kentjoer
3 theelepels laos
4 blaadjes djeroek poeroet
4 sprieten sereh

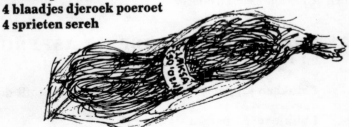

3 eetlepels gehakte bieslook
5 eetlepels gehakte selderie
^{1}/$_2$ eetlepel peperkorrels
2 eetlepels olie
zout

Wrijf 3 eetlepels gesneden uien met de knoflook, de gepofte kemiri, kentjoer, laos tot een brij. Breng de kip aan de kook met ruim 2 liter water, 2 eetlepels zout, peperkorrels, de djeroek poeroet en de sereh. Voeg er als het water kookt de gewreven kruiden bij. Haal na ongeveer 3 kwartier het vlees van de botten, verwijder de zeentjes en minder mooie delen. Snijd de rest in stukjes en doe deze terug in de bouillon samen met het blokje santen. Laat dit alles nog even zachtjes doorkoken. Week de laksa en kook ze na ongeveer een kwartier even op in een weinig water en laat ze uitlekken. Pel de eieren en snijd ze in vieren, snijd de gekookte aardappelen in blokjes. Spoel de taogé af onder de warmwaterkraan en laat ze uitlekken. Rangschik nu al deze apart bereide ingrediënten op kleine schaaltjes. Doe hetzelfde met de gehakte selderie, de gehakte bieslook en het restant van de uien, dat in de olie bruin en knappend gebakken is. Doe de bouillon met het kippevlees op in een terrine.
Men eet de Soto Madoera op de volgende manier:
Schik in een kommetje of diep bord een paar stukjes aardappel, een weinig taogé, wat van de laksa, bieslook en selderie. Overgiet dit alles ruim met de bouillon waarin de kippestukjes drijven. Druppel er wat citroensap op. Plaats een paar partjes ei er bovenop en bestrooi het geheel met gefruite uitjes.
Serveer er gekookte rijst en sambal oelek en zoute ketjap bij.

134. SOTO AJAM

1 vette grote kip (geen diepvrieskip)
4 hardgekookte eieren
2 grote gekookte aardappelen
100 gram laksa
250 gram taogé
1 grote citroen in partjes gesneden
KRUIDEN:
10 eetlepels gesnipperde uien
3 gesnipperde teentjes knoflook

137

een stuk gemberwortel van 100 gram
1 theelepel koenjit
3 theelepels laos
$1/2$ theelepel peperkorrels
4 djeroek poeroet-blaadjes
4 sprieten sereh
2 eetlepels gehakte bieslook
4 eetlepels gehakte selderie
3 salamblaadjes
4 eetlepels olie
ketjap
2 eetlepels zout

Wrijf 3 eetlepels uisnippers met de knoflook, de laos en de koenjit tot een brij. Breng de kip aan de kook met ruim 2 liter water, zout, peperkorrels, het stuk gemberwortel, de salamblaadjes en de sereh. Haal de kip er dan uit en ontdoe haar van het borstvlees, dat kleingesneden samen met de gewreven kruiden wordt gefruit. De gefruite massa wordt nu weer in de zacht doorkokende bouillon terug gedaan. Laat dit geheel nog een $1/2$ uur zacht doorkoken. Ontdoe de kip nu van de beentjes, zeentjes en minder mooie stukken en snijd het vlees in kleine stukjes dat weer in de bouillon wordt terug gedaan. Week ondertussen de laksa circa 15 minuten en kook ze daarna op in een weinig water; laat ze dan uitlekken. Spoel de taogé af onder de warmwaterkraan, laat ze eveneens uitlekken. Snijd de aardappelen in blokjes. Bak het restant van de uitjes in de olie goudbruin en knappend en snijd ook de gepelde eieren in partjes.
Rangschik al deze apart bereide ingrediënten op kleine schaaltjes; doe hetzelfde met de gehakte bieslook. Doe de bouillon met het kippevlees op in een terrine.
Voor de wijze van serveren: zie het recept Soto Madoera.

135. SOTO KEDOE

$1/4$ kg lamsvlees
$1/4$ kool in fijne slierten gesneden
$1/4$ kg taogé
$1/4$ plak tempe, in kleine dobbelsteentjes gesneden
1 grote tomaat

KRUIDEN:

3 eetlepels gesnipperde uien
2 gesnipperde teentjes knoflook
$^1/_2$ theelepel ketoembar
1 theelepel laos
$^1/_2$ theelepel gemberpoeder
1 eetlepel Javaanse suiker
2 salamblaadjes
peper
zout

Snijd het vlees in dobbelsteentjes en zet het met wat zout op in ± 1 liter kokend water. Wrijf uien met de knoflook, de ketoembar, laos, gemberpoeder en suiker tesamen tot een brij. Voeg dit mengsel toe aan de bouillon. Doe er na circa een $^1/_2$ uur de tempe bij. De kool en de in stukken gesneden tomaat en de schoongemaakte taogé worden er aan toegevoegd als het vlees gaar is. Maak de soto verder af met peper en zout.

VLEES GERECHTEN

Als vleessoorten worden in Indonesië voornamelijk rund- en het goedkopere karbouwenvlees gebruikt, dat op dezelfde wijze als rundvlees wordt bereid. Kalfsvlees is wel verkrijgbaar, maar wordt minder vaak gebruikt. Ook geitevlees wordt veel gegeten, schapevlees en lamsvlees veel minder. De recepten voor geite- en schapevlees zijn dezelfde. Waar hier in Holland geitevlees hoogst zelden en lamsvlees tegenwoordig vrij makkelijk – zij het niet overal – verkrijgbaar is, wordt in dit boek van lamsvlees uitgegaan.

In bepaalde kringen, o.a. door de Chinese bevolkingsgroep en in de Christenstreken wordt varkensvlees gegeten; hetzelfde geldt voor Bali, dat grotendeels door niet-Islamieten wordt bewoond. Hoewel de Islamieten het eten van varkensvlees verboden is kan men vrijwel overal – met uitzondering van enkele streng Islamitische streken – op de pasars varkensvlees kopen. Zeker in de grote steden.

Vlees wordt gebakken en gestoofd in het vleesvocht, zoals in de Europese keuken, met daarnaast een veelvuldig gebruik van kruidige sausen, veelal met toevoeging van santen.

Gehakt wordt op zeer vele manieren verwerkt, gebraden, gestoofd in sausjes, geroosterd of gestoomd en als vulsel. Al die bereidingswijzen worden nog door het gebruik van speciale kruiden tot in het oneindige gevarieerd.

Vlees is in Indonesië niet van die kwaliteit als het vlees hier te lande. Toch zal men zelden of nooit taaie vleesgerechten voorgeschoteld krijgen. Het geheim van de malsheid zit in de bereidingswijze. Men doet een keus uit de vleessoorten en gebruikt b.v. voor het roosteren slechts malse stukken en het minst mooie vlees voor stoven of in een sausje. Bovendien wordt vlees vrijwel altijd gemarineerd. Men gebruikt hiervoor een papje van asem, al of niet met andere kruiden en zout, waarmee het vlees wordt ingesmeerd en enige uren te marineren wordt gezet. Afhankelijk van de hoeveelheid kneedt men een stukje asem ter grootte van een of twee walnoten met de benodigde hoeveelheid zout en onder toevoeging van een of twee lepels water tot een papje en zet het daar enige uren mee weg. De asem werkt op de celwanden van het vlees in en maakt het malser. Bovendien geeft de asem aan het vlees een bijzonder frisse en aangename smaaknuancering.

143

136. SMOOR van VLEES
(Semoer daging — W. Java) I

$^1/_2$ kg rundvlees (met een vet randje)
4 eetlepels boter
$^1/_4$ l water
KRUIDEN:
2 eetlepels gesnipperde uien
3 eetlepels ketjap
peper
zout
nootmuskaat
asem

Maak een asempapje met zout en marineer hierin het vlees enkele uren. Wrijf het daarna droog en snijd het in brede plakken van ± 1 cm dikte. Bestrooi de plakken met peper en nootmuskaat. Bak de uien geel in de boter, voeg het vlees eraan toe en bak het bruin. Maak de jus af met ketjap en 2 à 3 dl water en stoof dit alles tot het vlees zacht is.

137. SMOOR van VARKENSVLEES
(Semoer babi) II

$^1/_2$ kg varkensvlees (met vet randje)
$^1/_4$ l water
KRUIDEN:
4 eetlepels grof gesneden uien
1 theelepel peper, ½ theelepel zout
1 theelepel nootmuskaat
4 eetlepels ketjap
stukje foelie
sap van 1 grote citroen

Snijd het vlees in grove plakken (dit keer wordt geen asem gebruikt). Breng het water aan de kook met zout en alle kruiden, ook het citroensap. Laat het vlees hierin zachtjes smoren tot het vocht bijna ingedampt en het vlees zacht is geworden. Hoewel dit vlees niet gebraden wordt krijgt het door de grote hoeveelheid ketjap toch een mooie bruine kleur.

138. SMOOR van VLEES op Javaanse manier
(Semoer Djawa) III

1/2 kg rundvlees
2 eetlepels boter
1/4 l water
KRUIDEN:
2 eetlepels gesnipperde uien
3 eetlepels ketjap
1 theelepel sambal terasi
1 theelepel laos
peper
zout
nootmuskaat
sap van 1/2 citroen
1 salamblad

Snijd het vlees in grove plakken en bestrooi het met peper, zout en nootmuskaat. Zet het op met het kokende water tegelijk met de de uien, de sambal, de laos, het salamblad en laat het zachtjes koken tot het vlees bijna gaar is. Haal het vlees uit de bouillon. Maak boter bruin, bak daarin de plakken vlees en maak de jus af met het kooknat, de ketjap en het citroensap.
Dit gerecht kan ook van lams- of kalfsvlees gemaakt worden.

139. GESMOORDE VARKENSLAPPEN
op z'n Ternataans (Semoer babi Ternate)

$^1/_2$ kg varkensvlees (lapjes)
4 eetlepels olie
KRUIDEN:
3 eetlepels gesnipperde uien
1 eetlepel gemberpoeder
1 theelepel peper
stukje foelie
sap van 1 grote citroen
zout

Kook de lapjes op met $^1/_2$ liter water, zout en foelie tot ze gaar zijn. Bak ze in de olie, voeg er de uien, peper en de gemberpoeder aan toe en maak de jus af met het restant van het kooknat en het citroensap.
Laat het gerecht nog een $^1/_2$ uurtje stoven.

140. GESMOORDE TONG (Semoer lidah)

1 rundertong of 3 à 4 kalfs- of lamstongetjes
4 eetlepels boter
1 l water
KRUIDEN:
5 eetlepels gesnipperde uien
3 teentjes gesnipperde knoflook
1 theelepel sambal oelek
2 grote tomaten
2 eetlepels fijngesneden selderie
1 eetlepel zoete ketjap
peper
zout

Kook de tong of tongetjes met water en zout tot het vel makkelijk los laat. Snijd het vlees in plakken en bak dit zachtjes op in de boter. Voeg er de kruiden aan toe (die niet gewreven worden), 2 dl kookvocht en de in plakken gesneden tomaten. Laat dit alles nog even stoven. Roer voor het opdoen de ketjap en selderie door het kooknat. Van het restant van de bouillon kan soep gemaakt worden.

141. MOEGALGAL (gestoofd lams- of kalfsvlees)

$^1/_2$ kg lams- of kalfsvlees
2 eetlepels boter
$^1/_4$ l water
KRUIDEN:
5 teentjes gesnipperde knoflook
2 theelepels peper
sap van $^1/_2$ citroen

Snijd het vlees in grove dobbelsteentjes en bak het in de boter.
Voeg er de knoflook, de peper en het citroensap aan toe. Maak de
saus af met ± $^1/_4$ liter water en laat het vlees hierin stoven tot het
zacht is.

142. BELANTJANG van RUNDVLEES (Timor)

$^1/_2$ kg rundvlees (half vet)
2 eetlepels olie
$^1/_4$ l water
KRUIDEN:
3 eetlepels gesneden uien
1 teentje gesnipperde knoflook
1 theelepel sambal terasi
1 theelepel Javaanse suiker
1 eetlepel ketjap
zout
peper

Snijd het vlees in dobbelstenen, bestrooi het met peper en zout,
de Javaanse suiker en laat het een uurtje staan. Braad het op in de
olie en voeg er als het bruin geworden is de uien, knoflook en de
sambal aan toe.
Maak de jus af met een weinig water en de ketjap en stoof het tot
het gaar is.

147

143. GESTOOFD VARKENSVLEES met TOMAAT (Dajaks)

$^1/_2$ kg varkensvlees (half vet)
3 grote tomaten
2 dl water
KRUIDEN:
3 eetlepels gesnipperde uien
1 gesnipperd teentje knoflook
1 theelepel sambal oelek
2 eetlepels gesneden koetjai (bieslook)
sap van 1 grote citroen
zout
peper

Snijd het vlees in dobbelstenen en de tomaten in plakken. Meng het vlees, de bieslook, uien, knoflook, peper, zout en citroensap door elkaar en laat dit alles een uurtje intrekken.
Breng het water aan de kook, voeg er het gekruide vlees aan toe en laat het zachtjes smoren tot het gaar is. Laat het laatste half uur de tomaten meekoken.

144. GESTOOFDE GEKRUIDE RUNDER-LAPJES (Masak Habang van Bandjarmasin)

$^1/_2$ kg rundvlees
2 eetlepels olie
$^1/_4$ l water
KRUIDEN:
3 eetlepels fijngesnipperde uien
2 fijngesneden teentjes knoflook
2 theelepels sambal terasi
3 gepofte kemiris
1 theelepel Javaanse suiker
stukje asem ter grootte van een walnoot
zout

Snijd het vlees in repen van ± 4 cm dikte. Maak een papje van asem, zout en wat water en smeer de repen daarmee in. Wrijf de uien, knoflook, sambal, kemiries en suiker met elkaar tesamen en bak ze op. Bak het vlees hierin mee en maak het af met het water. Stoof het gerecht verder tot het vlees zacht is. N.B. Pitten en vliezen van de asem eerst verwijderen vòòr het wrijven met de andere kruiden.

145. VLEES in KETJAPSAUS
(Daging goreng ketjap)

$^1/_2$ kg lamslappen
1 eetlepel boter
$^1/_4$ l water
KRUIDEN:
5 eetlepels gesnipperde uien
3 gesnipperde teentjes knoflook
2 eetlepels ketjap
sap van 1 citroen
zout

Wrijf uien en knoflook met zout tot een brij en fruit die in de boter op tot de uien geel zijn. Bak de in kleine stukjes gesneden lapjes vlees enige tijd mee, voeg er daarna het water bij, het citroensap en de ketjap en laat het geheel verder stoven tot het vlees gaar en mals is.

146. VLEES met BOEMBOE BALI

$^1/_2$ kg schape- of lamslappen
2 grote tomaten
2 eetlepels olie
2 dl water
KRUIDEN:
3 eetlepels gesnipperde uien
2 gesnipperde teentjes knoflook
2 theelepels sambal terasi
1 theelepel laos
$^1/_2$ theelepel gemberpoeder
1 spriet sereh
1 salamblaadje
zout

Snijd het vlees in dobbelstenen en bak het in de olie lichtbruin.
Wrijf uien, knoflook, sambal, gemberpoeder en laos tesamen tot
een brij en bak die enkele minuten mee. Voeg er de in stukken
gesneden tomaten aan toe en laat die bakken tot ze kapot gaan.
Maak het gerecht af met water, de sereh en de salam en laat het
stoven tot het vlees zacht is.

147. MASAK KAMBING
(gekookt geite- of schapevlees)

¹/₂ kg geite- of schapevlees
2 eetlepels olie
2 dl water
KRUIDEN:
5 eetlepels gesnipperde uien
3 gesnipperde teentjes knoflook

2 theelepels ketoembar
1 theelepel djinten
1 theelepel koenjit
$^1/_2$ theelepel gemberpoeder
zout

Wrijf de helft van de uien, alle knoflook, de ketoembar, djinten, koenjit en gemberpoeder tot een brij en fruit die in de olie. Snijd het vlees in dobbelstenen en meng het door de bakkende kruiden. Na een minuut of vijf afmaken met water en laten stoven tot het vlees gaar is.
Vlak voor het opdoen de rest van de uien erdoorheen roeren.

148. VARKENSLEVER met BIESLOOK
(Indonesisch-Chinees) (Babi koetjai)

$^1/_2$ kg varkenslever
50 gram gerookt spek
2 eetlepels gebakken uien
2 eetlepels olie
KRUIDEN:
3 eetlepels gesnipperde uien
5 gesnipperde teentjes knoflook
5 eetlepels gesneden bieslook
3 eetlepels ketjap
zout
peper
vetsin

Snijd de varkenslever in dunne plakjes. Snijd het spek in dunne snippers en bak die in de olie op een zacht vuur tot het spek licht-geel is. Schep de kaantjes eruit met een schuimspaan en zet het vuur hoger tot de olie zeer warm wordt. Droog de lever af met keukenpapier en voeg ze lepelsgewijs bij de olie. Doe er, wanneer al de lever is toegevoegd de samengewreven uien en knoflook bij. Bak het gerecht nog enkele minuten. Bestrooi het met peper en zout, voeg er dan de ketjap bij, eventueel een scheutje water en roer er voor het opdoen de bieslook en de vetsin doorheen.
Bestrooi het gerecht met gebakken uitjes.

149. HACHEE

300 gram vleesresten
2 dl jus of bouillon
2 middelgrote aardappelen
10 gram laksa
1 eetlepel boter
KRUIDEN:
5 eetlepels gesnipperde uien
1 gesnipperd teentje knoflook
3 à 4 kruidnagelen
2 salamblaadjes
2 eetlepels azijn
1 eetlepel ketjap

Snijd het vlees in nette stukjes. Bak uien en knoflook lichtbruin, voeg er het vlees aan toe en vervolgens de jus, kruidnagels en salamblaadjes. Snijd de aardappelen in plakjes of blokjes en laat ze mee stoven met het vlees. Maak, als de aardappelen bijna gaar zijn het gerecht af met de ketjap en de azijn. Voeg er de geweekte en goed uitgeknepen laksa bij en laat de hachee nog even door stoven.

150. GANGSA (Bandjarmasin)

$^1/_2$ kg rund- of schapevlees
2 eetlepels olie
3 dl water
KRUIDEN:
3 eetlepels gesnipperde uien
1 theelepel sambal terasi
2 gesnipperde ontpitte lomboks
1 theelepel ketoembar
1 theelepel koenjit
$^1/_2$ theelepel kentjoer
stukje asem ter grootte van een walnoot
zout

Maak een papje van asem, zout en een lepel water en marineer hierin het vlees minstens een uur. Wrijf uien, sambal, lomboks, ketoembar, koenjit en kentjoer tezamen tot een brij. Braad die op in de olie die niet te heet mag zijn. Voeg er dan het water aan toe en het in dobbelstenen gesneden vlees en laat het stoven tot het vlees zacht is.

151. PIENDANG van RUND- of SCHAPEVLEES met KETJAP (Piendang ketjap)

¹/₂ kg rund- of schapevlees
2 eetlepels olie
¹/₄ l water
KRUIDEN:
3 eetlepels gesnipperde uien
1 gesnipperd teentje knoflook
1 theelepel sambal terasi
1 theelepel laos
1 theelepel gemberpoeder
1 spriet sereh
stukje asem ter grootte van een walnoot
2 eetlepels ketjap
zout

Snijd het vlees in grove stukken en kook het half gaar. Roer uien, knoflook, sambal, laos, gemberpoeder en asem (ontpit) door elkaar en bak ze even op in de olie. Voeg het vlees eraan toe en maak het gerecht af met het kooknat, de ketjap en de sereh.
Laat het vlees hierin ± een uur zachtjes stoven.

152. DUIVELSE RUNDERLAPJES (Daging setan)

¹/₂ kg runderlapjes
4 eetlepels olie
2 dl water
KRUIDEN:
3 eetlepels gesnipperde uien

153

2 gesnipperde teentjes knoflook
1 theelepel sambal oelek
1 eetlepel mosterdpoeder
1 theelepel witte suiker
2 eetlepels ketjap
2 eetlepels azijn
zout
peper

Wrijf uien, knoflook, sambal met suiker, zout en mosterdpoeder tot een papje. Wrijf daarmee de runderlapjes die tevoren met peper bestrooid zijn in en laat ze minstens een uur marineren. Bak de lapjes in de olie en maak de jus af met water, ketjap en azijn en laat ze stoven tot het vlees gaar is.

153. VLEES met BOEMBOE MANGOET

$^1/_2$ kg poulet
2 eetlepels olie
$^1/_2$ l water
KRUIDEN:
5 eetlepels gesnipperde uien
3 gesnipperde teentjes knoflook
2 theelepels sambal terasi
1 theelepel laos
2 theelepels Javaanse suiker
1 spriet sereh
2 salamblaadjes
stukje asem ter grootte van 2 walnoten

Kook het vlees halfgaar. Het grootste deel van de bouillon kan voor soep gebruikt worden. Wrijf uien, knoflook, sambal, laos, suiker en wat zout tot een brij tesamen en fruit ze in de olie tot de uien geel zijn. Bak ook even de uitgelekte poulet mee, voeg er 2 dl bouillon bij, de salamblaadjes en de sereh. Maak asemwater met 4 eetlepels warm water, voeg dit ook aan het gerecht toe en laat het nog een half uur doorstoven.

154. TOLLO PAMARASAN (Toradja)

¹/₂ kg half vet varkensvlees
KRUIDEN:
3 eetlepels gesnipperde uien
2 gesnipperde teentjes knoflook
1 theelepel sambal oelek
1 eetlepel gehakte bieslook
1 dikke prei (witte deel in staafjes van ± 3 cm gesneden)
6 kloewaknoten
5 à 6 zwarte peperkorrels
zout

Snijd het vlees in dobbelstenen. Sla de schil van de kloewaknoten stuk en stamp de pitten fijn. Voeg er ± 2 dl warm water aan toe en laat de kloewak hierin een half uur weken. Zeef het vocht daarna en kook het samen met het vlees en de tot een brij gewreven uien, knoflook, sambal en zout. Doe hier ook de zwarte peperkorrels bij. Voeg er na een half uur de staafjes prei bij en laat het geheel doorkoken tot het vlees gaar is. Voeg er vlak voor het opdoen de bieslook aan toe.

155. LEVER met GEKRUIDE SAUS
(Lampang loemboek)

¹/₂ kg lever, onverschillig welke soort
¹/₃ blok santen
5 eetlepels kokosmeel
¹/₂ l water
KRUIDEN:
2 eetlepels gesnipperde uien
1 theelepel sambal oelek
2 theelepels ketoembar
1 theelepel djinten
¹/₂ theelepel kentjoer
2 salamblaadjes
2 djeroek poeroetblaadjes
peper
zout

Snijd de lever in grove plakken. Wrijf uien, sambal, ketoembar, djinten, kentjoer, peper en zout met elkaar tot een brij en meng ze met het kokosmeel. Los de santen op in het water en voeg er het kruidenmengsel aan toe. Breng het aan de kook en doe er dan de plakken lever bij, de salam en djeroek poeroetblaadjes. Laat de massa koken tot het vlees gaar is en de kruiden met het kokosmeel een dikke saus zijn gaan vormen.

156. MAGADIP (Madoerees gerecht)

$^1/_2$ kg mals schape-, lams- of geitevlees
2 dl water
1 eetlepel olie
1 eetlepel boter
KRUIDEN:
1 eetlepel gesnipperde uien
2 theelepels ketoembar
1 theelepel djinten
1 theelepel gemberpoeder
1 theelepel koenjit
$^1/_2$ theelepel laos
mespuntje nootmuskaat
mespuntje kruidnagelpoeder
mespuntje kaneel
peper
zout

Snijd het vlees in dobbelsteentjes en doe die in een pan. Strooi hierover heen de ketoembar, djinten, peper en kruidnagel. Meng dit goed door elkaar, doe er dan water bij en zet de pan op het vuur. Wrijf de uien, laos, kaneel, gemberpoeder en koenjit met zout fijn. Fruit dit mengsel en voeg het bij het kokende vlees. Laat dit alles doorstoven tot het vlees gaar is en zacht.
Meng er voor het opdoen de boter doorheen.

etensstalletje langs de weg

157. BABI KETJAP
(Chinees-Indonesisch gerecht van varkensvlees)

¹/₂ kg varkenskarbonade (met bot!) **in stukken gehakt**
4 eetlepels olie
2 eetlepels water
KRUIDEN:
10 eetlepels gesnipperde uien
4 gesnipperde teentjes knoflook
¹/₂ theelepel peper
3 theelepels gemberpoeder
2 eetlepels fijngehakte bakgember
1 eetlepel gembervocht
2 eetlepels azijn
4 eetlepels ketjap
zout

Bestrooi het vlees met peper, gemberpoeder en zout en laat dit
een uurtje intrekken. Braad het daarna in de olie tot het lichtbruin is, bak ook de uien en knoflook even mee. Voeg er een scheut

157

water aan toe, de gesneden bakgember en het gembervocht, azijn en ketjap en laat het gerecht doorsudderen tot het vlees zacht is. Babi ketjap is bijzonder lekker als men haar een dag of wat van tevoren maakt.

158. BABI TJIEN (Chinees-Indonesisch gerecht)

½ kg speklappen
200 gram voorgebakken frites
KRUIDEN:
3 eetlepels gesnipperde uien
3 gesnipperde teentjes knoflook
½ theelepel ketoembar
2 theelepels gemberpoeder
1 eetlepel taotjo
2 eetlepels ketjap
2 eetlepels gesneden bieslook
zout

Snijd op een klein randje na de buitenste spekrand van de lapjes af. Snipper dit spek en zet het op met 2 eetlepels kokend water op een zacht vuur. Laat het vet eruit braden en het water verdampen. Haal de kaantjes eruit. Snijd het vlees in dobbelstenen. Bak het op in het spekvet en voeg er, wanneer het bruin gebraden is, de uien, knoflook, gemberpoeder, ketoembar, ketjap en de taotjo aan toe. Bak deze massa door tot de uien lichtgeel van kleur zijn en het vlees bijna gaar; bak ook de frites hierin mee. Niet laten smoren. Roer er voor het opdoen de gesnipperde bieslook door-heen.

159. SPEENVARKEN (Chinees)

2 kg speenvarken (schouder- of hamstuk)
1 à 2 eetlepels boter
KRUIDEN:
knoflook
zout

peper
vetsin
2 eetlepels ketjap (liefst in de vorm van Japanse soya)

Zout het stuk speenvarken en wrijf het in met het sap van enkele teentjes knoflook en de peper. Laat de kruiden minstens enkele uren intrekken. Wikkel de bout in aluminiumfolie en leg haar op het rooster in de oven. Vul de afdruipbak met kokend water en breng de oven op een temperatuur van 250 °C. De braadtijd is ± 1 uur.

Haal de bout uit de oven. Verwijder het aluminiumfolie en penseel het zwoerd met een mengsel van boter en soya. Breng de oven op 300 °C, schuif de bout er weer in en laat die nog ± 3 kwartier bruin worden. Het zwoerd moet knappend worden. Nu en dan inwrijven met het boter/soyamengsel. Verwijder het zwoerd, snijd dit in dunne repen en houd die tot het moment van opdienen warm in de oven.

Serveer het stuk speenvarken met zoet-zure gembersaus, mihoen en stukjes komkommer.

160. RAWON SOERABAJA

¹/₂ kg rund- of schapevlees (met vet randje)
2 eetlepels olie
¹/₂ l water
K R U I D E N :
3 eetlepels gesnipperde uien
2 gesnipperde teentjes knoflook

1 theelepel terasi (geen rauwe)
3 kloewaknoten
2 theelepels ketoembar
1 theelepel koenjit
1 theelepel laos
2 theelepels Javaanse suiker
stukje asem ter grootte van een walnoot
1 spriet sereh
3 djeroek poeroetblaadjes
1 eetlepel ketjap
zout

Snijd het vlees in flinke dobbelstenen en kook het half gaar in
water met wat zout. Wrijf uien, knoflook, terasi, ketoembar, koenjit, laos, suiker en asem tot een brij. Kraak de kloewaknoten (op
de manier van een walnoot), haal de pitten er uit en wrijf ze fijn
met een weinig kokend water. Zeef ze en voeg het papje toe aan
het mengsel van kruiden. Roer dit alles goed door elkaar en fruit
het op in de olie. Wanneer de uien geel zijn kan het halfgare vlees
toegevoegd worden met de bouillon en de blaadjes djeroek poeroet. Maak het gerecht af met ketjap en laat het smoren tot het
vlees gaar is.

161. ABON van RUNDVLEES (Abon-abon)

$^1/_2$ kg rundvlees
1 dl water
3 eetlepels olie
KRUIDEN:
2 eetlepels gesnipperde uien
2 gesnipperde teentjes knoflook
2 theelepels ketoembar
1 theelepel djinten
2 theelepels Javaanse suiker
stukje asem ter grootte van een walnoot
zout

Kook het vlees met het water, asem en een weinig zout gaar. Wrijf
uien, knoflook, ketoembar, djinten en suiker tot een brij.
Rafel het vlees met twee vorken uit elkaar en marineer het enige
tijd in de kruidenbrij. Maak olie heet en bak het gemarineerde
vlees hierin tot het krokant is.

162. KERRIE van SCHAPEVLEES (Oost-Java)

1/2 kg schapevlees met vet randje
1/2 l water
KRUIDEN:
5 eetlepels gesnipperde uien
3 gesnipperde teentjes knoflook
2 theelepels sambal terasi
10 gepofte kemiries
1 theelepel ketoembar
1/2 theelepel djinten
1 theelepel koenjit
1/2 theelepel gemberpoeder
1 theelepel laos
1/2 theelepel kentjoer
3 djeroek poeroetblaadjes
1 spriet sereh
zout

Snijd het vlees in grove stukken en kook ze half gaar in water en
zout. Wrijf uien, knoflook, sambal, de gepofte kemiries, ketoembar, djinten, koenjit, gemberpoeder, laos en kentjoer met elkaar
en voeg dit mengsel toe aan het halfgare vlees. Doe er ook de
sereh en djeroek poeroetblaadjes bij en laat alles tesamen stoven
tot het vlees geheel gaar is en het vleesnat tot ongeveer de helft
is ingedampt.

163. KERRIE van MIDDEN-JAVA

1/2 kg vlees (rund)
1/4 blok santen
3/4 l water
2 eetlepels olie
KRUIDEN:
3 eetlepels gesnipperde uien
2 gesnipperde teentjes knoflook
1 theelepel sambal oelek
2 theelepels ketoembar
1 theelepel djinten
1 theelepel laos

161

2 theelepels koenjit
1 spriet sereh
zout

Wrijf uien, knoflook, sambal, ketoembar, djinten, laos en koenjit
met elkaar tot een brij. Braad dit kruidenmengsel in de olie. Snijd
het vlees in grove stukken en braad het even mee. Voeg er het
water bij, het blokje santen en de sereh. Laat het gerecht stoven
tot het vlees gaar is en het vocht tot ongeveer de helft is ingedampt.

164. BRONGKOS van VLEES

^{1}/$_2$ kg rund- of schapevlees (met vet randje)
2 eetlepels olie
^{3}/$_4$ l water
^{1}/$_4$ blok santen
KRUIDEN:
3 eetlepels gesnipperde uien
2 gesnipperde teentjes knoflook
1 theelepel terasi (geen rauwe)
3 kloewaknoten
2 theelepels ketoembar
1 theelepel koenjit
1 theelepel laos
2 theelepels Javaanse suiker
asem ter grootte van een walnoot
1 spriet sereh
3 djeroek poeroetblaadjes
1 eetlepel ketjap
zout

Kraak de kloewaks, haal de pitten er uit, wrijf ze fijn met wat
kokend water, zeef ze. Wrijf dit papje tesamen met de andere
kruiden. Bak ze op in de olie, voeg er water aan toe en de santen
en stoof het gerecht tot het vlees gaar is en het vocht tot ongeveer
de helft is ingedampt.

165. GAGAPE van VLEES (Makasar)

$^1/_2$ kg rundvlees
2 eetlepels olie
3 dl water
$^1/_8$ blok santen
4 eetlepels kokosmeel
KRUIDEN:
1 theelepel laos
1 theelepel ketoembar
$^1/_2$ theelepel djinten
1 theelepel koenjit
1 theelepel gemberpoeder
1 spriet sereh
zout
peper

Wrijf de kruiden met elkaar, uitgezonderd de sereh en het zout. Bak dit mengsel op in de olie, voeg er het kokosmeel aan toe en bak dit mee tot het geel wordt. Breng het water aan de kook met de santen en de sereh en het zout, voeg hier het in stukken gesneden vlees aan toe. Laat het $^3/_4$ à 1 uur zachtjes koken, doe er dan de kruiden bij en laat het gerecht doorstoven tot het vlees zacht is.

166. GESTOOFD VLEES op z'n ATJEH's

$^1/_2$ kg rundvlees
$^1/_8$ blok santen
3 dl water
KRUIDEN:
3 eetlepels gesnipperde uien
1 gesnipperd teentje knoflook
3 theelepels sambal oelek
2 theelepels ketoembar
1 theelepel koenjit
1 spriet sereh
stukje asem ter grootte van een walnoot
zout
peper

Wrijf uien, knoflook, sambal, ketoembar, koenjit, asem en zout en peper tot een brij. Snijd het vlees in dobbelstenen en marineer het in het kruidenmengsel. Breng al roerend het water aan de kook met de santen en de sereh. Laat hierin het vlees stoven tot het gaar is.

167. BOENDOE DAGING (Makasar)

$^1/_2$ kg rundvlees
$^1/_6$ blok santen
3 dl water
KRUIDEN:
3 eetlepels gesnipperde uien
1 gesnipperd teentje knoflook
1 theelepel laos

1 spriet sereh
2 salamblaadjes
zout
peper

Snijd het vlees in blokjes en bestrooi het met peper en zout en
vermeng het met de uien, knoflook en de laos. Laat dit alles een
uurtje intrekken. Breng het water al roerend aan de kook met de
santen, de sereh en de salam. Laat hierin het vlees stoven tot het
zacht is geworden.

168. KARSIGOE (schapevlees met kerriekruiden)

$^1/_2$ kg mals schapevlees
$^1/_4$ blok santen
1 eetlepel olie
$^1/_4$ l water
KRUIDEN:
1 theelepel ketoembar
$^1/_2$ theelepel djinten
3 gepofte kemiries
$^1/_2$ theelepel gemberpoeder
1 theelepel laos
$^1/_2$ theelepel gepofte terasi
1 spriet sereh
1 salamblaadje
1 pijpje kaneel, $\pm$ 4 cm
2 kruidnagels
peper
zout

Snijd het vlees in kleine stukjes. Los de santen al roerende op in
het kokende water. Wrijf de ketoembar, djinten, kemiries, gemberpoeder, laos, terasi, peper en zout met elkaar fijn en fruit dit
mengsel in de olie. Voeg er daarna het vlees aan toe en vervolgens
de santen en de andere kruiden: sereh, salam, kruidnagel en het
pijpje kaneel. Laat dit alles doorstoven tot het vlees gaar is en
de saus tamelijk is ingedikt. Het gerecht krijgt een enigszins gele
kleur.

165

169. VLEES met BOEMBOE ROEDJAK

$^1/_2$ kg schape- of rundvlees
$^1/_4$ blok santen
2 eetlepels olie
$^1/_4$ l water
KRUIDEN:
2 eetlepels gesnipperde uien
2 gesnipperde teentjes knoflook
1 theelepel sambal terasi
4 gepofte kemiries
1 theelepel laos
1 theelepel Javaanse suiker
1 eetlepel asempulpwater
1 spriet sereh
zout

Wrijf uien, knoflook, sambal, gepofte kemiries, laos, suiker en wat zout met elkaar tot een brij. Bak ze op in de olie. Bak ook even het vlees mee. Voeg er dan het water, de santen, de asem en de sereh aan toe en stoof het gerecht tot het vlees zacht is.

170. VLEES met BOEMBOE BESENGEK

$^1/_2$ kg runderlappen
$^1/_3$ blok santen
2 eetlepels olie
$^1/_2$ l water
KRUIDEN:
3 eetlepels gesnipperde uien
2 gesnipperde teentjes knoflook
1 theelepel sambal terasi
3 gepofte kemiries
1 theelepel ketoembar
$^1/_2$ theelepel djinten
1 theelepel koenjit
1 theelepel laos
2 eetlepels asemwater, gemaakt van een stukje asem ter grootte van een walnoot
2 sprieten sereh
2 salamblaadjes
zout

166

Snijd de lapjes in even grote stukken. Het moeten lapjes blijven, dus niet in dobbelstenen snijden. Wrijf uien, knoflook, sambal, gepofte kemiri, ketoembar, djinten, koenjit en laos met elkaar tot een brij. Fruit ze in de olie tot de uien geel worden. Bak het vlees even mee en voeg er daarna het water, de santen, de salam en de sereh aan toe. Laat het gerecht een uurtje smoren en voeg er daarna het asemwater aan toe. Laat de besengèk nog $\pm$ $\frac{1}{2}$ uur op een klein pitje doorstoven.

171. GOELAI van OSSESTAART (Padang)

> 1 kg ossestaart
> $\frac{1}{2}$ blok santen
> ruim 1 l water
> KRUIDEN:
> 5 eetlepels gesnipperde uien
> 4 gesnipperde teentjes knoflook
> 3 theelepels sambal oelek
> 2 theelepels laos
> zout

Hak de ossestaart in stukken. Meng de kruiden door elkaar en wrijf hiermee de stukken gehakte staart in. Laat dit ruim een uur, maar liever langer marineren. Breng het water aan de kook met de santen. Voeg er de stukken staart en aanhangende kruiden aan toe en kook het gerecht tot het vlees zacht is en de saus tot ongeveer $\frac{3}{4}$ liter is ingedikt. Dit is een eenvoudige en makkelijk te maken goelai met weinig kruiden.

172. GOELAI van SCHAPEVLEES

> 1 kg schapevlees (koteletten in stukken gehakt)
> $\frac{1}{4}$ blok santen
> 2 eetlepels olie
> ruim 1 l water
> KRUIDEN:
> 5 eetlepels gesnipperde uien
> 3 gesnipperde teentjes knoflook
> 2 theelepels sambal terasi

2 theelepels ketoembar
1 theelepel djinten
2 theelepels peper
1/2 theelepel nootmuskaat
mespuntje anijszaad
1 theelepel gemberpoeder
1 theelepel laos
2 theelepels koenjit
4 gepofte kemiries
stukje pijpkaneel van ± 3 cm
stukje asem ter grootte van een
walnoot
4 sprieten sereh
3 salamblaadjes
3 djeroek poeroetblaadjes
zout

Zet het vlees op met het kokende water en wat zout. Wrijf de
uien, knoflook, sambal, ketoembar, djinten, peper, nootmuskaat,
anijszaad, gemberpoeder, laos, koenjit, gepofte kemiri en de asem
(eerst pitten en vliezen verwijderen) met elkaar tot een brij. Braad
dit op in de olie en voeg het toe aan het kokende vlees met de
santen, de kaneel, salam en djeroek poeroetblaadjes. Laat het gerecht enkele uren zachtjes stoven tot het geheel gaar is.
Deze goelai is bijzonder lekker als men haar één à twee dagen
van tevoren maakt, niet helemaal gaar laat worden en haar iedere
dag opnieuw een poosje laat koken. Eventueel wat melk aan de
saus toevoegen en oppassen dat ze niet teveel inkookt. Er moet
ongeveer 1 liter saus overblijven.
Dit is een goelai die zich bijzonder leent in grote hoeveelheden
gemaakt te worden als feestgerecht. Hoewel deze goelai door zijn
grote verscheidenheid aan kruiden nogal ingewikkeld is valt dat
in de praktijk nogal mee, omdat ze, geserveerd met reepjes komkommer en kroepoek, een complete maaltijd vormt. Bovendien
kan men haar enkele dagen van tevoren klaarmaken.

173. GEKRUIDE LAPJES van SCHAPEVLEES

1/2 kg schapevlees
1/6 blok santen
3 dl water
2 lepels olie
KRUIDEN:
3 teentjes gesnipperde knoflook
1 theelepel ketoembar
1/2 theelepel djinten
1/2 theelepel koenjit
stukje asem ter grootte van een walnoot

Maak van asem, zout en een lepel water een papje en smeer hiermee de lapjes in. Laat het vlees daar minstens een uur in marineren. Wrijf de knoflook, ketoembar, djinten met de koenjit samen tot een brij. Braad die op in de olie. Los de santen op in het water en stoof het vlees op in dit vocht waaraan ook de gebraden kruiden zijn toegevoegd.

174. GOBE BETAWI

1/2 kg rundvlees
1/4 blok santen
5 eetlepels kokosmeel
4 eetlepels olie
1/4 l water
KRUIDEN:
5 eetlepels gesnipperde uien
2 theelepels terasi (geen rauwe; zelf poffen of gare terasi gebruiken)
2 theelepels ketoembar
1 theelepel djinten
1 theelepel Javaanse suiker
zout
peper

Snijd het vlees in zeer dunne plakjes. Wrijf uien, ketoembar, djinten, suiker, terasi, zout en peper tot een brij. Voeg er het kokosmeel aan toe en kneed er de plakjes vlees doorheen. Laat dit alles een uurtje marineren. Los de santen op in het kokende water. Doe er dan het vlees en kruidenmengsel bij en laat het smoren tot het vlees zacht is.

175. OPOR van VLEES (Daging Opor)

$^1/_2$ kg runderlapjes
$^1/_2$ kg aardappelen
1 blikje ananas
$^1/_4$ blok santen
4 eetlepels olie
KRUIDEN:
5 eetlepels gesnipperde uien
4 gesnipperde teentjes knoflook
1 theelepel ketoembar
1 theelepel laos
$^1/_2$ theelepel terasi (gepoft)
1 eetlepel azijn
zout

Schil de aardappelen, snijd ze in dobbelstenen en kook ze half gaar. Snijd ook de ananasschijven in kleinere vierkante stukjes. Wrijf uien, knoflook, ketoembar, laos, terasi en zout tot een brij en fruit ze tot de uien geel zijn. Doe er dan de vleeslapjes, de stukjes ananas en de santen bij en laat dit alles stoven tot het vlees gaar is. Voeg er daarna de aardappelen bij en laat het gerecht doorstoven tot de olie uittreedt. Maak het gerecht af met de azijn.

176. OPOR van VLEES met ANANAS (Palembang)

$^1/_2$ kg runderlappen
$^1/_2$ blik ananas of $^1/_2$ verse
$^1/_4$ blok santen
$^1/_4$ l water
KRUIDEN:
5 eetlepels gesnipperde uien
3 gesnipperde teentjes knoflook
1 theelepel ketoembar

1 theelepel laos
1/2 theelepel gepofte terasi
1 eetlepel azijn
zout

Snijd de ananas in blokjes of laat de ananas uit blik uitlekken.
Wrijf de uien, knoflook, ketoembar, laos en terasi tot een brij.
Kook de kruiden, vlees en ananas (met vocht) tesamen met het
water en de santen tot het vlees gaar is.
Maak het gerecht af met de azijn.

177. LOELA DJAKARTA

1/2 kg mals schapevlees
1/4 blok santen
1 eetlepel boter
2 eetlepels kokosmeel
1/4 l water
KRUIDEN:
1 eetlepel gesnipperde uien
1 theelepel ketoembar
1/2 theelepel djinten

171

½ theelepel terasi
1 theelepel Javaanse suiker
1 salamblaadje
peper
zout

Snijd het vlees in dobbelsteentjes. Los de santen op in 5 eetlepels warm water. Wrijf uien, ketoembar, djinten, terasi, suiker, peper en zout met elkaar fijn, meng dit door het kokosmeel en kneed de dobbelsteentjes vlees hiermee. Braad dit alles op in de boter, doe er dan de opgeloste santen en het salamblaadje bij en laat het geheel doorstoven tot het vlees gaar is en de saus dik.

178. RENDANG PADANG

½ kg mager rundvlees
½ kg lever of hart
1 blok santen
KRUIDEN:
5 eetlepels gesnipperde uien
5 gesnipperde teentjes knoflook
10 rode lomboks
½ theelepel koenjit
1 theelepel laos
4 gepofte kemiries
1 theelepel gemberpoeder
1 spriet sereh
2 salamblaadjes
2 djeroek poeroetblaadjes
zout

Halveer de lomboks, verwijder de pitten en snijd ze in stukjes. Dit gerecht is zeer scherp. Wie het minder scherp wenst moet echter niet de lombok verminderen, maar ze laten opwellen in warm water. Wrijf uien, knoflook, lomboks, koenjit, laos, de gepofte kemiries, gemberpoeder en het zout met elkaar fijn tot een brij. Los de santen op in 1 liter kokend water, voeg er het kruidenmengsel aan toe, de sereh en de verschillende bladeren. Kook hierin het in grove dobbelstenen gesneden vlees en lever of hart. De saus moet door verdamping indikken tot een smeuïge brij. Gebruik daarom een pan met dikke bodem en roer de massa regelmatig, wanneer deze dik begint te worden, om en om.

Dit gerecht kan verscheidene dagen bewaard blijven.

GEHAKT

Gehakt, dat gewone woensdaagse gerecht heet in Indonesië perkedèl (van het Nederlandse frikadel) en wordt met allerlei bijvoegsels gevarieerd en bovendien als vulsel in velerlei heerlijkheden verwerkt.

De balletjes zijn wat kleiner van afmeting dan hier te lande de gewoonte is. Ze kunnen het beste met een desertlepel gevormd worden; soms zijn ze afgeplat tot koekjes. Ze worden zowel droog als in saus opgediend en ook de sausjes geven de mogelijkheid tot talrijke variaties.

Men bereidt het gehakt ook wel in een vuurvaste schaal in de oven of wikkelt het in blad en stoomt of roostert het dan gaar.

We beginnen hier eerst met de eenvoudigst te bereiden recepten.

179. FRIKADEL (Perkedèl)

¹/₄ kg rundergehakt
1 flinke gekookte aardappel
1 klein ei
olie — paneermeel
KRUIDEN:
2 eetlepels gesnipperde uien
1 gesnipperd teentje knoflook
peper
zout
nootmuskaat

Maak de aardappel met een vork fijn. Vermeng haar met het ei,
de uien en knoflook, het gehakt en met peper, zout en nootmuskaat. Vorm er met een dessertlepel kleine balletjes van. Haal ze
door het paneermeel en bak ze in de olie gaar.

180. GEHAKTBALLETJES
van SCHAPEVLEES

¹/₄ kg schapelappen (magere)
¹/₄ blok santen
1 flinke gekookte aardappel
1 klein ei
olie
paneermeel
KRUIDEN:
2 eetlepels fijn gesnipperde uien
1 gesnipperd teentje knoflook
2 theelepels ketoembar
peper
zout
nootmuskaat

Draai de lapjes door de vleesmolen samen met het blokje santen
(snipperen). Draai er daarna ook de aardappel doorheen. Meng
het ei door de massa, de uien, knoflook, gehaktkruiden en de
ketoembar. Maak kleine balletjes, paneer ze en bak ze bruin in de
olie.

174

Dit gehakt kan ook in een vuurvast schaaltje in de oven gebakken worden. Maak het rauwe gehakt iets vochtiger door er 2 lepels melk of bouillon doorheen te roeren.

181. REMPAH

100 gram rundergehakt
100 gram kokosmeel
1 klein ei
wat extra kokosmeel om te paneren
olie
KRUIDEN:
2 eetlepels gesnipperde uien
1 gesnipperd teentje knoflook
2 theelepels ketoembar
1 theelepel djinten
1 eetlepel asemwater, gemaakt van 1 eetlepel water en
een stukje asem ter grootte van een $^1/_2$ walnoot
1 spriet sereh
1 salamblaadje

Vermeng het gehakt met het ei, het kokosmeel, uien, knoflook, ketoembar, djinten en asemwater. Droog de sereh en het salamblad en stamp ze tot poeder. Zeef ze en meng ze door het gehakt. Vorm van de massa kleine balletjes ter grootte van een walnoot en bak ze bruin in de olie.

182. BALINEES VARKENSVLEES I
(Lelawar Bali)

$^1/_2$ kg varkenlapjes (met een randje vet)
6 eetlepels kokosmeel
olie
KRUIDEN:
5 eetlepels gesnipperde uien
5 gesnipperde teentjes knoflook
1 theelepel sambal terasi
1 theelepel zwarte peper

¹/₂ theelepel kentjoer
4 gestampte djeroek poeroetblaadjes
sap van 1 citroen
zout

Kook de lapjes met een weinig water en zout op en braad ze als
het water verdampt is even aan in hun eigen vet. Draai ze daarna
door de vleesmolen. Wrijf de helft van de uien en knoflook samen
met de sambal, kentjoer, peper, fijn gestampte djeroek poeroetblad tot een brij. Smeer een koekepan in met een lepel olie en
braad daarin onder voortdurend roeren het kokosmeel tot het
lichtgeel ziet. Fruit de kruiden in een weinig olie op en vermeng
dit met het gebraden kokosmeel en het gemalen vlees. Braad ook
het restant uien en knoflook op en meng dit ook door het mengsel.
Doe alles terug in de pan en laat het onder goed roeren nog enige
tijd doorbakken. Maak het af met het citroensap.

183. BALINEES VARKENSVLEES II

Maak dit gerecht op dezelfde maniei van Balinees Varkensvlees I,
maar vervang de kentjoer door:

1 theelepel djinten
2 theelepels laos

184. GEHAKTBALLETJES in SOYA (Tjah Babi)

¹/₂ kg varkensgehakt
2 eetlepels olie
2 dl water
KRUIDEN:
3 eetlepels gesnipperde uien
2 gesnipperde teentjes knoflook
1 theelepel sambal terasi
1 eetlepel ketjap of soya
zout
peper

Vermeng het gehakt met de sambal, zout en peper en draai er
grote soepballetjes van. Breng het water aan de kook en laat de

balletjes er $\pm$ een kwartier zachtjes in meekoken. Fruit uien en knoflook in de olie geel en voeg er de uitgelekte balletjes aan toe en braad die mee. Maak het gerecht af met het kookwater en de ketjap.

185. GEHAKT op z'n ATJEH's (Perkedèl Atjeh)

½ kg rundergehakt
5 eetlepels kokosmeel
4 eetlepels olie
KRUIDEN:
3 eetlepels gesnipperde uien
3 gesnipperde teentjes knoflook
2 theelepels sambal oelek
1 theelepel ketoembar
1 theelepel koenjit
3 eetlepels asemwater, gemaakt van 3 eetlepels water en
een stukje asem ter grootte van 1 walnoot
1 spriet sereh
zout
peper

Wrijf uien, knoflook, sambal, ketoembar en koenjit met elkaar tot een brij. Voeg er het asemwater aan toe en de sereh. Bak het kokosmeel onder goed roeren in een koekepan of wadjan die met 1 lepel olie is ingesmeerd tot het gelijkmatig geel van kleur is. Meng gehakt en kokosmeel met elkaar tot een homogene massa. Braad de kruidenbrij op in de olie. Draai kleine balletjes van het gehaktmengsel en bak die in de olie gaar. Doe ze op in een schaal en overgiet ze met het kruidenmengsel.

186. VARKENSGEHAKT met ZWOERD (Bali)
(Lawar Merah)

1 kg varkenspoot met zwoerd (b.v. dijbeen)
3 eetlepels kokosmeel
1 eetlepel tomatenpuree
olie

177

KRUIDEN:
1 eetlepel gesnipperde uien
4 gesnipperde teentjes knoflook
2 theelepels sambal terasi
$^1/_2$ theelepel kentjoer
sap van 1 citroen
zout
peper

Kook de varkenspoot gedurende een half uur op met een weinig water en zout. Ontdoe haar van het zwoerd. Snijd daarna het vlees van het bot. Draai het vlees en het zwoerd apart grof door de molen. Doe het zwoerd terug in de pan om nog een tijd door te koken. Wrijf knoflook, sambal, kentjoer en peper met elkaar fijn tot een brij. Bak de uien in een weinig olie tot ze geel zijn. Fruit in het restant van de olie het kruidenmengsel.

Meng de tomatenpuree door het kokosmeel (in het oorspronkelijke recept wordt bloed gebruikt om het gerecht rood te kleuren).

Meng nu door elkaar: het gemalen vlees, de gefruite kruiden, het zwoerd en het kokosmeel dat rood ziet van de tomatenpuree.

Breng enkele lepels van het kookvocht opnieuw aan de kook en stoof hierin het gerecht nog enige tijd op. Maak het gerecht af met het citroensap en de gefruite uien.

187. OSEH — OSEH

$^1/_4$ kg grof rundergehakt
6 eetlepels kokosmeel

1 eetlepel olie
$^1/_6$ blokje santen
2 dl water
KRUIDEN:
3 eetlepels gesnipperde uien
2 gesnipperde teentjes knoflook
1 theelepel sambal terasi
1 theelepel laos
1 theelepel ketoembar
1 theelepel djinten
$^1/_2$ theelepel kentjoer
3 gepofte kemiries
3 eetlepels asemwater gemaakt van een stukje asem ter grootte van een walnoot
1 spriet sereh
2 djeroekpoeroetblaadjes
zout

Wrijf uien, knoflook, sambal, laos, ketoembar, djinten, kentjoer, kemiries en zout met elkaar tot een brij. Kneed het kruidenmengsel door het vlees en laat het minstens een uur, maar liever langer intrekken. Maak de olie heet en braad het vlees met de kruiden aan in een pan met dikke bodem onder goed om en om scheppen. Voeg er als het vlees lichtbruin begint te worden het asemwater aan toe, het gesnipperde blokje santen, de sereh en de djeroek poeroetblaadjes. Laat dè oseh-oseh een uurtje zachtjes sudderen, zo nodig nu en dan een scheutje water toevoegen.

188. GEVULDE KOOLROLLETJES

8 grote koolbladeren (van witte, groene of savooyekool)
$^1/_4$ kg gehaktmengsel van schapevlees (zie recept 180)
2 eetlepels snippers van een blok santen
2 eetlepels kokosmeel
1 dl bouillon
KRUIDEN:
1 eetlepel ketjap
zout

Snijd het uitstekende gedeelte van de koolnerven weg, zodat het oppervlak gelijkmatig wordt. Kook de bladeren gedurende 5 à 6

179

minuten in een pan met water en zout. Laat de bladeren uitlekken. Deel het gehakt op in 8 gelijke delen en leg in het midden van elk koolblad een deel. Vouw de bladeren dicht en schik ze in een vuurvaste schotel. Los de snippers santen op in de bouillon en maak het vocht af met 1 eetlepel ketjap. Giet het over de koolrolletjes in de schotel. Bestrooi de kool met het kokosmeel en verdeel de klontjes boter over het gehele oppervlak. Laat de schotel in de oven in $\pm$ $^3/_4$ uur gaar worden.

189. GEVULDE KOMKOMMERS

1 flinke komkommer
$^1/_4$ kg gehaktmengsel (zie gehakt van schapevlees, 180)
paneermeel
1 eetlepel boter
1 eetlepel snippers van een blok santen
1 dl bouillon
KRUIDEN:
1 eetlepel ketjap

Was de komkommer. Snijd haar in vier stukken en halveer ieder stuk overlangs. Verwijder al het zaad en hol de stukken zo nodig nog een weinig verder uit. Kook ze 5 à 6 minuten in water en zout. Laat ze uitlekken.
Vul ieder stuk met het gehaktmengsel, zodat dit nog een weinig bol uitstaat. Schik de stukken komkommer in een vuurvaste schotel, bestrooi ze met paneermeel en werk ze af met klontjes boter. Vermeng de bouillon met de ketjap; los de snippers santen er in op en giet dit vocht in de schotel. Laat het vlees in $\pm$ een half uur gaar worden.

190. GEVULDE LOMBOK

100 gram kalfsgehakt
1 ei, gescheiden in wit en dooier
8 grote lomboks
olie

180

KRUIDEN:
2 eetlepels gesnipperde uien
1 gesnipperd teentje knoflook
1 theelepel ketoembar
$^1/_2$ theelepel djinten
1 eetlepel gehakte selderie
zout
peper

Snijd de lomboks aan een zijde in en verwijder voorzichtig met een scherp mesje het zaad. Spoel ze onder de kraan uit. Wie niet van scherp houdt kan ze daarna in warm water enige tijd laten weken. Wrijf uien en knoflook fijn met ketoembar, djinten, peper en zout. Meng de kruiden door het gehakt samen met de eidooier en de selderie. Vul met dit mengsel de lomboks, zo, dat de vulling iets uitsteekt. Bestrijk de uitstekende gedeelten met het even opgeklopte eiwit en bak de lomboks daarna in de olie tot de inhoud gaar is.

191. GEVULDE TOMAAT

4 stevige grote tomaten
$^1/_4$ kg gehaktmengsel
paneermeel
1 eetlepel boter
1 dl bouillon
1 ei
KRUIDEN:
1 eetlepel ketjap
sap van 1 teentje knoflook
peper
zout

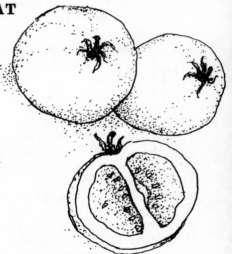

Snijd de tomaten middendoor, verwijder het vruchtvlees en bestrooi de holten met peper en zout en het knoflooksap.
Maak het gehakt aan met de kruiden, gebruik het hele ei.

Vul hiermee de tomaten, het vulsel moet er iets bovenuit steken. Bestrooi de tomaten met paneermeel en zet op iedere tomaat een klontje boter.

Warm de bouillon (eventueel van een deel van een bouillonblokje gemaakt) op met het vruchtvlees en een lepel ketjap. Zeef het en giet het in een vuurvaste schotel. Zet hierin de tomaten en bak ze in de oven in ± een kwartier gaar.

192. BEBOTOK van RUNDERGEHAKT

1/2 kg rundergehakt
2 eetlepels olie
1/6 blok santen
aluminiumfolie
KRUIDEN:
3 eetlepels gesnipperde uien
2 gesnipperde teentjes knoflook
1 theelepel sambal terasi
4 theelepels ketoembar
2 theelepels djinten
5 gepofte kemiries
mespuntje kentjoer
1 eetlepel asemwater, gemaakt van asem ter grootte van
1/2 walnoot
zout

Wrijf uien, knoflook, sambal, ketoembar, djinten, kemiries, kentjoer en zout met elkaar fijn en bak ze in de olie tot ze bijna droog zijn. Meng ze met het asemwater door het gehakt.
Snijd een aantal stukken aluminiumfolie van ± 12×15 cm. Leg in het midden van ieder stuk 2 eetlepels van het gehaktmengsel. Druk het vlees plat tot een dikte van ruim 1 cm. Snipper de santen en strooi de snippers over het vulsel. Vouw nu de blaadjes aluminiumfolie eerst in de lengte en dan in de breedte goed dicht. Stapel de pakjes op in de stoompan, zò, dat de wasem er aan alle kanten doorheen kan.
Stoom ze ± 1/2 uur goed door.

193. BEBOTOK van KALFSGEHAKT

$^1/_2$ kg kalfsgehakt
1 groene, savooye- of witte kool
$^1/_6$ blok santen
2 eetlepels olie
KRUIDEN:
3 eetlepels gesnipperde uien
2 gesnipperde teentjes knoflook
4 theelepels ketoembar
2 theelepels djinten
mespuntje kentjoer
citroensap
peper
zout

Wrijf uien, knoflook, ketoembar, djinten, kentjoer, peper en zout met elkaar fijn en bak ze in de olie tot ze bijna droog zijn. Meng ze goed door het gehakt.
Pel een groene, savooye of witte kool en snijd de dikke nerven vlak af tot ze gelijk zijn met de rest van het blad. Kook de bladeren in ruim water met zout 5 à 6 minuten. Laat ze uitlekken. Spreid ze uit en leg op ieder blad, al naar de grootte, 1 à 2 eetlepels van het gehaktmengsel. Snipper de santen er overheen en vouw het blad dan dicht. Steek ze eventueel vast met een cocktailprikker. Stoom de bebotok ongeveer 20 minuten.

DENDENG

Dendeng is in uiterst dunne plakken gesneden vlees, dat, vermengd met kruiden dagenlang in de zon is gedroogd. Daar deze conserveringsmethode alleen in een tropisch klimaat mogelijk is volgt hiervan geen recept.
Naast de gedroogde dendeng bestaan in Indonesië ook enkele gerechten die dendeng genoemd worden, maar waar men van vers vlees uitgaat. Hieronder volgen daarvan 2 recepten. Ook treft men een recept aan van gedroogde dendeng, die in vrijwel alle Indische winkeltjes te koop is.

194. ZOETE DENDENG

100 gram zoete dendeng
4 eetlepels olie

Droog de dendeng in de zon of op de warme kachel. Snijd ze in plakjes van ongeveer 5 cm.
Maak de olie warm, maar laat ze niet al te heet worden. Bak hierin de plakjes dendeng. Haal tijdens het bakken de pan geregeld van het vuur om aanbranden te voorkomen.

195. DENDENG RAGI

1/2 kg rundvlees
8 eetlepels kokosmeel
4 eetlepels olie
1 dl water
KRUIDEN:
3 eetlepels gesnipperde uien
4 theelepels ketoembar
2 theelepels djinten
4 gepofte kemiries

1 theelepel Javaanse suiker
1 theelepel laos
stukje asem ter grootte van een walnoot
2 salamblaadjes
2 djeroek poeroetblaadjes
peper
zout

Snijd het vlees in dunne plakken. Wrijf uien, ketoembar, djinten, kemiries, laos, suiker, zout en peper met elkaar fijn. Breng het water aan de kook met het stukje asem, de salam- en de djeroek poeroetblaadjes. Voeg er de kruiden en het vlees aan toe en laat dit alles tesamen zachtjes smoren tot het water vrijwel verdampt is. Verwijder de asempitten en vliezen en de bladeren. Meng er dan het kokosmeel doorheen en bak dit mengsel onder goed om en om scheppen in de olie tot het vlees en het kokosmeel lichtbruin van kleur zijn geworden.

196. DENDENG AGEE

$^{1}/_{2}$ kg rundvlees
1 eetlepel olie
1 dl water
$^{1}/_{6}$ blok santen
8 eetlepels kokosmeel
KRUIDEN:
3 eetlepels gesnipperde uien
1 gesnipperd teentje knoflook
4 theelepels ketoembar
2 theelepels djinten
1 theelepel laos
1 theelepel Javaanse suiker
2 eetlepels asemwater, gemaakt met een stukje asem ter grootte van een walnoot
2 salamblaadjes
2 djeroek poeroetblaadjes
peper
zout

Snijd het vlees in dunne plakjes. Wrijf uien, knoflook, ketoembar, djinten, laos, suiker, peper en zout met elkaar fijn. Breng het water aan de kook met het blokje santen. Voeg er de kruiden, het vlees en de salam- en djeroek poeroetblaadjes aan toe en laat dit alles tesamen smoren tot het vocht vrijwel verdampt is. Voeg er tijdens het koken nog 2 eetlepels asemwater bij. Bak het kokosmeel in een met olie ingewreven dikke koekepan tot ze lichtbruin ziet en meng dit tijdens het opdoen door het gerecht. Verwijder echter eerst de blaadjes.

SATE

is een gerecht van dobbelsteentjes vlees aan pennen geregen en geroosterd. Sate wordt met verschillende sauzen gegeten. Het vlees wordt eerst gekruid en vervolgens geroosterd. Het lekkerste smaakt sate die op houtskool geroosterd is. Helaas is dat hier te lande slechts 's zomers mogelijk. Wie een grill bezit of een oven met bovenverwarming kan zich daar 's winters mee behelpen.

197. SATE BABI (Sate van varkensvlees)

$^1/_2$ kg halfvet varkensvlees
KRUIDEN:
sap van 3 teentjes knoflook
ketjap
citroensap
peper
zout

Snijd het breedste gedeelte van de vetrand weg. Snijd zowel vlees als losse vetrandjes in dobbelsteentjes van $\pm$ 2 cm. Bestrooi de dobbelsteentjes met het mengsel van knoflooksap, citroensap, ketjap, peper en zout en laat ze hierin $\pm$ 1 uur marineren.
Rijg het vlees aan de pennen met aan iedere pen minstens 2 stukjes vet. Droog het vlees af met papier en rooster ze het eerst boven een zacht en daarna boven een aangewakkerd vuurtje van houtskool. Af en toe insmeren met de marinade. Geef er ketjapsaus bij of een pindasaus of een zoet-zure saus.

198. SATE MADOERA

^{1}/$_2$ kg mals schapevlees
KRUIDEN:
4 gesnipperde teentjes knoflook
1 theelepel gemberpoeder
1 theelepel peper

Snijd het vlees in dobbelsteentjes van $\pm$ 2 cm. Wrijf knoflook, gemberpoeder en peper tot een brij en meng het vlees hier goed doorheen. Laat de kruiden enige tijd intrekken.
Rijg dan de stukjes vlees op de stokjes en rooster ze, eerst op een zacht en vlak voor het opdoen op een goed aangewakkerd houtskoolvuur. Bestrijk tijdens het roosteren de sates enige malen met de marinadebrij. Geef er een ketjap- of pindasaus bij.

199. SATE MANIS (zoete sate)

^{1}/$_4$ kg mals rundvlees met vette randjes
^{1}/$_4$ kg lever of hart
KRUIDEN:
3 eetlepels gesnipperde uien
3 gesnipperde teentjes knoflook
1 theelepel ketoembar
^{1}/$_2$ theelepel djinten
1 eetlepel Javaanse suiker
1 eetlepel ketjap
citroensap
zout

Snijd het vlees en de lever of hart in dobbelsteentjes van $\pm$ 2 cm. Wrijf uien, knoflook, ketoembar, djinten, suiker en zout tot een brij en maak hiervan met de ketjap en wat citroensap een mari- nade, waarin men het vlees enige tijd laat trekken. Rijg vlees en de lever of hart om en om aan stokjes en rooster ze daarna eerst op een zacht en later, vlak voor het opdoen, op een goed aange- wakkerd houtskoolvuur. Onder het roosteren enige malen in- smeren met de marinade. Serveren met ketjapsaus.

200. SATE ASAM MANIS (zoet-zure sate)

½ kg schapevlees (met vetrandje)
2 eetlepels boter
KRUIDEN:
3 eetlepels gesnipperde uien
2 gesnipperde teentjes knoflook
1 theelepel djinten
1 eetlepel Javaanse suiker
2 eetlepels asemwater, gemaakt van een stukje asem ter
grootte van een walnoot
1 eetlepel ketjap
zout

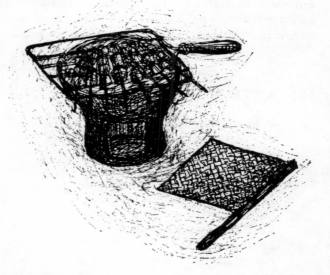

Snijd het vlees in dobbelsteentjes van ± 2 cm, na het vooraf zoveel mogelijk van de zeentjes te hebben ontdaan.
Wrijf uien, knoflook, djinten en zout tot een brij. Kneed hier het
vlees doorheen, doe er de ketjap, suiker en asemwater bij en laat
deze marinade ± 1 uur inwerken, na ook eerst de boter erdoor
gemengd te hebben.
Daarna kan het vlees aan de stokjes geregen worden en eerst op
een zacht en later vlak voor het opdienen op een goed aangewakkerd houtskoolvuurtje geroosterd worden. Bevochtig tijdens het
roosteren de sates enige malen met het marinademengsel. Geef er
een ketjapsaus bij.

188

201. SATE PRENTOEL (sate van gehakt)

$^1/_2$ kg rundergehakt
$^1/_{10}$ blok santen
KRUIDEN:
1 eetlepel gesnipperde uien
2 gesnipperde teentjes knoflook
1 theelepel sambal terasi
$^1/_2$ theelepel laos
1 theelepel ketoembar
$^1/_2$ theelepel djinten
$^1/_2$ theelepel koenjit
$^1/_2$ theelepel gemberpoeder
mespuntje kentjoer
stukje asem ter grootte van een walnoot (ontpit en van
vliezen ontdaan)
1 spriet sereh
peper
zout

Wrijf eerst de sereh met het zout fijn en daarna de andere kruiden: uien, knoflook, sambal, laos, ketoembar, djinten, koenjit,
gemberpoeder, kentjoer, asem mee tot een brij. Meng het gehakt
hier goed doorheen met de gesnipperde santen en kneed de massa
tot de santensnippers geheel zijn opgelost en zich een stevige
massa heeft gevormd.
Maak hiervan ballen met een doorsnee van $\pm$ 2$^1/_2$ cm en steek ze
op sterke pennen of bamboestokjes, waarna ze geroosterd kunnen
worden.

VIS en andere ZEEDIEREN

Indonesië kent een zeer grote verscheidenheid aan vissen en een groot aantal variaties in de bereiding als koken, bakken, stomen, grillen, stoven (in allerlei kruidige sausjes) en daarnaast visgehakt als vulsel en als apart gerecht, gebakken of in de oven.

Vis ondergaat voor de bereiding meestal een voorbehandeling. Men marineert de vis in een mengsel van asem en zout om de tranige lucht, die in de tropen sneller optreedt dan in een koel klimaat, te verwijderen. Men kneedt een stukje asem met zout en smeert daar de schoon gemaakte en afgespoelde vis mee in. Het geeft een licht zure, bijzonder frisse smaak aan de gerechten.

Behalve in verse vorm kent Indonesië een groot aantal soorten gedroogde vis, van uiterst klein, de teri die hier te lande het meest bekend en het makkelijkst te krijgen is tot de grote gaboes, die in stukken gesneden verkocht wordt. Zeer veel gebruikt in allerlei gerechten worden de gedroogde garnalen, de ebi. Men verkoopt ze hier in plastic zakjes in verschillende grootte.

De meeste Indonesische vissoorten zijn harder van vlees dan de Europese en bezitten daardoor een steviger structuur. In de culinaire praktijk betekent dit dat ze tijdens de bereiding minder gauw uiteenvallen. Om die reden is een groot aantal Indonesische visrecepten (speciaal de geroosterde) niet uitvoerbaar met de vis die hier te lande verkrijgbaar is en om die reden niet in dit boek opgenomen.

202. GEBAKKEN MAKREEL

1 kg makreel
olie
zout
KRUIDEN:
asem ter grootte van een walnoot

Maak de vis schoon, spoel haar goed af onder de kraan, snijd haar in moten en smeer haar in met een mengsel van de asem, zout en één of twee eetlepels water. Laat haar minstens een half uur marineren. Droog haar daarna goed af.

Maak de olie heet in een frituurpan, die een minstens 10 cm laag olie bevat. Bak hierin de moten vis bruin en knappend.

203. GEBAKKEN VIS met KETJAP

**¹/₂ kg kabeljauw- of schelvisfilets
5 eetlepels olie
KRUIDEN:
2 eetlepels ketjap
sap van 1 citroen
zout**

Snijd de kabeljauwfilets in 4 stukken. Droog ze voor het bakken goed af. Maak de olie heet in een koekepan of wadjan en bak de vis daarin knappend bruin en gaar. Haal ze uit de olie en laat ze uitlekken. Maak de olie af met ketjap, citroensap en een scheutje water. Schik de vis op een schotel en giet de saus er overheen.

204. GEBAKKEN SARDIENTJES

1 blik sardientjes in olie

Zeef de olie van de sardientjes en breng die aan de kook. Braad hierin de visjes aan beide kanten knappend en bruin.

205. GEBAKKEN GEDROOGDE VISJES
(Ikan teri)

**200 gram ikan teri
olie**

Breek de kopjes van de visjes. Was ze en droog ze in de zon of op een aluminium bord op de kachel.
Maak olie heet en bak de visjes snel geelbruin. Laat ze uitlekken alvorens ze op te dienen.

206. GEBAKKEN VIS met SAMBAL I

$^1/_2$ kg kabeljauw- of schelvisfilets
5 eetlepels olie
KRUIDEN:
2 eetlepels gesnipperde uien
1 gesnipperd teentje knoflook
2 theelepels sambal oelek
2 eetlepels ketjap
sap van $^1/_2$ citroen

Bak de filets zoals in het vorig recept is aangegeven. Doe ze op een schotel.
Meng uien, knoflook en sambal met elkaar. Wie bang is voor heet kan een deel van de sambal vervangen door tomatenpuree. Doe de kruiden bij de hete olie en bak ze tot de uien geel zijn. Voeg er de ketjap en het citroensap aan toe. Giet dit sausje warm over de gebakken filets.

207. GEBAKKEN VIS met SAMBAL II

1 grote makreel
5 eetlepels olie
KRUIDEN:
2 eetlepels gesnipperde uien
1 gesnipperd teentje knoflook
2 theelepels sambal oelek
een walnoot
2 eetlepels asemwater, gemaakt met asem ter grootte van
2 eetlepels ketjap
citroensap
zout

Maak de vis schoon, wrijf ze in met een asempapje en zout en laat haar minstens een uur marineren. Droog haar goed af.

Maak de olie heet in een koekepan en bak daarin de vis aan beide zijden bruin en gaar. Doe haar op een schotel.

Voeg aan de olie de door elkaar gemengde uien, knoflook en sambal toe. Als de uien geel zijn afmaken met ketjap en citroensap en de saus over de vis gieten.

De vis wordt in haar geheel opgediend. Tijdens het eten schuift men een stuk visvlees van de graat en legt dit op zijn bord met rijst. Als de ene zijde kaal is draait men de vis om. Tenslotte blijft alleen de graat op de schotel achter.

208. REMPEJEK van TERI

Zie Hoofdstuk Gorengans (droog gebakken gerechten)

209. VISSTICKS in KETJAPSAUS

    1 pak vissticks (10 stuks)
    2 dl olie
    KRUIDEN:
    2 eetlepels gesnipperde uien
    1 gesnipperd teentje knoflook
    1 theelepel sambal oelek
    1 eetlepel ketjap
    sap van 1 citroen

Bak de vissticks in bevroren toestand. Haal ze uit de olie. Roer uien, knoflook en sambal oelek door elkaar en bak ze op in het restant olie. Voeg er de ketjap en het citroensap aan toe en wentel de gebakken vissticks er doorheen.

links boven: rauwe groenten die als lalab gegeten worden met
                       taotjosaus in een glazen potje
rechts op de foto: wadjan met sambal goreng van mosselen
links onder: wadjan met ajam setan

210. LEKKERBEKJES met KRUIDEN

400 gram lekkerbekjes
1 eetlepel olie
KRUIDEN:
1 eetlepel gesnipperde uien
1 theelepel sambal oelek
1 eetlepel ketjap
1 gesnipperd teentje knoflook
citroensap

Leg de lekkerbekjes naast elkaar op een schotel. Wrijf uien, knoflook en sambal met elkaar tot een brij. Maak de olie heet en giet die op het kruidenmengsel, voeg er ketjap en citroensap bij en strijk dit papje over de vis. Laat de kruiden in de vis trekken op een warme plaats, au bain marie bijvoorbeeld, of bovenop de kachel.

211. SCHOL met LOMBOKSAUS

1 grote gebakken schol
3 eetlepels olie
KRUIDEN:
3 eetlepels gesnipperde uien
10 lomboks
1 eetlepel ketjap
citroensap
zout

Snijd de lomboks doormidden en verwijder de zaden en zaadstrengen. Kook ze even op in water en zout. Laat ze daarna uitlekken.
Wrijf de uien fijn met de lomboks. Bak ze even op tot de uien geel zijn, maak het af met ketjap en citroensap.
Leg de warme schol op een schotel en bestrijk haar met de saus.

212. SCHOL met SAMBAL BADJAKSAUS

2 grote schollen
1/10 blok santen

olie
1 dl water
KRUIDEN:
1 eetlepel sambal badjak
2 eetlepels asemwater, gemaakt met een stukje asem ter
grootte van een walnoot
sap van 1 citroen
zout

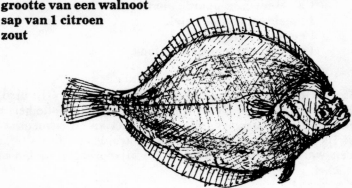

Maak de vis schoon, wrijf haar in met een papje van asem en
zout. Laat dit een tijdje intrekken.
Bak de vis in de olie bruin en knappend. Leg haar op een schotel
en houd haar warm.
Breng het water aan de kook, snipper de santen erin en meng de
sambal badjak er doorheen. Laat de saus even doorkoken en
strijk haar over de vis.

213. LEKKERBEKJES in SAUS

4 lekkerbekjes of overgebleven moten gebakken vis
2 eetlepels olie
KRUIDEN:
3 eetlepels gesnipperde uien
2 gesnipperde teentjes knoflook
1 theelepel gemberpoeder
$^1/_2$ theelepel kentjoer
2 à 3 peperkorrels
2 eetlepels ketjap
azijn

198

Wrijf uien, knoflook, gemberpoeder, peperkorrels en kentjoer tesamen fijn en bak ze op in de olie tot de uien geel zijn. Maak het geheel af met de ketjap, azijn en zo nodig wat water. Stoof hierin de lekkerbekjes even op tot ze warm zijn.

214. SCHELVIS met KEMIRISAUS

    1 grote schelvis van $\pm$ $^1/_2$ kg
    $^1/_8$ blok santen
    1 dl water
    6 eetlepels olie
    KRUIDEN:
    3 eetlepels gesnipperde uien
    2 gesnipperde teentjes knoflook
    1 theelepel sambal oelek
    15 gepofte kemiries
    10 lomboks
    2 theelepels ketoembar
    1 theelepel djinten
    1 theelepel laos
    2 eetlepels asemwater, gemaakt met een stukje asem ter grootte van een walnoot
    zout
    eventueel basilicumblaadjes

Maak de vis schoon en smeer haar in met een papje van asem en zout. Bak haar in de olie aan beide zijden bruin en gaar. Haal het vlees van de graat, verwijder alle kleine graatjes en hak het vlees fijn.
Verwijder de pitten uit de lomboks en kook ze op in ruim water met zout. Laat haar uitlekken en snijd ze in dunne reepjes. Stamp de gepofte kemiries met de sambal, ketoembar, djinten en laos tesamen tot een brij. Braad ze op in een weinig van de visolie, doe er dan water bij, de lomboks en de santen en breng dit sausje even aan de kook.
Leg de gehakte vis op een schotel en bedek haar met de saus. Versier de vis met basilicumblaadjes.

215. GOERAMI-SCHOTEL
met GROENTESAUS

1 grote baars of karper
2 eetlepels tarwebloem
$^1/_2$ eetlepel maizena
2 flinke worteltjes
1 kleine prei
1 grote ui (geen sjalotten)
olie

KRUIDEN:
3 eetlepels gesnipperde uien
1 theelepel gemberpoeder
1 eetlepel geconfijte gember
2 dl tomatenketchup
1 eetlepel azijn
zout
peper
vetsin

Goerami is een Chinese karpersoort, die ook in Indonesië in zoet-
watervijvers wordt gekweekt. Ze kan hier vervangen worden
door baars of karper. De vis wordt in haar geheel gebruikt, met
kop en vinnen eraan. Maak haar goed schoon en spoel haar enige
tijd uit onder de koude kraan. Kerf haar op enkele plaatsen aan
beide zijden in en zout en peper haar. Laat het zout enige tijd intrekken en droog haar daarna met keukenpapier zeer goed af.
Haal haar door de bloem.
Maak olie heet in een pan die zo groot is, dat de vis in de volle
lengte erin past. Schud de bloem goed van de vis af en bak haar
aan beide zijden goudbruin. Laat haar uitlekken op papier.
Was de groenten en laat ze uitlekken. Snijd de worteltjes en de
prei in de lengte in dunne reepjes van $\pm$ 3 cm lengte. Snijd de
grote ui in uiterst dunne schijven.
Wrijf de gesnipperde uien fijn met de gemberpoeder en fruit ze
in enkele eetlepels olie. Voeg er de gesneden groenten aan toe en
bak die enkele minuten mee. Maak de groenten af met de tomatenketchup, azijn, gembervocht en bind haar met de maizena.
Roer er een mespuntje vetsin doorheen. Doe de vis op een schotel,
overgiet haar met het groentemengsel en dien haar zo warm mogelijk op.

216. GOERAMI-SCHOTEL
van Baars met zoet-zure Saus

1 grote baars
2 eetlepels tarwebloem
olie
peper
zout

Bak de vis op dezelfde manier als in het vorige recept is beschreven.
Bedek haar met een zoet-zure gembersaus (zie Hoofdstuk Sauzen).

217. ZURE VIS

1 kg makreel of poon
5 eetlepels olie
2 eetlepels azijn
KRUIDEN:
3 eetlepels gesnipperde uien
2 gesnipperde teentjes knoflook
2 theelepels sambal oelek
4 gepofte kemiries
2 theelepels gemberpoeder
1 theelepel koenjit
2 eetlepels asemwater, gemaakt met een stukje asem ter grootte van een walnoot
1 salamblaadje
zout

Maak de vis schoon, snijd haar in moten en wrijf haar in met een papje van asem en zout.
Wrijf uien, knoflook, sambal, kemiries, gemberpoeder en koenjit met elkaar tot een brij. Bak ze op in de olie, doe er de azijn bij en stoof hierin de vis tot ze gaar is.

218. GESTOOFDE VIS met KRUIDEN
(Bau Peapi van Mandar)

1 kg makreel
2 dl water
2 eetlepels gebakken uien
KRUIDEN:
5 eetlepels gesnipperde uien
2 gesnipperde teentjes knoflook
2 theelepels sambal oelek
1/2 theelepel koenjit
asem ter grootte van een walnoot
peper
zout

Wrijf uien, knoflook, sambal, asem (ontpit en van vezels ontdaan), zout, peper en koenjit met elkaar tot een brij. Wrijf hiermee de vis in en laat haar minstens een uur marineren.
Breng het water aan de kook. Voeg er de gekruide vis aan toe, ook het uitgelopen visvocht. Stoof de vis hierin zachtjes gaar ±1/4 uur. Doe haar op in een schaal en bestrooi haar met de gebakken uien.

219. ZEEPALING GESTOOFD in KRUIDEN-MENGSEL (Belado Beloet van Palembang)

1 kg zeepaling
1 grote tomaat
5 eetlepels olie
KRUIDEN:
5 eetlepels gesnipperde uien
4 theelepels sambal oelek of
1 theelepel sambal oelek
en 3 theelepels tomatenpuree

Maak de zeepaling schoon en snijd haar in moten. Bak haar in de olie bruin en gaar. Wrijf uien, sambal en tomaat met elkaar en bak dit kruidenmengsel op het laatst mee met de olie en de vis. Doe de vis op en bedek haar met de kruidensaus.

220. PIENDANG KOENING van VIS

1 kg schelvis, kabeljauw, makreel of poon
2 dl water
KRUIDEN:
3 eetlepels gesnipperde uien
2 gesnipperde teentjes knoflook
1 theelepel sambal oelek
1 theelepel laos
1 theelepel gemberpoeder
1 theelepel koenjit
stukje asem ter grootte van een walnoot
2 salamblaadjes
1 djeroek poeroetblaadje
zout

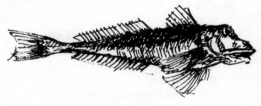

Maak de vis schoon en snijd haar in moten.
Wrijf uien, knoflook, sambal, laos, gemberpoeder, koenjit en
zout tot een brij.
Breng het water aan de kook met de kruiden en blaadjes. Voeg
er de vis aan toe en laat dit alles circa een kwartier stoven.

221. BOEMBOE BALI van VIS

1 kg schelvis- of kabeljauwfilets
6 eetlepels olie
3 dl water
KRUIDEN:
5 eetlepels gesnipperde uien
2 gesnipperde teentjes knoflook
1 theelepel sambal terasi
2 theelepels gemberpoeder
1 theelepel laos
1 klein blikje tomatenpuree

2 sprieten sereh
1 salamblaadje
1 djeroek poeroetblaadje

Snijd de visfilets in 4 stukken en bak ze op de gewone manier in
de olie. Haal ze eruit als ze bruin en knappend zijn.
Voeg aan het restant olie de fijn gewreven uien, knoflook, sambal, gemberpoeder en laos toe met de diverse blaadjes en sereh.
Bak alles even op en doe er dan de tomatenpuree bij, aangelengd
met 2 à 3 eetlepels water. Laat het sausje aan de kook komen en
stoof er de visfilets 1 à 2 minuten in mee.

222. PADANGSE PIENDANG van VIS

1 kg kabeljauw, makreel of poon
¹/₄ blok santen
3 dl water
KRUIDEN:
5 eetlepels gesnipperde uien
1 gesnipperd teentje knoflook
3 lomboks, ontpit en in vieren gesneden
3 gepofte kemiries
2 eetlepels asemwater, gemaakt met een stukje asem ter
grootte van een walnoot
1 theelepel laos
1 theelepel koenjit
1 theelepel gemberpoeder
1 theelepel basilicum
1 salamblaadje
1 spriet sereh
sap van 1 citroen
zout

Was de vis, maak haar schoon, snijd haar in moten en wrijf haar
in met een papje van asem en zout. Laat dit een tijdje intrekken.
Breng het water aan de kook met de santen en de bladeren.
Wrijf uien, knoflook, gepofte kemiries, laos, gemberpoeder en
koenjit met elkaar tot een brij, voeg dit toe aan de santen tesamen
met de vis en de gesneden lomboks. Laat de vis ± een kwartier
stoven en maak haar af met het citroensap.

223. PIENDANG TOEMIS van VIS
(Gestoofde vis met piendangkruiden)

1 kg vis (makreel, poon of kabeljauw)
2 eetlepels olie
1¹/₂ dl water
KRUIDEN:
3 eetlepels gesnipperde uien
3 gesnipperde teentjes knoflook
1 theelepel sambal terasi
1 spriet sereh
stukje asem ter grootte van een walnoot
zout

Wrijf uien, knoflook, sambal, laos en zout met elkaar tot een brij.
Bak ze op in enkele lepels olie.
Maak asemwater en vul dit aan tot 1¹/₂ dl. Breng dit met de sereh
aan de kook. Voeg de gebakken kruiden toe met het restant van de
olie en stoof hierin de schoongemaakte en in moten gesneden vis
circa ¹/₄ uur.
Voeg er eventueel nog 2 lepels ketjap aan toe, het gerecht heet
dan Piendang Ketjap.

224. MAKASAARS GERECHT van VIS

1 kg kabeljauw
8 eetlepels olie
2 dl water
KRUIDEN:
3 eetlepels gesnipperde uien
2 gesnipperde teentjes knoflook
4 gepofte kemiries
peper
zout

Maak de vis schoon, zout en peper haar en snijd haar in moten.
Bak haar knappend bruin in de olie. Haal de vis eruit en laat haar
uitlekken.
Wrijf uien, knoflook en kemiries fijn en bak dit mengsel op in
het restant van de olie. Voeg er het water aan toe en stoof hierin
de gebakken vis nog even op.

225. VISGERECHT uit Z. CELEBES

1 kg makreel
2 dl water
KRUIDEN:
5 eetlepels gesnipperde uien
1 gesnipperd teentje knoflook
1 theelepel sambal oelek
1 theelepel laos
2 eetlepels asemwater, gemaakt met een stukje asem ter grootte van een walnoot
1 spriet sereh
sap van 1 citroen
zout

Snijd de vis na haar te hebben schoongemaakt in moten en wrijf haar in met een papje van asem en zout. Laat haar ± een uur in deze marinade.
Wrijf uien, knoflook, sambal en laos met elkaar tot een brij.
Breng het water aan de kook en voeg de kruiden toe met de sereh.
Doe er dan de moten vis bij en laat het geheel zachtjes stoven tot de vis gaar is. Afmaken met citroensap.

226. BOEMBOE ROEDJAK van VIS

1 kg makreel
$^1/_{10}$ blok santen
1 eetlepel olie
2 dl water
KRUIDEN:
3 eetlepels gesnipperde uien
3 gesnipperde teentjes knoflook
2 theelepels sambal terasi
1 theelepel laos
1 theelepel Javaanse suiker
6 gepofte kemiries
2 eetlepels asemwater, gemaakt met een stukje asem ter grootte van een walnoot
1 spriet sereh
zout

Was en snijd de vis in moten, smeer haar in met het asempapje
en laat dit ± 1 uur intrekken.
Wrijf uien, knoflook, sambal, laos, suiker en gepofte kemiries met
elkaar tot een brij. Bak de kruidenbrij op in de olie.
Breng het water met de santen en de sereh aan de kook, doe er de
vis en de kruiden bij en laat alles nog ± 10 minuten door stoven.
Eventueel nog wat zout en asemwater toevoegen.

227. MANGOET van GEBAKKEN VIS

4 gebakken bokkingen
1/₁₀ blok santen
1 eetlepel olie
2 dl water
KRUIDEN:
3 eetlepels gesnipperde uien
2 gesnipperde teentjes knoflook
1 theelepel laos
1 theelepel Javaanse suiker
6 à 8 groene lomboks
stukje asem ter grootte van een walnoot
2 salamblaadjes
zout

Wrijf uien, knoflook, laos en Javaanse suiker met elkaar tot een
brij. Bak ze in de olie tot de uien geel zijn.
Snijd de lombok overlangs in vieren en verwijder het zaad.

Breng het water aan de kook met een weinig zout (bokking is dikwijls sterk gezouten), de santen, de lomboks en de bladeren. Voeg de gebakken kruiden toe met het restje olie. Laat in dit sausje de vis aan beide zijden 4 à 5 minuten stoven.

228. GOELAI van VIS (Padang)

1 kg makreel of poon
3 dl water
KRUIDEN:
5 eetlepels gesnipperde uien
2 eetlepels sambal oelek
1 theelepel laos
2 theelepels koenjit
2 eetlepels asemwater, gemaakt met een stukje asem ter grootte van een walnoot
1 theelepel basilicum
1 spriet sereh
zout

Maak de vis schoon en snijd haar in moten. Wrijf haar in met een papje van asem en zout en laat haar hierin $\pm$ 1 uur marineren. Wrijf sambal, laos en koenjit tesamen tot een brij en leng dit aan met het water. Breng dit alles aan de kook met de sereh en de basilicum. Doe er dan de vis bij en stoof die in $\pm$ $^{1}/_{4}$ uur gaar.

229. GOELAI van VIS met KRUISBESSEN

1 kg makreel of poon
2 eetlepels olie
2 dl water
100 gr kruisbessen
KRUIDEN:
5 eetlepels gesnipperde uien
2 gesnipperde teentjes knoflook
2 theelepels sambal oelek
1 theelepel ketoembar
1 theelepel koenjit

2 eetlepels asemwater, gemaakt met een stukje asem ter
grootte van een walnoot
sap van 1 citroen
zout

Maak de vis schoon, snijd haar in moten en wrijf haar in met een
asempapje.
Bak de uien goudbruin.
Wrijf sambal, ketoembar, koenjit en knoflook met elkaar tot een
brij. Bak de kruiden op in het restant van de olie. Voeg er het
water aan toe, breng het aan de kook met de gewassen kruisbessen
en stoof hierin de vis tot ze gaar is. Bestrooi haar met de gebakken
uien.

230. SAMBAL GORENG van VIS

Zie Hoofdstuk Sambal Gorengs

231. ZEEPALING met KRUIDEN (Rembang)

1 kg zeepaling
$^1/_6$ blok santen
$^1/_4$ l water
KRUIDEN:
5 eetlepels gesnipperde uien
1 gesnipperd teentje knoflook
1 theelepel sambal oelek
1 theelepel laos
2 gepofte kemiries
1 theelepel Javaanse suiker
2 salamblaadjes
1 stukje pijpkaneel van ± 20 cm
zout

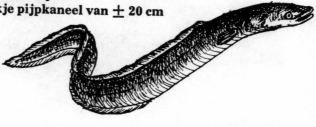

Was de zeepaling en snijd haar in moten.
Wrijf uien, knoflook, sambal, laos en kemiries met de suiker tot een brij.
Breng het water aan de kook met de santen, de kruidenbrij, de kaneel en het salamblaadje. Voeg er daarna de vis aan toe en laat haar stoven tot ze gaar is.

232. DOEDOEH van VIS

1 kg makreel of poon
6 eetlepels olie
1/6 blok santen
2 dl water
KRUIDEN:
3 eetlepels gesnipperde uien
2 gesnipperde teentjes knoflook
1 theelepel sambal oelek
1 theelepel laos
1 theelepel koenjit
1 theelepel ketoembar
1/2 theelepel djinten
1 theelepel Javaanse suiker
stukje asem ter grootte van een walnoot
zout

Maak de vis schoon, snijd haar in moten en smeer haar in met een papje van asem, zout en 2 eetlepels water. Bak haar dan op in de olie.

Wrijf ondertussen uien, knoflook, sambal, laos, koenjit, ketoembar, djinten en suiker tot een brij.

Haal de vis uit de olie, laat haar uitlekken en bak intussen de kruidenbrij op in het restant olie. Voeg er het water bij en het blokje santen.

Laat de gebakken vis in deze saus nog enkele minuten nastoven.

233. FRIKADEL van VIS

    1 grote makreel
    2 grote gekookte aardappelen
    1 ei
    1 eetlepel boter
    paneermeel
    KRUIDEN:
    3 eetlepels gesnipperde uien
    1 gesnipperd teentje knoflook
    peper
    zout
    citroensap

Kook de vis gaar in water en zout, verwijder vel en graten. Hak het vlees fijn. Maak ook de aardappelen fijn.

Meng het gehakte visvlees met de aardappelen, uien, knoflook, peper en zout met het ei en enkele druppels citroensap door elkaar. Doe de massa over in een vuurvaste schotel en strooi er wat paneermeel overheen, schik een paar klontjes boter over de schotel en bak het geheel in de oven gaar.

234. VISBALLETJES

    Vis- en kruidenmengsel volgens voorgaand recept 233
    (Frikadel van Vis)
    6 à 8 eetlepels olie
    paneermeel

Vorm met een dessertlepel balletjes van het visgehakt, dat met de kruiden is gemengd. Rol ze door paneermeel en bak ze in de olie bruin.

235. CHINESE VISBALLETJES I
(Indonesisch-Chinees)

$^1/_2$ kg kabeljauwfilets
1 eiwit
1 eetlepel maizena
KRUIDEN:
sap van 2 teentjes knoflook
$^1/_2$ theelepel suiker
zout
peper

Hak de kabeljauwfilet fijn en vermeng haar met zout, peper, knoflooksap, suiker en maizena. Kneed er het losgeklopte eiwit doorheen. Druk de bal in de linkerhand, laat een opening aan de zijde van duim en wijsvinger en pers daar het visgehakt doorheen. Vorm er balletjes van ter grootte van een walnoot.
Breng water met een weinig zout aan de kook en kook daarin de balletjes met 8 à 10 tegelijk tot ze boven komen drijven, waarna ze met een schuimspaan worden uitgeschept.

236. CHINESE VISBALLETJES II
(Origineel Chinees recept)

$^1/_2$ kg kabeljauwfilet
1 ei
1 eetlepel maizena
1 eetlepel sherry
KRUIDEN:
1 theelepel gemberpoeder
zout
peper
vetsin

Hak de kabeljauwfilet fijn en vermeng haar met de maizena, ei, gemberpoeder, zout, peper, vetsin en sherry. Vorm er balletjes van als in het vorige recept werd beschreven.

Kook de balletjes op in water met zout of in visbouillon.

Men kan ze bakken in hete olie en met een zoet-zure saus serveren (zie recept in Hoofdstuk Sausen) of verwerken in mie- of groentegerechten.

237. GEKRUIDE VIS in PAKJES (Bebotok ikan)

1/2 kg kabeljauwfilets
1/10 blok santen
1 dl water
1 eetlepel olie
KRUIDEN:
3 eetlepels gesnipperde uien
1 theelepel sambal oelek
2 theelepels ketoembar
1 theelepel djinten
1 theelepel laos
1 eetlepel asemwater, gemaakt met een stukje asem ter grootte van 1/2 walnoot
zout

Snijd 4 stukken aluminiumfolie van ± 12×15 cm.

Snijd de vis in vier stukken, bestrooi haar met een weinig zout.

Wrijf uien, sambal, ketoembar, djinten en laos met elkaar tot een brij. Braad ze even op in de olie, doe er 1 lepel asemwater bij en het blokje santen onder goed roeren. Eventueel kan er een scheutje water toegevoegd worden.

Dompel een voor een de filets in dit mengsel en laat de kruiden even intrekken. Leg ze daarna op de aluminiumfolie die met een weinig olie aan de binnenkant bestreken is. Giet het restje van de santen die heel dik moet zijn er overheen, vouw de folie om de vis tot een pakje en laat ze in de oven of op een houtskoolvuurtje in ± 20 à 30 minuten gaar worden.

238. GESTOOMDE VIS in PAKJES (Pèpèsan)

$^1/_2$ kg kabeljauwfilets
4 stukken aluminiumfolie van $\pm$ 12 × 15 cm
KRUIDEN:
3 eetlepels gesnipperde uien
2 gesnipperde teentjes knoflook
1 theelepel sambal oelek
1 theelepel laos
1 theelepel koenjit
1 eetlepel asemwater, gemaakt met een stukje asem ter
grootte van $^1/_2$ walnoot
1 theelepel basilicum
zout
citroensap

Snijd de kabeljauwfilet in 4 stukken. Wrijf ze in met een weinig
zout en besprenkel ze met een paar druppels citroensap.
Wrijf uien, knoflook, sambal, laos en koenjit met elkaar tot een
brij, vermeng dit met 1 lepel asemwater.
Leg de stukken vis op de stukken aluminiumfolie die aan de binnenkant eerst met wat olie zijn bestreken. Bedek de vis dan met
het kruidenmengsel. Vouw de folie dicht zodat pakjes ontstaan
en stoom ze in een stoompan gaar in $\pm$ $^1/_2$ à $^3/_4$ uur.
Zo nodig nog even naroosteren in de oven of op een houtskoolvuurtje.

239. GEROOSTERDE VISPAKJES
met BRÈNGKÈS-KRUIDEN

$^1/_2$ kg kabeljauwfilets
4 stukken aluminiumfolie
olie
KRUIDEN:
3 eetlepels gesnipperde uien
2 gesnipperde teentjes knoflook
1 theelepel sambal terasi
5 gepofte kemiries
1 spriet sereh
1 eetlepel asemwater, gemaakt met een stukje asem ter

grootte van $1/2$ walnoot
zout
citroensap

Snijd de filets in stukken en bestrooi haar met een weinig zout,
bedruppel haar met citroensap.
Wrijf uien, knoflook, sambal en de kemiries met elkaar tot een
brij en vermeng die met een eetlepel asemwater. Wrijf de stukken
vis hiermee in.
Leg op ieder stuk folie, die aan de binnenkant eerst met wat olie
is ingesmeerd, een stuk vis en op elk stuk vis een kwart van de
spriet sereh. Vouw de folie nu dicht tot een pakje en bak de pakjes
in de oven of op een houtskoolvuurtje gedurende $1/2$ à $3/4$ uur.

240. GEROOSTERDE VIS met KETJAP

1 kg makreel
1 eetlepel olie
KRUIDEN:
3 eetlepels gesnipperde uien
1 gesnipperd teentje knoflook
3 eetlepels ketjap
2 eetlepels asemwater, gemaakt van een stukje asem ter
grootte van een walnoot
zout

Maak de vis schoon en wrijf haar in met een papje van asem en
zout. Laat de marinade een uurtje inwerken.
Wrijf uien en knoflook tot een brij, vermeng dit met ketjap en
olie.
Droog de vis af en smeer haar in met het kruiden/oliemengsel.
Wikkel ze in aluminiumfolie die met een weinig olie aan de binnenkant is ingesmeerd. Rooster de vispakjes onder een grill of op
een houtskoolvuurtje aan beide zijden tot ze gaar zijn in 20 à 30
minuten.

241. KOOLROLLETJES met VIS (Soerabaja)

1 kg makreel
koolbladeren (witte, groene of savooyekool)
3 eetlepels olie
KRUIDEN:
3 eetlepels gesnipperde uien
2 gesnipperde teentjes knoflook
1 theelepel laos
1 theelepel sambal oelek
1 theelepel Javaanse suiker
10 kloewakpitten
zout

Kook de vis half gaar in water met zout, haal het vlees van de graat en hak het fijn.
Week de kloewakpitten in warm water. Stamp ze fijn met de uien, knoflook, sambal, laos en suiker. Fruit de kruiden tesamen tot de uien geel zijn.
Haal de koolbladeren van de stronk en kook ze op in water met wat zout tot ze slap worden, maar nog niet gaar zijn.
Meng de kruiden door de fijn gehakte vis en leg op ieder blad ruim 1 lepel. Vouw het blad dicht. Leg de bladeren naast elkaar in een met olie ingesmeerde vuurvaste schotel en bestrooi ze met paneermeel en wat klontjes boter.
Zet de schotel $\pm$ $^3/_4$ uur in een warme oven.

242. KRUIDIGE FRIKADEL van GESTOOMDE BOKKING

4 grote gestoomde bokkingen
2 gekookte aardappelen
1 ei
$^1/_8$ blok santen
boter
paneermeel
$^1/_2$ dl water
KRUIDEN:
3 eetlepels gesnipperde uien
1 gesnipperd teentje knoflook

1 theelepel sambal oelek
4 gepofte kemiries
1 theelepel ketoembar
1/2 theelepel djinten
zout

Verwijder vel en graten van de vis en hak het vlees fijn. Maak
ook de aardappelen fijn.
Wrijf uien, knoflook, sambal, kemiries, ketoembar, djinten en
zout met elkaar tot een brij. Meng hier doorheen de in water opgeloste santen, het ei en gehakte visvlees en de aardappelpuree.
Doe de massa over in een beboterde vuurvaste schotel, bestrooi ze
met paneermeel en leg er enkele klontjes boter op. Bak de frikadel in de oven.

243. LOMBOKS GEVULD met VIS

Vis/kruidenmengsel van het voorgaande recept 242
(Frikadel van gestoomde bokking)
8 à 10 grote rode lomboks
6 eetlepels olie

Snijd de lomboks aan een zijde in de lengte open; verwijder zaad
en zaadstrengen en spoel ze onder de hete kraan af.
Vul ze met het vis/kruidenmengsel, strooi er wat paneermeel overheen en bak ze in de olie gaar.

244. ASAM KEMAMAH van STOKVIS

Zie Hoofdstuk Sambals

245. GEBAKKEN MOSSELEN

200 gram gekookte mosselen
1 ei
olie

217

KRUIDEN:
sap van 2 teentjes knoflook
peper
1 citroen in partjes gesneden

Klop het ei los met het knoflooksap en de peper en marineer hierin gedurende ongeveer 15 minuten de gekookte mosselen. Bak ze in hete olie knappend en goudgeel. Besprenkel ze met citroensap.

246. SATE van MOSSELEN

1 kg mosselen (schoongemaakte)
2 dl water
olie
KRUIDEN:
stuk asem ter grootte van 2 walnoten
3 teentjes knoflook
1 kleine ui
1 theelepel kentjoer (eventueel weg te laten)
1 theelepel suiker
4 salamblaadjes

Snijd de knoflook en ui in grove stukjes, zet ze op met het water, de asem, suiker, kentjoer en salamblaadjes. Kook hierin de mosselen onder nu en dan schudden $\pm$ 6 à 8 minuten. De schalen openen zich vanzelf; de mosselen waarvan de schalen zich niet openen weggooien. Haal de mosselen uit de schaal, steek ze met 6 à 8 tegelijk aan een satepen, bestrooi ze met peper en smeer ze in met een weinig olie. Rooster ze op een houtskoolvuur in enkele minuten goudgeel.

Eet ze met citroensap of met een ketjapsausje (zie hiervoor Hoofdstuk Sausen).

247. SAMBAL GORENG van MOSSELEN

Zie hiervoor Hoofdstuk Sambal Goreng.

248. KOKEN van VERSE GARNALEN

500 gram garnalen
¹/₂ l water
KRUIDEN:
schijfje ui
salamblaadjes

Garnalen worden zowel gepeld als in de schaal verkocht, beide in gekookte toestand. Vrijwel altijd is er een conserveringsmiddel aan toegevoegd.

Veel lekkerder is ze zelf te koken en te pellen. Helaas zal dat slechts nog maar in enkele plaatsen mogelijk zijn.

Breng water met zout, schijfje ui en salamblad aan de kook. Voeg er als het water goed borrelt de levende garnalen aan toe. Ze zijn bij een temperatuur van 100 °C in enkele seconden dood. Doe ze daarom niet allemaal tegelijk in het water, dat koelt daardoor te veel af, maar met een handvol tegelijk. Laat ze allemaal slechts 3 à 4 minuten doorkoken. Ze blijven dan geurig en lichtroze van kleur. Het kookvocht kan in het gerecht verwerkt worden.

249. GEGRILLDE GROTE GARNALEN
(Oedang panggang)

4 grote garnalen
2 eetlepels olie

De grote garnalen worden hier meestal bevroren verkocht. Ze moeten dan eerst volledig ontdooien.
Was ze af. Snijd ze aan de buikzijde open, haal de zwarte nerf (een ader) eruit en knip de pootjes eraf en smeer ze in met olie.
Leg de garnalen op het rooster in de oven, die niet heter mag zijn dan ± 250 °C. Rooster ze gaar in 10 à 15 minuten.
Nog lekkerder is ze op houtskool te roosteren in ongeveer dezelfde tijd. Ze moeten enkele malen gekeerd worden.
Geroosterde garnalen worden gegeten met een zoet-zure of gembersaus of in een ander gerecht verwerkt. (Zie Hoofdstuk Mie e.a. Chinese gerechten.)

250. GROTE GARNALEN GEBAKKEN
in de SCHAAL (Oedang goreng)

4 grote garnalen, vers of uit de diepvries
olie
KRUIDEN:
stukje asem ter grootte van een walnoot
zout

Diepvries-garnalen moeten langzaam ontdooien en kunnen slechts geheel ontdooid bereid worden. Voor de bereiding moeten de ingewanden verwijderd worden. Snijd ze met een scherp mes langs de buik open tot even boven de staart en spoel ze onder de koude kraan om de zwarte ader eruit te wassen. Snijd de poten weg maar laat de staart en de schaal zitten.
Maak een papje van asem, 2 eetlepels water en zout en wrijf de garnalen daarmee in. Bak ze daarna in de hete olie in enkele minuten gaar. Men pelt de garnalen tijdens het eten.

251. GEBRADEN GARNALEN

¹/₄ kg gepelde garnalen
2 eetlepels olie
water
KRUIDEN:
stukje asem ter grootte van een walnoot
peper

Maak van de asem en 2 eetlepels water een papje en zeef dit.
Week hierin de garnalen een tijdje. Laat ze daarna uitlekken op
een zeef.
Maak de olie heet en braad hierin de garnalen tot ze droog zijn.

252. ASAM van GARNALEN (Atjeh)

200 gram gepelde garnalen
KRUIDEN:
3 eetlepels gesnipperde uien
2 lomboks
1 eetlepel tomatenpuree
2 eetlepels keukentamarinde (in potjes zuur-zoet van
smaak)

Kook de ontpitte lomboks even op in water en snijd ze in dunne
reepjes. Wrijf ze fijn tesamen met de de gesnipperde uien, de
tomatenpuree en de tamarinde.
Meng hier doorheen de garnalen.

253. DROOG GEBAKKEN GARNALEN
(Goreng oedang kering)

100 gram gekookte garnalen
100 gram kokosmeel
3 eetlepels olie
KRUIDEN:
5 eetlepels gesnipperde uien
2 gesnipperde teentjes knoflook
1 eetlepel asemwater, gemaakt met een stukje asem ter
grootte van een $^1/_2$ walnoot
peper

Rooster het kokosmeel in een pan met dikke bodem tot het geelbruin van kleur is.
Bak de uien en knoflook op in de olie. Haal als ze goudbruin zijn
de helft eruit. Voeg aan het restant de garnalen toe en het asemwater. Bak ze tot de massa droog is. Meng er het kokosmeel en de
peper doorheen. Bak die samen nog even door.
Doe ze op bestrooid met de apart gehouden uien en knoflook.

254. GARNALEN GEHAKT I

200 gram gepelde garnalen
1 gekookte aardappel
1 ei
olie
paneermeel
KRUIDEN:
sap van 1 knoflookteentje
1 eetlepel gesneden bieslook of selderie
peper

Hak de garnalen fijn. Vermeng ze met de fijngemaakte aardappel, ei, peper en de bieslook. Vorm er balletjes van ter grootte
van flinke soepballetjes. Rol ze door het paneermeel en bak ze in
ruim olie tot ze gaar zijn.

255. GARNALEN GEHAKT II
(Perkedel oedang)

250 gram garnalen
200 gram kokosmeel
1 ei
1 lepel maizena
KRUIDEN:
5 eetlepels gesnipperde uien
3 gesnipperde teentjes knoflook
1 gesneden lombok (ontpit)
1 theelepel ketoembar
1/2 theelepel djinten
1 theelepel suiker
zout

Hak de garnalen in kleine stukjes. Wrijf uien, knoflook, lombok,
ketoembar, djinten, suiker en zout met elkaar tot een brij.
Meng garnalen, kokosmeel en kruidenbrij door elkaar. Klop het
ei met de maizena en kneed het goed door de massa. Vorm er
balletjes van en bak die in de olie goudbruin.

256. GEVULDE LOMBOK met GARNALEN

Garnalengehakt uit het vorige recept
6 à 8 lomboks
olie

Snijd de lomboks overlangs open en verwijder zaad en zaadstrengen. Spoel ze schoon onder de kraan of kook ze even op (om
ze minder scherp te maken).
Vul ze met het garnalengehakt en bak ze in ruim olie tot ze gaar
zijn.

257. GARNALEN in PAKJES (Pepes oedang)

100 gram garnalen
6 stukjes aluminiumfolie van 6×12 cm met olie ingevet

KRUIDEN:
5 eetlepels gesnipperde uien
2 gesnipperde teentjes knoflook
1 gesnipperde lombok zonder pitten
stukje asem ter grootte van een walnoot

Wrijf ui, knoflook, lombok en asem (waarvan de pitten en vliezen eerst verwijderd zijn) met elkaar tot een brij. Kneed garnalen en kruidenbrij gelijkmatig door elkaar en verdeel de massa over de stukjes folie. Vouw die dicht en stoom ze gaar in $\pm$ $^1/_4$ uur in de oven.

258. REMPAH van GEDROOGDE GARNALEN (Rempah Ebi)

100 gram ebi
200 gram kokosmeel
1 ei
olie
KRUIDEN:
1 theelepel serehpoeder (heel fijn gestampte sereh)
$^1/_2$ theelepel peper

Week de ebi in een kopje water $\pm$ 2 uur. Stamp ze dan fijn en vermeng ze met het kokosmeel, de serehpoeder, de peper en tenslotte het even losgeklopte ei. Maak er kleine balletjes van en bak ze in hete olie bruin en gaar.

259. MIRENG OEDANG

zie hiervoor Hoofdstuk Gorengan.

260. GIMBAL OEDANG (Garnalen koekjes)

zie hiervoor Hoofdstuk Gorengan.

261. GESTOOFDE GARNALEN (Toemis Oedang)

200 gram garnalen
1 kleine tomaat
1 dl water
2 eetlepels olie
KRUIDEN:
3 eetlepels gesnipperde uien
1 theelepel sambal terasi
1 eetlepel verse of 1 theelepel gedroogde basilicum

Snijd de tomaat in plakken. Meng tomaat, uien en sambal door elkaar en bak ze op in de olie. Bak ook even de garnalen mee. Voeg er het water aan toe en de basilicum en stoof het gerecht nog even door.

262. SAMBAL GORENG van GARNALEN (Panas hati)

zie hiervoor Hoofdstuk Sambal Gorengs.

263. KAT-LI-HIE (Chinees–Javaans)

250 gram garnalen
1 ei
$^1/_2$ eetlepel maizena
boter of olie
KRUIDEN:
3 eetlepels in reepjes gesneden uien
3 gesnipperde teentjes knoflook
2 dunne preitjes
2 à 3 worteltjes
2 lomboks
1 theelepel suiker
1 eetlepel azijn
1 eetlepel soyasaus
peper
zout

Klop het ei los met peper en zout en week er de garnalen in.
Snijd de prei in stukken van ± 3 cm en ieder stuk vervolgens in de lengte in dunne reepjes. Doe hetzelfde met de worteltjes en de lombok, die eerst van de pitten ontdaan is. Fruit de uien, knoflook, prei, wortel en lombok op in een eetlepel olie tot de uien slap zijn. Voeg er daarna 1 dl water aan toe en kook hierin de groenten 5 à 6 minuten. Bind ze met maizena en maak ze af met azijn en ketjap.
Laat de garnalen uitlekken en bak ze in de olie goudgeel. Roer ze daarna door de groentensaus en dien ze op.

264. GESTOOFDE GARNALEN
met PETEHBONEN
(Toemis oedang peteh —.Menado)

100 gram garnalen
5 à 6 petehbonen (vers, gezouten of gedroogd)
1 dl water
2 eetlepels olie
KRUIDEN:
3 eetlepels gesnipperde uien
2 gesnipperde teentjes knoflook
1 theelepel sambal oelek
3 groene lomboks (ontpit)
1 theelepel laos
1 theelepel Javaanse suiker
1 salamblaadje
zout

Week de gezouten of gedroogde petehbonen enkele uren. Dop de verse peteh. Snijd de bonen in dunne reepjes.

Wrijf uien, knoflook, sambal, suiker en laos met wat zout met elkaar tot een brij en snijd de groene lombok in ringetjes. Fruit de kruidenbrij in de olie, voeg er als de uien geel zijn de garnalen aan toe, de lombok, de peteh en het salamblaadje. Fruit alles met elkaar nog even door en maak het gerecht af met het water. Laat het nog even doorstoven.

KIP en EEND

In de Indonesische keuken is kip een zeer veel voorkomend gerecht. Eend en duif worden slechts zelden gegeten en meestal alleen in streken waar die dieren veel worden aangetroffen.

Kip wordt op een groot aantal manieren bereid, van zeer eenvoudige, b.v. Smoor van Kip tot zeer ingewikkelde gerechten als Kiemlo. De Indonesische kippen lopen los rond en pikken voor een groot deel hun dagelijkse menu zelf bij elkaar. Ze zijn minder vlezig en minder mals dan de kip hier te lande, maar diverse bereidingswijzen vangen dit euvel op een verrassende manier op. Kip wordt dikwijls geroosterd op houtskool, wat een bijzondere smaak aan het vlees geeft. Geroosterde kip is echter een gerecht waarbij men uit moet gaan van een jong en tamelijk vet exemplaar. Het probleem wordt opgelost door de geroosterde kip daarna in een saus van santen te stoven, soms stooft men het kippevlees eerst in de saus en roostert het daarna. De kip hier te lande is meestal wel mals genoeg om haar zonder meer te roosteren. Ik heb enkele van deze gerechten toch opgenomen, omdat deze bereidingswijze een bijzonder smaakeffect geeft. Hetzelfde geldt voor het marineren in een asempapje. Ook dit is voor de kippen hier als methode om ze malser te krijgen niet nodig. Het fruitige zuur echter, minder scherp dan azijn of citroen, is op zichzelf iets wat niet gemist kan worden.

De kip of eend op Indonesische manier klaar gemaakt wordt slechts met weinig olie of boter bereid. De hoeveelheid jus of saus is ook veel minder dan men hier te lande gewend is. Rijst wordt nl. tamelijk droog gegeten.

265. SMOOR van KIP I

1 kleine kip ± 800 gram
2 eetlepels boter
KRUIDEN:
3 eetlepels fijn gesnipperde uien
1 gesnipperd teentje knoflook
stukje asem ter grootte van een walnoot
1 eetlepel ketjap

peper
zout
citroensap

Snijd de kip in 4 stukken, wrijf haar in met een papje van asem,
zout en peper, vermengd met 1 à 2 eetlepels water. Laat haar
minstens 1 uur marineren.
Maak de boter bruin, bak hierin de stukken kip aan alle zijden
goudbruin. Bak de uien en knoflook mee tot ze geel worden. Maak
de jus af met een weinig water, de ketjap en het citroensap en
stoof de kip hierin tot het vlees gaar is.

266. SMOOR van KIP II

1 kleine kip van ± 800 gram
3 eetlepels boter
KRUIDEN:
3 eetlepels gesnipperde uien
2 gesnipperde teentjes knoflook
1 ontpitte en in dunne ringetjes gesneden lombok
1 theelepel laos
asem ter grootte van een walnoot
1 theelepel gemberpoeder
2 eetlepels ketjap
sap van ¹/₂ citroen
zout

Snijd de kip in vier stukken, smeer haar in met een asempapje
gemaakt met 2 eetlepels water en laat haar hierin minstens 1 uur
marineren.
Droog haar af en bak haar in de boter goudbruin. Voeg er de
laatste minuten de uien en knoflook aan toe. Maak haar af met
een weinig water, de ketjap en het citroensap. Voeg aan de jus de
gemberpoeder, de laos en de ringetjes lombok toe en laat het geheel stoven tot de kip gaar is.

267. SMOOR van KIP met TOMATEN

1 kip van 1000 à 1200 gram
4 eetlepels boter

KRUIDEN:
5 eetlepels gesnipperde uien
3 gesnipperde teentjes knoflook
2 middelgrote tomaten
3 eetlepels ketjap (zoete)
peper
zout
nootmuskaat

Snijd de kip in grove stukken en wrijf haar in met peper, zout en nootmuskaat. Laat de kruiden enige tijd intrekken.
Braad de kip op in de boter en voeg er wanneer ze goudbruin is de uien en knoflook aan toe.
Snijd de tomaten in plakken en bak ze mee met de kip.
Maak de jus af met een weinig water en de ketjap.

268. DROOG GEBAKKEN KIP I

1 kleine kip van ± 1000 gram (niet uit de diepvries)
olie
KRUIDEN:
stukje asem ter grootte van een walnoot
sap van 1 teentje knoflook
peper
zout
1 citroen in partjes gesneden

Verdeel de kip in 4 stukken en wrijf haar in met het asempapje, gemaakt met 2 eetlepels water, waar doorheen het knoflooksap is gemengd. Laat haar minstens 1 uur marineren. Wrijf haar dan droog en bestrooi haar met peper en zout. Wrijf dat flink in.
Maak de olie heet in een frituurpan. De stukken kip moeten als kroketten in ruim olie gebakken worden. De olie moet voldoende heet zijn, maar vooral niet al te heet. Bak de stukken kip licht-geel. Verhoog na ± een kwartier de temperatuur en laat de buitenkant van de kip knappend bruin worden. Garneer de kip voor het opdienen met partjes citroen.

269. DROOG GEBAKKEN KIP II

1 kleine kip van ± 1000 gram (niet uit de diepvries)
olie
KRUIDEN:
asem ter grootte van een walnoot
sap van 1 teentje knoflook
zout
peper

Deel de kip in 2 helften. Wrijf de stukken in met het papje van asem, zout, knoflooksap en wat water en laat ze minstens 1 uur marineren. Droog ze daarna af en bestrooi ze met peper.
Wikkel de beide helften apart in aluminiumfolie en maak ze in de oven half gaar in ongeveer ¹/₄ uur bij een temperatuur van circa 250 °C.
Haal ze uit de oven en snijd de helften middendoor. Droog de stukken opnieuw af en bak ze knappend bruin in een frituurpan op de manier van kroketten.

270. GEROOSTERDE KIP
met EENVOUDIGE KRUIDEN

1 kleine, vette kip van ± 800 gram (niet uit de diepvries)
olie
KRUIDEN:
2 eetlepels gesnipperde uien
1 gesnipperd teentje knoflook
1 theelepel sambal oelek
2 eetlepels ketjap
stukje asem ter grootte van een walnoot
sap van ¹/₂ citroen

Snijd de kip in 4 stukken. Wrijf haar in met een papje van asem, zout en wat water en laat haar minstens 1 uur hierin marineren. Wrijf uien, knoflook, sambal tesamen tot een brij en vermeng dit met de ketjap, het citroensap en 2 eetlepels olie.
Droog de kip na de marinade af en strijk haar dik in met het kruidenmengsel. Rooster haar op de gewone manier onder een

234

grill, maar liever nog op een houtskoolvuurtje, het eerste half uur
zacht, de laatste vijf minuten heter. Smeer haar onder het roosteren voortdurend in met het kruidenmengsel.

271. GESTOOMDE KIP (Manuk Dang — Lombok)

1 kip van 1000 à 1200 gram
KRUIDEN:
2 theelepels sambal terasi
1¹/₂ theelepel laos
1 theelepel gemberpoeder
1 theelepel koenjit
¹/₂ theelepel kentjoer
asem ter grootte van een walnoot
zout

Laat de kip in zijn geheel.
Maak van de asem een papje door het met 2 eetlepels water te kneden. Wrijf dit door een zeef en vermeng het vocht met de sambal, laos, gemberpoeder, koenjit, kentjoer en zout.
Wrijf of liever smeer de kip aan de buiten- zowel aan de binnen-zijde goed in met dit mengsel en laat de kruiden minstens een uur intrekken.
Pak de kip daarna in aluminiumfolie en maak haar gaar in een hete oven (300 °C), of stoom haar in de rijststomer.

272. KIP met KRENTEN (Ambons gerecht)

> 1 kleine kip van $\pm$ 800 gram
> 4 eetlepels krenten
> 3 eetlepels meel
> 4 eetlepels olie
> KRUIDEN:
> 3 kruidnagels
> stukje pijpkaneel van $\pm$ 3 cm
> 1 dl rode wijn
> sap van $^1/_2$ citroen
> peper
> zout

Snijd de kip in stukken en smeer die in met peper en zout. Braad haar op in de olie tot ze goudbruin ziet, voeg er een scheut water aan toe en maak haar af met de wijn en het citroensap. Stoof haar in dit vocht tot ze gaar is met de gewassen krenten, de kaneel en de kruidnagel.
Maak het meel lichtbruin door het droog te bakken in een koeke-pan met dikke bodem. Maak het aan met enkele lepels water en bind hiermee de saus.

273. KIP met KETJAPSAUS

> 1 kleine kip van $\pm$ 800 gram
> 6 eetlepels olie
> 2 eetlepels azijn

KRUIDEN:
3 eetlepels gesnipperde uien
1 theelepel peper
$^1/_2$ theelepel nootmuskaat
3 kruidnagelen
2 eetlepels ketjap

Snijd de kip in 4 stukken en wrijf haar in met peper en nootmuskaat. Bak haar in de olie goudbruin. Bak de laatste minuten ook de
uien mee tot die geelbruin zijn.
Voeg er dan een scheut water aan toe en maak de jus af met de
ketjap en de azijn. Stoof ook de kruidnagelen mee.

274. KIP met TAOTJO

1 kleine kip van ± 800 gram
6 eetlepels olie
2 gesneden preien
KRUIDEN:
3 gesnipperde teentjes knoflook
2 eetlepels taotjo
2 theelepels gemberpoeder
2 eetlepels ketjap
peper
zout

Snijd de kip in stukken en wrijf haar in met peper, zout en gemberpoeder.
Bak de knoflook in de olie op samen met de taotjo, voeg er de
stukken kip aan toe en bak die lichtgeel.
Snijd de prei overlangs in dunne stukken van ± 3 cm lengte en
laat die in de laatste minuten even meebakken. Voeg een scheut
water toe en de ketjap en stoof hierin de kip tot ze gaar is.

275. KIP met SCHERPE KRUIDEN
(Ajam pedas)

1 kleine kip van ± 800 gram
1 eetlepel olie

KRUIDEN:
3 eetlepels gesnipperde uien
2 gesnipperde teentjes knoflook
2 theelepels sambal terasi
1 eetlepel ketjap
stukje asem ter grootte van een walnoot
zout
citroensap

Snijd de kip in 4 stukken en marineer die in een asempapje, gemaakt met 2 eetlepels water. Droog ze daarna af, bestrijk ze met
de olie en rooster ze in de oven of op houtskool half gaar.
Wrijf ondertussen de uien, knoflook en sambal tot een brij, maak
dit mengsel af met de ketjap, olie en citroensap. Bestrijk hiermee
de kip, rooster haar opnieuw, herhaal het bestrijken enige keren
tot de kip bruin en gaar is.

276. DUIVELSE KIP I (Ajam setan)

1 kleine kip van ± 800 gram
olie
KRUIDEN:
3 eetlepels gesnipperde uien
2 gesnipperde teentjes knoflook
1 eetlepel mosterd
1 theelepel sambal oelek
1 eetlepel ketjap
sap van ½ citroen
zout

Snijd de kip in stukken. Wrijf haar in met zout en mosterd en laat deze marinade minstens 1 uur intrekken. Braad de kip in de olie.

Wrijf uien, knoflook en sambal met elkaar tot een brij. Voeg die aan de olie toe en laat de uien geel worden. Maak het gerecht af met een scheut water, de ketjap en het citroensap en stoof hierin de kip gaar.

277. DUIVELSE KIP II

Dezelfde ingrediënten als in vorige recept

Wrijf de stukken kip in met zout en mosterd en laat haar liefst een nacht in de koelkast marineren.

Wrijf haar daarna droog, smeer haar in met de olie en rooster haar in de oven of op een houtskoolvuurtje half gaar.

Maak de kruidenbrij en smeer daarmee de stukken kip in. Rooster haar nu gaar onder enkele keren opnieuw insmeren met het kruidenmengsel en geregeld keren.

278. HETE KIP uit BANTAM
(Ajam seraki pedas — Banten)

1 kip van 1000 à 1200 gram
$^1/_2$ l water
KRUIDEN:
5 eetlepels gesnipperde uien
4 gesnipperde teentjes knoflook
10 rode lomboks
8 gepofte kemiries
2 theelepels laos
stukje asem ter grootte van 1$^1/_2$ walnoot
zout

Snijd de kip in grove stukken en kook die in het water met wat zout half gaar.

Wrijf uien, knoflook, kemiries en laos met de lomboks, die eerst van de zaden zijn ontdaan en even opgekookt in ruim water en

239

daarna gesnipperd, tot een brij. Maak van de asem en 2 lepels water een asempapje.

Voeg aan de bouillon de kruidenbrij en het asemwater toe en laat de kip hierin verder koken tot ze gaar is en het vocht tot ongeveer $1/3$ deel is ingedampt.

279. GROENE KIP (Ajam boemboe hidjau, Padang)

> 1 kip van 1000 à 1200 gram
> 1 eetlepel olie
> $1/4$ l water
> KRUIDEN:
> 5 eetlepels gesnipperde uien
> 5 groene lomboks (fijn gesneden en zonder zaad)
> 5 gepofte kemiries
> 1 theelepel laos
> 1 theelepel gemberpoeder
> $1/2$ theelepel koenjit
> 1 spriet sereh
> zout

Snijd de kip in grove stukken. Wrijf uien, groene lomboks, kemiries, laos, gemberpoeder, koenjit en zout tesamen tot een brij, fruit ze in de olie tot de uien geel zijn.

Voeg er dan het water bij, de sereh en de stukken kip; kook dit alles tot de kip gaar is en de bouillon tot ongeveer de helft is ingedampt.

280. KIP op z'n BANTAMS
(Ajam Pangeh — Bantam)

> 1 kg kippeborst
> $1/6$ blok santen
> 2 eetlepels olie
> water
> KRUIDEN:
> 10 eetlepels gesnipperde uien
> 3 gesnipperde teentjes knoflook

2 theelepels sambal oelek
8 gepofte kemiries
1 theelepel laos
1 theelepel gemberpoeder
1 theelepel koenjit
2 salamblaadjes
1 theelepel basilicum
sap van 1 citroen
zout

Wrijf de helft van de uien fijn met alle knoflook, sambal, de gepofte kemiries, laos, gemberpoeder en koenjit. Roer de andere
helft van de gesnipperde uien hier doorheen en bak dat alles even
op in de olie tot de uien geel zijn.
Zet de kip op met kokend water en zout; kook de stukken kip half
gaar, haal het vlees van het bot en snijd ze in dobbelsteentjes.
Zet 2¹/₂ dl van de bouillon op met het blokje santen en de kruiden
en voeg er als ze kookt de stukjes kip aan toe. Kook de massa tot
het kippevlees gaar is en de saus ingedikt. Roer er dan het citroensap doorheen en een theelepel basilicum.
In Indonesië voegt men er belimbing woeloe aan toe. Men zou
hier die vruchtjes kunnen vervangen door onrijpe klapbessen,
circa een handvol. Eventueel gewoon weglaten en wat meer
citroensap gebruiken.

281. MENADONESE KIP
(Ajam boemboe Menado)

1 kip van 1000 à 1200 gram
1 ei
¹/₂ l water
KRUIDEN:
5 eetlepels gesnipperde uien
2 rode lomboks
5 groene lomboks
1 theelepel gemberpoeder
2 eetlepels gesneden prei
2 eetlepels gesneden bieslook
2 eetlepels fijngesneden verse basilicum of
1 theelepel gedroogde

241

2 eetlepels fijngesneden peterselie
zout

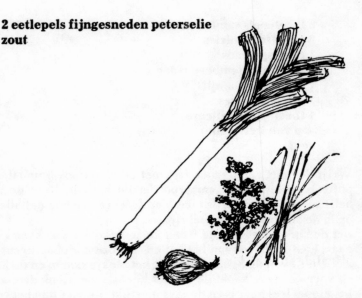

Wrijf de uien fijn met het gemberpoeder. Snijd de kip in grove stukken en zet die op met ¹/₂ liter kokend water, zout en de kruidenbrij en kook ze hierin gaar.

Voeg er dan de in reepjes gesneden ontpitte lomboks (de rode eventueel eerst even opgekookt) bij.

Klop het ei met de prei, bieslook en basilicum los. Giet hierbij onder goed roeren de kokende bouillon, circa 2¹/₂ dl. De saus moet enigszins binden.

Doe de stukken kip op overgoten met de saus.

282. PALEMBANGSE KIP
(Ajam Sapit van Palembang)

1 kg kippebouten en kippeborststukken
¹/₄ blok santen
8 eetlepels kokosmeel
olie
¹/₂ l water
KRUIDEN:
3 eetlepels gesnipperde uien
2 gesnipperde teentjes knoflook

1 theelepel sambal terasi
1 theelepel ketoembar
1/2 theelepel djinten
1 theelepel Javaanse suiker
stukje asem ter grootte van een walnoot
zout

Zet de stukken kip op in 1/2 liter kokend water en zout en kook ze half gaar.
Wrijf uien, knoflook, sambal, ketoembar, djinten en de suiker met elkaar tot een brij en doe die bij de stukken kip. Doe er daarna ook het blokje santen bij en laat de massa koken tot de kip gaar is. Maak circa 1 eetlepel asemwater en voeg die ook aan de saus toe onder goed roeren.
Braad het kokosmeel droog tot het geelbruin ziet. Meng dit door de saus en laat het geheel indikken tot een brij.
Haal de stukken kip nu uit de dikke brij, wentel ze goed door de saus en rooster ze verder op een houtskoolvuurtje of in de oven. Smeer gedurende het roosteren de kip enkele malen in met de saus.

283. TERNATAANSE KIP

1 kip van 1000 à 1200 gram
1/6 blok santen
2 eetlepels olie
1/4 l water
KRUIDEN:
5 eetlepels gesnipperde uien
2 gesnipperde teentjes knoflook
2 theelepels sambal terasi
5 gepofte kemiries
1 theelepel gemberpoeder
1 spriet sereh
sap van 1 citroen

Snijd de kip in grove stukken. Wrijf uien, knoflook, sambal, gepofte kemiries en gemberpoeder met elkaar tot een brij; fruit ze in de olie en doe er als de uien geel zijn 1/4 liter kokend water bij en de sereh. Kook hierin de stukken kip half gaar. Voeg er daarna de santen aan toe en kook dit alles tot de saus ingedikt is en de kip gaar. Roer er daarna het citroensap voorzichtig doorheen.

284. GAGAPE van KIP (Gagape Ajam)

1 kip van 1000 à 1200 gram
1/6 blok santen
4 eetlepels kokosmeel
1/4 l water
KRUIDEN:
5 eetlepels gesnipperde uien
1 gesnipperd teentje knoflook
2 theelepels laos
1 theelepel koenjit
sap van 1 citroen
1 spriet sereh
1/2 theelepel peper
zout

Snijd de kip in grove stukken en zet haar op met water, zout en koenjitpoeder.
Wrijf uien, knoflook, laos en peper tot een brij en voeg deze brij als de kip half gaar is erbij, samen met het blokje santen en de spriet sereh. Braad het kokosmeel droog op onder voortdurend roeren en omscheppen tot ze geelbruin ziet. Laat de kip zacht door-koken tot ze gaar is en het water tot 1/3 is verdampt. Voeg er dan het gebraden kokosmeel aan toe en laat de saus onder goed om en om scheppen zeer dik worden, zodat ze de stukken kip omhult.

285. GOELAI van KIP (Gulai Ajam)

1 kip van 1000 à 1200 gram
1/4 blok santen
olie
1/4 l water
KRUIDEN:
5 eetlepels gesnipperde uien
3 gesnipperde teentjes knoflook

5 gepofte kemiries
2 theelepels ketoembar
2 theelepels laos
2 theelepels koenjit
2 theelepels Javaanse suiker
2 salamblaadjes
peper
zout

Snijd de kip in grove stukken. Wrijf uien, knoflook, kemiries,
ketoembar, laos, koenjit, suiker, peper en zout tot een brij; fruit
die op in de olie.
Zet de kip op met water en zout en voeg er de gefruite kruiden en
de salamblaadjes bij. Laat dit alles zachtjes koken tot de kip half
gaar is. Doe er nu ook het blokje santen bij en laat de kip verder
doorstoven tot ze gaar is.

286. KALIO van KIP (Kalio Ajam — Padang)

1 kip van 1000 à 1200 gram
$1/4$ blok santen
$1/4$ l water
KRUIDEN:
3 eetlepels gesnipperde uien
2 gesnipperde teentjes knoflook
2 theelepels sambal oelek
2 gepofte kemiries
1 theelepel laos
1 theelepel koenjit
1 djeroek poeroetblad
zout

Snijd de kip in grove stukken. Wrijf de uien, knoflook, sambal, kemirie, laos en koenjit met elkaar tot een brij.
Zet de kip op met kokend water en zout en voeg er de gewreven kruiden aan toe en het djeroek poeroetblad. Doe er als de kip halfgaar is het blokje santen bij en laat het gerecht doorkoken tot de kip gaar is en de saus tot een brij is ingekookt.

287. KERRIE van KIP

      1 kip van 1000 à 1200 gram
      ¹/₆ blok santen
      10 gram laksa
      6 eetlepels olie
      3 dl water
      KRUIDEN:
      3 eetlepels gesnipperde uien
      2 gesnipperde teentjes knoflook
      1 theelepel sambal oelek
      2 theelepels ketoembar
      ¹/₂ theelepel djinten
      1 theelepel laos
      3 theelepels koenjit
      1 spriet sereh
      zout

Wrijf uien, knoflook, sambal, ketoembar, djinten, koenjit, laos en zout tot een brij. Bak ze op in alle olie en voeg er als de olie weer heet is de stukken kip aan toe. Haal de stukken er weer uit als ze goudbruin zijn en houd ze warm.
Breng het water aan de kook met de santen en de spriet sereh. Doe er de stukken kip bij en stoof het gerecht tot de kip gaar is. Knijp de in water geweekte laksa goed uit en doe die bij de saus. Laat het geheel nog even doorkoken tot de laksa gaar is.

288. LELAWAR van KIP (Lelawar Ajam)

      1 kip van 1000 à 1200 gram
      ¹/₆ blok santen

2 eetlepels olie
3 dl water
KRUIDEN:
5 eetlepels gesnipperde uien
2 gesnipperde teentjes knoflook
2 theelepels laos
1 theelepel sambal oelek
sap van 1 citroen
2 sprieten sereh
2 djeroek poeroetblaadjes
zout

Kook de kip in water met een weinig zout half gaar. Haal het
vlees van de botten en hak het fijn.
Wrijf uien, knoflook, sambal en laos met zout tot een brij; bak
die op in de olie. Voeg er als de uien geel zijn het gehakte kippevlees aan toe en braad het op met de sereh en de djeroek poeroetblaadjes. Voeg er dan het water aan toe met de santen en laat de
massa onder goed om en om scheppen doorkoken tot het vocht
geheel is ingedampt.

289. LEMBARAN van KIP

1 kip van 1000 à 1200 gram
$^1/_6$ blok santen
$^1/_2$ l water
KRUIDEN:
5 eetlepels gesnipperde uien
2 gesnipperde teentjes knoflook
1 theelepel sambal terasi
1 theelepel koenjit
1 theelepel laos
3 eetlepels asemwater, gemaakt van een stukje asem ter
grootte van een walnoot
1 salamblaadje
1 djeroek poeroetblaadje
zout

Snijd de kip in grove stukken. Wrijf uien, knoflook, sambal, laos
en koenjit met elkaar tot een brij.

247

Zet de kip op met water en zout. Voeg er na 10 minuten de gewreven kruiden aan toe, het santenblokje en de blaadjes. Laat de stukken kip koken tot ze gaar zijn. Voeg er 3 lepels asemwater aan toe en stoof ze nog enkele minuten door.

290. KIP op BENGAALSE MANIER
(Ajam opor Benggala)

> 1 kip van 1000 à 1200 gram
> 2 dl olie
> 2 dl melk
> KRUIDEN:
> 5 eetlepels gesnipperde uien
> 1 theelepel fijngemalen peper
> 1 theelepel nootmuskaat
> sap van 1 citroen
> zout

Snijd de kip in grove stukken en bestrooi haar met peper, zout en nootmuskaat. Wrijf haar verder in met het sap van $1/2$ citroen. Laat dit alles een uurtje intrekken.
Bak de uien in de olie tot ze geel zijn, voeg er daarna de stukken kip aan toe en bak die mee. Doe er dan de melk bij en stoof de kip hierin gaar.

291. MADOEREES KIPPEGERECHT
(Magadip)

> 1 kg kippeborst
> 2 eetlepels boter
> $1/2$ l water
> KRUIDEN:
> 10 eetlepels gesnipperde uien
> 2 theelepels ketoembar
> 1 theelepel djinten
> 1 theelepel gemberpoeder
> $1/2$ theelepel fijngemalen peper
> $1/4$ theelepel nootmuskaat

1 theelepel koenjit
5 kruidnagels
3 cm pijpkaneel
zout

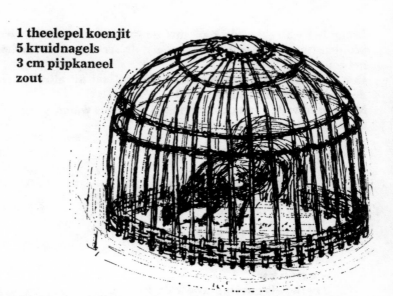

Zet de stukken kip op met water, zout, kruidnagel en pijpkaneel en kook haar half gaar. Haal het vlees van de beentjes en snijd er dobbelsteentjes van.

Wrijf de overige kruiden fijn met de uien en braad ze op in de boter, voeg ze daarna bij de bouillon. Doe er dan de dobbelstenen kip bij en laat het gerecht doorkoken tot de kip gaar is.

292. KIP met MAKASAARSE KRUIDEN
(Boendoe-boendoe Makasar)

1 kip van 1000 à 1200 gram
$^1/_6$ blok santen
$^1/_2$ l water
KRUIDEN:
5 eetlepels gesnipperde uien
2 gesnipperde teentjes knoflook
2 theelepels laos
$^1/_2$ theelepel fijne zwarte peper
1 spriet sereh
stukje asem ter grootte van een walnoot
1 pandanblad (of salamblad)
zout

Breng het water aan de kook met de santen, de samen gewreven kruiden (uien, knoflook, laos, peper), de sereh, het salamblad en het zout.
Doe er de in stukken gesneden kip bij en laat dit alles koken tot de kip gaar is en de saus ingedikt.
Maak asemwater van de asem met 3 eetlepels water, voeg dat eraan toe en doe de kip op.

293. PIENDANG van KIP
(Ajam piendang serani — Java)

1 kip van ± 1000 gram
6 eetlepels olie
¹/₄ l water
KRUIDEN:
3 eetlepels gesnipperde uien
1 gesnipperd teentje knoflook
1 theelepel sambal oelek
1 theelepel laos
1 theelepel koenjit
stukje asem ter grootte van een walnoot
1 spriet sereh
zout
citroensap

Snijd de kip in stukken. Wrijf haar in met een papje van 2 eetlepels water met de asem en zout en laat dat circa 1 uur intrekken. Wrijf uien, knoflook, sambal, laos en koenjit met elkaar fijn. Bak ze op in de olie en voeg er als de uien geel zijn de stukken kip toe. Bak dit alles tesamen tot de kip bruin is. Voeg er dan het water aan toe en de spriet sereh. Laat nu de kip stoven tot ze gaar is. Maak af met citroensap.

294. KIP met BOEMBOE BALI

1 kip van 1000 à 1200 gram
6 eetlepels olie
¹/₂ blikje tomatenpuree

KRUIDEN:
1/4 l water
3 eetlepels gesnipperde uien
2 gesnipperde teentjes knoflook
2 theelepels sambal terasi
2 theelepels gemberpoeder
1 spriet sereh
zout

Snijd de kip in stukken en wrijf ze in met zout. Maak de olie heet en bak de stukken kip erin goudbruin. Wrijf uien, knoflook, sambal en gemberpoeder tot een brij en laat die meebakken tot de uien geel zijn. Voeg er de tomatenpuree aan toe, de spriet sereh en een scheutje water en laat de kip in deze saus gaar stoven.

295. KIP met BESENGEKKRUIDEN
(Ajam besengèk)

1 kip van 1000 à 1200 gram
1/4 blok santen
olie
1/2 l water

KRUIDEN:
3 eetlepels gesnipperde uien
2 gesnipperde teentjes knoflook
1 theelepel sambal terasi
2 theelepels ketoembar
1 theelepel djinten
1 theelepel laos
1 theelepel koenjit
6 gepofte kemiries
1 theelepel Javaanse suiker
stukje asem ter grootte van een walnoot
1 spriet sereh
1 salamblaadje
1 djeroekpoeroetblad
zout

Snijd de kip in stukken, wrijf haar in met asemwater gemaakt
met de asem en 2 à 3 eetlepels water en zout en laat haar 1 uur
marineren. Bak de stukken kip in de olie tot ze mooi geel zien;
laat ze uitlekken.
Wrijf uien, knoflook, sambal, ketoembar, djinten, laos, koenjit
met de gepofte kemiries en de suiker tot een brij. Breng het water
aan de kook met de santen, de sereh, de salam en de djeroek
poeroet. Laat de stukken kip hierin stoven tot ze gaar zijn en de
santen ingedikt. Eventueel nog een lepel asemwater toevoegen.

296. ROEDJAK van KIP

1 kip van 1000 à 1200 gram
1/4 blok santen
6 eetlepels olie
1/2 l water
KRUIDEN:
3 eetlepels gesnipperde uien
2 gesnipperde teentjes knoflook
2 theelepels sambal oelek
6 gepofte kemiries
1 theelepel Javaanse suiker
stukje asem ter grootte van een walnoot
2 djeroek poeroetblaadjes
zout

252

Snijd de kip in stukken, zout haar en braad haar in de olie aan alle zijden lichtbruin. Wrijf uien, knoflook, sambal, de kemiries, suiker en wat zout tot een brij.

Breng het water met wat zout en djeroek poeroetblaadjes aan de kook en doe er als het kookt de stukken kip bij. Voeg er na 10 minuten het blokje santen en de gewreven kruiden aan toe. Laat de massa koken tot de kip gaar is.

Maak asemwater van het stukje asem en doe dit erbij. Laat de kip nog even doorstoven.

297. LAKSA DJAKARTA van KIP

1 kip van 800 gram
100 gram garnalen
3 hard gekookte eieren
$1/6$ blok santen
2 plakken bihoen
2 eetlepels olie
$1/4$ l water

KRUIDEN:

6 eetlepels gesnipperde uien
3 gesnipperde teentjes knoflook
5 gepofte kemiries
1 theelepel ketoembar
2 theelepels koenjit
1 theelepel gepofte terasi
1 spriet sereh
2 theelepels verse basilicum
schijfjes citroen
zout

Kook de kip in haar geheel met een weinig zout. Haal het vlees van de botten en snijd het in dobbelstenen.

Wrijf de helft van de uien met knoflook, kemiries, ketoembar, koenjit en terasi tot een brij en fruit die in de olie. Voeg hier de bouillon, de stukjes kip en de santen aan toe en laat dit alles aan de kook komen.

Bak de andere helft van de uien lichtbruin.

Kook de bihoen gaar in ruim kokend water met zout (op de manier van spaghetti) in $\pm$ 5 minuten. Proef of de bihoen gaar is, want er is verschil tussen het ene merk en het andere. Laat haar daarna goed uitlekken op een zeef en spoel haar dan af onder de hete waterkraan, ook al op de manier van spaghetti. Warm de garnalen op in de saus, maar laat ze niet meekoken.

Doe de bihoen in een diepe schotel, bedek haar met de stukjes kip en de garnalen en giet hier de saus overheen. Garneer het geheel met plakjes ei, de gebakken uien en gehakte basilicum. Serveer er plakjes citroen bij.

298. KIP met SANTENSAUS
(Petjel Ajam)

1 jonge kip van ± 800 gram (geen diepvries kip)
6 eetlepels kokosmeel
¹/₄ blok santen
¹/₄ l melk
6 eetlepels olie
KRUIDEN:
5 eetlepels gesnipperde uien
2 gesneden, ontpitte lomboks
zout

Snijd de kip in stukken, zout haar in en braad haar in de olie goudbruin. Roer de gesneden lombok en uien door elkaar en braad die op het laatst mee met de kip.

Breng de melk aan de kook met een weinig zout en laat het blokje santen daarin smelten zonder mee te koken.

Rooster het kokosmeel droog in een koekepan tot het egaal geel is. Roer hier de santen en melk doorheen en doe dit mengsel bij de kip. Laat het geheel warm worden maar niet meer koken.

299. KIP in PAKJES
(Bebotok Ajam)

1 kg stukken kippeborst
¹/₆ blok santen
8 à 10 stuks aluminiumfolie van circa 12 × 16 cm
2 eetlepels olie
1 dl water

KRUIDEN:
5 eetlepels gesnipperde uien
8 gepofte kemiries
2 theelepels laos
1 theelepel ketoembar
$^1/_2$ theelepel kentjoer
4 salamblaadjes
zout

Snijd het vlees van de botten, hak het fijn of draai het 1 maal door de vleesmolen.

Wrijf uien, kemiries, laos, ketoembar, kentjoer en zout tot een brij. Bak dit op in de olie tot de uien geel zijn.

Voeg er het water aan toe en het blokje santen en dan het kippe-gehakt. Kook de massa in tot ze dik begint te worden, verdeel ze over de stukken aluminiumfolie. Leg in ieder pakje $^1/_2$ salam-blaadje, vouw de pakjes dicht en stoom ze op in de stoompan circa 20 minuten.

300. GERAFELDE KIP
(Abon Ajam)

1 kg kippeborst
6 eetlepels olie
KRUIDEN:
2 eetlepels gesnipperde uien
1 gesnipperd teentje knoflook
1 theelepel ketoembar
$^1/_2$ theelepel djinten
stukje asem ter grootte van een walnoot
zout

Zet de kip op in een weinig water met zout en het stukje asem. Laat het vlees heel gaar worden. Haal het vlees van het bot en trek het met twee vorken tot rafels.

Wrijf uien, knoflook, ketoembar en djinten met elkaar tot een brij. Laat hierin het vlees enkele uren marineren.

Bak de rafels kip in de olie, die niet te heet mag worden, knap-pend bruin. Laat ze dan uitlekken en dien ze zo warm mogelijk op.

301. KIP met KETJAP-GEMBERSAUS
(Indonesisch-Chinees)

1 kip van 1000 à 1200 gram
3 dunne preitjes
2 eetlepels fijngehakte bakgember
6 eetlepels olie
KRUIDEN:
2 eetlepels gesnipperde uien
4 gesnipperde teentjes knoflook
1 theelepel gemberpoeder
2 eetlepels zoete ketjap
2 à 3 eetlepels azijn

Snijd de kip in grove stukken, wrijf haar in met zout. Braad haar geelbruin in de hete olie. Laat haar uitlekken.
Wrijf uien en knoflook tot een brij met de gemberpoeder. Bak deze op in het restant olie. Blus de olie met de ketjap, de azijn en een scheut water.
Breng hierin de stukken kip aan de kook en laat die even mee

256

stoven. Voeg ook de in dunne ringen gesneden prei en de bakgember toe.

302. GEPANEERDE KIP
in ZOET-ZURE SAUS (Chinees-Indonesisch)

1 jonge kip van 800 gram
2 eieren
paneermeel
olie
aluminiumfolie
KRUIDEN:
sap van 3 teentjes knoflook
nootmuskaat
peper
zout
vetsin
citroensap

Snijd de kip in stukken. Wrijf haar in met een mengsel van citroensap, vetsin, knoflooksap, peper, zout en nootmuskaat. Laat haar minstens 1 uur marineren. Wikkel de stukken in aluminiumfolie.
Breng de oven op een temperatuur van ± 250 °C. Leg de kip op een rooster en rooster haar halfgaar in ± 10 minuten.
Ontdoe de stukken kip van de folie.
Klop de eieren los op met 2 eetlepels water en een weinig zout.
Haal de stukken kip door paneermeel, vervolgens door het geklopte ei en daarna opnieuw door het paneermeel. Bak ze in de olie goudbruin.
Dien ze op met een zoet-zure saus (zie hiervoor Hoofdstuk Sauzen).

303. KIPPEBALLETJES
(Perkedèl Ajam)

³/₄ kg borststukken van kip
2 grote gekookte aardappelen

257

1 ei
paneermeel
olie
KRUIDEN:
3 eetlepels gesnipperde uien
1 gesnipperd teentje knoflook
1 eetlepel gehakte selderie
peper
zout
nootmuskaat

Snijd het vlees van het been. Van de beenderen kan bouillon getrokken worden. Draai het vlees 2 maal door de vleesmolen. Draai
er daarna de aardappelen doorheen.
Vermeng de aardappelen met het kippevlees, de uien, knoflook,
peper, zout en nootmuskaat. Vorm er met twee dessertlepels balletjes van, klop het ei los met 1 eetlepel water. Haal de balletjes
door paneermeel, vervolgens door het geklopte ei en daarna opnieuw door het paneermeel. Bak de kippeballetjes op in de frituurpan in hete olie.

304. KIPPEGEHAKT in VUURVASTE SCHOTEL

Maak kippegehakt als in het vorige recept is aangegeven, maar
meng er enkele lepels bouillon doorheen, zodat de massa wat
slapper wordt.
Doe het gehakt over in een vuurvaste platte schotel, bestrooi het
met paneermeel en leg er enkele klontjes boter op.
Bak het dan in de oven.

305. CHINESE KIPPEBALLETJES

$^3/_4$ kg borststukken van kip
1 eiwit
1 eetlepel sherry
1 eetlepel maizena
$^1/_2$ eetlepel maizena (voor de saus)

KRUIDEN:
3 eetlepels fijngesnipperde uien
sap van 3 teentjes knoflook
1 mespuntje vetsin
1 mespuntje gemalen anijszaad
peper
zout
nootmuskaat

Snijd het vlees van de botten en draai het 2 maal door de gehakt-
molen. Meng de maizena aan met de sherry, het even opgeklopte
eiwit, de uien, het knoflooksap, het gemalen anijszaad en de vetsin. Kneed dit door het gehakt en laat de kruiden 1 uur intrekken.
Draai van het gehakte vlees/kruidenmengsel kleine balletjes.
Kook met 2 dl water en een weinig zout bouillon van de kippe-
botten. Haal de botten eruit en breng de bouillon weer aan de
kook. Kook nu de balletjes met 4 à 5 tegelijk in de bouillon. Ze
zijn gaar als ze boven komen drijven. Herhaal dit tot alle balletjes
een beurt hebben gehad.
Doe de balletjes op en giet het restant bouillon, dat met $1/2$ lepel
maizena dik is gemaakt eroverheen.

306. SATE van KIP

1 vette kip van 1000 à 1200 gram (niet uit de diepvries)
citroensap
KRUIDEN:
stukje asem ter grootte van een walnoot
ketjap
boter
zout

Verwijder het vlees van de botten en snijd het in dobbelsteentjes
niet groter dan 1 cm. Snijd ook het vet in dobbelsteentjes. Het
restant van de botten kan gebruikt worden om bouillon van te
trekken. Maak een brij van asem, 2 à 3 eetlepels water en zout en
vermeng die met de dobbelsteentjes kip. Laat deze ongeveer een
uur marineren.
Droog ze af met keukenpapier en rijg de dobbelsteentjes kip aan
korte stokjes. Let er op dat aan elk stokje 1 à 2 stukjes vet ge-
schoven worden.

Maak een mengsel van ketjap en boter en smeer de sates hiermee
in. Rooster ze op een matig houtskoolvuur gaar en bruin. Draai ze
geregeld om en om en smeer ze in met het boter/ketjapmengsel.
Doe ze op en besprenkel ze met citroensap. Serveer er een ketjap
of ketjapsaus bij (zie hiervoor Hoofdstuk Sauzen).

307. SATE van KIP geroosterd met kruiden

1 vette kip van 1000 à 1200 gram
100 gram pindakaas
1 dl olie
citroensap
KRUIDEN:
3 eetlepels gesnipperde uien
1 theelepel sambal terasi
1 eetlepel ketjap
2 djeroek poeroetblaadjes
zout

manggakoopman; de vruchten worden per 10
stuks verpakt in de mandjes die hij boven op zijn
hoed draagt

Haal het vlees van de botten en snijd het in dobbelsteentjes van ± 1 cm. Het restant botten kan gebruikt worden om bouillon van te trekken.

Wrijf de uien met de sambal en de pindakaas tot een brij. Fruit die met de blaadjes in de olie en maak ze af met ketjap en citroensap. Rijg de dobbelsteentjes kip aan de stokjes en rooster ze op een houtskoolvuur halfgaar. Dompel de sates in de saus, laat ze iets afdruipen en rooster ze opnieuw. Herhaal dit tot de sates gaar zijn.

Men dient de sate op met citroensap en sambal.

308. SATE van KIP met kruiden
(Sate ajam rendang)

   1 grote kip
   1/6 blok santen
   2 dl water
   KRUIDEN:
   1 theelepel sambal terasi
   4 lomboks (van pitten ontdaan en in water opgekookt)
   stukje asem ter grootte van een walnoot
   1 theelepel suiker
   zout

Kook de kip in water met zout half gaar.

Snijd de lomboks open, haal het zaad eruit en kook ze op in ruim water. Laat ze uitlekken en snijd ze in ringetjes.

Wrijf lomboks met sambal en de asem (ontpit en van vezels ontdaan) samen tot een brij.

Breng het water aan de kook met de gewreven kruiden en een weinig zout, en laat de santen erin oplossen. Kook de saus tot ze gaat indikken.

Haal het vlees van de botten en snijd het in dobbelsteentjes en rijg het op de stokjes. Rooster ze op een houtskoolvuur enkele minuten, dompel ze daarna onder in de saus en rooster ze opnieuw. Herhaal dit tot de sate gaar is.

309. SOTO AJAM

Voor de bereiding, zie hiervoor: Hoofdstuk Soepen.

310. Madoerese KIPPESOEP
(Soto Madoera)

Zie Hoofdstuk Soepen.

311. SAMBAL GORENG van KIP

Zie voor de bereiding hiervan: Hoofdstuk Sambal Gorengs.

312. ZWARTZUUR van KIP

    1 kip van 1000 à 1200 gram
    8 eetlepels olie
    KRUIDEN:
    3 eetlepel gesnipperde uien
    6 kruidnagels
    1 stukje pijpkaneel van ± 3 cm
    10 zwarte peperkorrels
    2 eetlepels zoete ketjap
    2 eetlepels azijn
    1 dl rode wijn
    zout
    nootmuskaat

De kip wordt in stukken gesneden en ingewreven met zout en nootmuskaat.

Maak de olie heet en bak hierin de stukken kip aan alle zijden bruin. Voeg er de uien bij en bak die mee tot ze geel zijn. Doe er een scheut water bij, de wijn, de peperkorrels, de kaneel en de kruidnagel.

Stoof de kip tot ze bijna gaar is, doe er dan de ketjap bij en de azijn en stoof de stukken kip nog even door.

313. HACHEE van KIPPEHARTJES

$^1/_2$ kg kippehartjes (of levertjes)
20 gram laksa
1 eetlepel olie
$^1/_6$ blok santen
KRUIDEN:
5 eetlepels gesnipperde uien
2 gesnipperde teentjes knoflook
5 gepofte kemiries
1 theelepel suiker
zout
peper

Kook de hartjes (levertjes) in een weinig water met zout en snijd ze daarna doormidden. Week de laksa in warm water.

Wrijf uien, knoflook en de kemiries met de suiker tot een brij en fruit ze in de olie. Voeg er de hartjes met de bouillon aan toe en breng de massa aan de kook. Doe er daarna het blokje santen bij en kook ze tot de saus begint in te dikken.

Roer er daarna de goed uitgeknepen laksa door en laat het gerecht nog even doorkoken tot de laksa gaar is.

314. EEND met BALINESE KRUIDEN
(Bebek boemboe Bali)

1 eend van circa 1 kg
6 eetlepels olie
3 dl water

KRUIDEN:
5 eetlepels gesnipperde uien
5 gesnipperde teentjes knoflook
2 theelepels sambal terasi
2 theelepels laos
1 theelepel koenjit
8 gepofte kemiries
3 eetlepels ketjap
2 sprieten sereh
2 salamblaadjes
4 djeroek poeroetblaadjes
zout

Snijd de eend in grove stukken, wrijf haar in met zout en braad haar op in de olie.

Wrijf uien, knoflook, sambal, koenjit en laos fijn met de kemiries. Voeg deze brij bij de olie als de eend half gaar is. Blus de olie met het water en voeg er de verschillende blaadjes en de ketjap bij. Stoof hierin de eend tot ze geheel gaar is.

315. EEND met MANGOETKRUIDEN
(Bebek boemboe mangoet)

1 eend van circa 1 kg
$1/4$ blok santen
6 eetlepels olie
3 dl water
KRUIDEN:
5 eetlepels gesnipperde uien
5 gesnipperde teentjes knoflook
2 theelepels sambal terasi
1 theelepel laos
6 gepofte kemiries
mespuntje kentjoer
3 salamblaadjes
3 djeroek poeroetblaadjes
zout

Snijd de eend in stukken en wrijf haar in met zout. Braad haar op in de olie.

Wrijf uien, knoflook, sambal, laos, kemiries en kentjoer tot een brij en doe die als de eend half gaar is bij de bradende eend. Braad het geheel tot de uien geel beginnen te worden. Blus haar met het water en voeg de blaadjes toe. Doe er vlak voor de eend gaar is het blokje santen bij en stoof de stukken eend, onder nu en dan roeren, tot ze gaar zijn.

316. ZWART-ZUUR van EEND

Zie voor bereiding hiervan: Zwart-zuur van Kip.

EIERGERECHTEN

Eieren worden in de Indonesische keuken tot vele gerechten verwerkt. Tot sambals goreng (ondergebracht in dat hoofdstuk), hard
gekookt, gebakken of gepocheerd, gestoofd in verschillende soorten sausjes en tenslotte als omelet (dadar), vermengd met allerlei
kruiden of met een kruidig vulsel.
Vooral de omeletten zijn over het algemeen snel te bereiden en
geven de mogelijkheid om bij onverwachte gasten zonder veel
moeite het menu uit te breiden, wat uiterst belangrijk is in een
op reis te nemen. Er behoeft geen zout meer aan toegevoegd te
heid.

317. HARD GEKOOKTE EIEREN met ZOUT

4 kippeëieren
1 halve ui met schil en al
2 eetlepels zout

Zet de eieren op met koud water, ui en zout. Kook ze 10 à 12
minuten.
Deze eieren zijn bijzonder geschikt voor picknicks of om ze mee
op reis te nemen. Er behoeft geen zout meer aan toegevoegd
te worden.

318. EIEREN in het ZOUT

4 liter verzadigde zoutoplossing
mespuntje salpeter
20 eendeëieren, eventueel grote kippeëieren

Was de eieren en boen ze af met een borstel. Schik ze in een grote
stenen of glazen pot. Een lege glazen accubak is daarvoor bijzonder geschikt. Zet de eieren er rechtop in.
Los zoveel zout met de salpeter op in kokend water tot het water

269

het zout niet meer opneemt. Laat het afkoelen en giet het over de eieren. Zorg dat de eieren geheel onder het pekelwater staan.
Zet ze weg op een koele plaats. De eieren moeten minstens 3 weken staan. Als ze langer dan 4 weken staan worden ze te zout. Het beste is ze dan uit de pekel te halen en ze in de koelkast te bewaren.

319. Het koken van ZOUTE EIEREN

Breng de eieren met ruim koud water aan de kook. Eendeëieren moeten minstens 15 minuten en kippeëieren minstens 12 minuten koken.
Men serveert ze gehalveerd en op kamertemperatuur.

320. EIEREN met PETIS

4 eieren
$1/4$ l water
$1/8$ blok santen
2 eetlepels olie
KRUIDEN:
2 eetlepels gesnipperde ui
2 gesnipperde teentjes knoflook
1 theelepel sambal terasi
1 theelepel laos
1 theelepel Javaanse suiker
1 eetlepel petis oedang
1 spriet sereh
2 salamblaadjes
sap van $1/2$ citroen

Kook de eieren $3^1/2$ minuut en pel ze.
Wrijf ui, knoflook, sambal, laos, suiker en petis met elkaar tot een brij. Fruit dit mengsel tot de uien geel zijn.
Los de santen op in een beetje water en voeg die bij de kruiden. Laat het sausje aan de kook komen met de sereh en de salamblaadjes en doe er dan de eieren bij. Stoof dit alles tesamen circa 10 minuten en maak het gerecht af met citroensap.

321. EIEREN in KERRIESAUS

4 hardgekookte eieren
1/6 blok santen
2 dl water of bouillon
2 eetlepels olie
KRUIDEN:
3 eetlepels gesnipperde uien
1 gesnipperd teentje knoflook
1 theelepel sambal terasi
2 gepofte kemiries
1/2 theelepel ketoembar
mespuntje djinten
1/2 theelepel koenjit
1/2 theelepel laos
mespuntje gemberpoeder
zout

Los de santen op in het vocht. Pel de eieren en halveer ze.
Wrijf alle kruiden met elkaar en fruit ze in de olie. Voeg er al
roerende de santen aan toe en het water en vervolgens de eieren.
Laat dit gerecht stoven tot de saus tot de helft is ingedampt.

322. BELADO van EIEREN

5 eende- of kippeëieren
2 eetlepels olie
KRUIDEN:
3 eetlepels gesnipperde ui
2 gesnipperde
teentjes knoflook
1 theelepel sambal oelek
2 eetlepels
tomatenpuree
zout

Kook de kippeëieren circa 12 minuten, de eendeëieren minstens 15 minuten; spoel ze in koud water en pel ze.

Wrijf tesamen de gesnipperde uien, de knoflook, de tomaten-puree, de sambal en het zout. Bak dit mengsel in de olie en bak de eieren even mee. Haal na 2 à 3 minuten de eieren eruit, snijd ze door en laat ze met de open kant naar beneden nog enkele minu-ten meebakken.

Opdoen in een schaaltje met de platte of bolle kant naar boven en bedekken met het sausje.

323. BESENGÈK van EIEREN

4 eieren
2 eetlepels olie
$^1/_8$ blok santen
KRUIDEN:
2 dl water of bouillon
3 eetlepels gesneden uien
1 gesnipperd teentje knoflook
1 theelepel sambal terasi
1 theelepel witte suiker
2 theelepels ketoembar
$^1/_2$ theelepel djinten
1 theelepel laos
$^1/_2$ theelepel koenjit
2 gepofte kemiries

Kook de eieren $3^1/_2$ minuut, ze mogen niet te hard worden. Pel ze voorzichtig.

Wrijf uien, knoflook, sambal, suiker, ketoembar, djinten, laos en koenjit samen met de gepofte kemiries. Bak dit mengsel op in de olie, voeg er het water of de bouillon aan toe en het blokje santen. Stoof hierin een minuut of tien de eieren.

Doe ze op en bedek ze met de saus.

324. BOEMBOE BALI van EIEREN

4 eieren
1 dl water

2 eetlepels olie
KRUIDEN:
3 eetlepels gesnipperde ui
1 gesnipperd teentje knoflook
1 theelepel sambal terasi
2 theelepels gemberpoeder
1 eetlepel azijn
1 eetlepel ketjap
zout

Kook de eieren 3½ minuut.
Wrijf ui, knoflook, sambal en gemberpoeder met elkaar tot een brij. Fruit ze in de olie tot de uien geel zijn. Voeg er daarna de eieren aan toe en bak die even mee.
Doe het water erbij, de ketjap en de azijn en laat het gerecht zachtjes koken tot het bijna droog is.

325. RENDANG van EIEREN (Padang)

6 eendeëieren of 10 kippeëieren, hard gekookt
¼ blok santen met 2 dl water
½ l water of bouillon
KRUIDEN:.
2 eetlepels gesnipperde uien
1 gesnipperd teentje knoflook
2 theelepels sambal oelek
1 theelepel laos
1 theelepel koenjit
1 theelepel gemberpoeder
1 spriet sereh

Kook de santen met het water en de uien, knoflook, sambal, laos, koenjit, gember en sereh op tot er olie uitkomt.
Beprik de hard gekookte en gepelde eieren met een breinaald, zodat de kruiderijen er goed in kunnen doordringen. Stoof de eieren in het sausje van santen en kruiden net zo lang onder nu en dan voorzichtig omscheppen, tot een groot deel van het vocht verdampt is en zich een dikke brij heeft gevormd.

326. GOELAI van GEKOOKTE EIEREN

4 eieren
$^1/_8$ blok santen
3 dl water of bouillon
KRUIDEN:
3 eetlepels gesnipperde uien
2 gesnipperde teentjes knoflook
1 theelepel sambal oelek
1 theelepel gemberpoeder
1 theelepel laos
$^1/_2$ theelepel koenjit
1 eetlepel asemwater, gemaakt van een stukje asem ter
grootte van een $^1/_2$ walnoot

Kook de eieren $3^1/_2$ minuut; ze mogen niet te hard worden. Pel ze
voorzichtig.
Wrijf uien, knoflook, sambal, gemberpoeder, koenjit en laos met
zout en asemwater tot een papje.
Breng de bouillon aan de kook met het blokje santen. Voeg er de
gewreven kruiden aan toe en de gepelde eieren en laat dit alles
nog enkele minuten stoven.

327. GOELAI van EIEREN II (Atjeh)

4 eieren
2 dl water of bouillon
olie
KRUIDEN:
2 eetlepels gesnipperde uien
1 gesnipperd teentje knoflook
1 theelepel sambal oelek
1 theelepel gemberpoeder
1 salamblaadje
sap van 1 citroen
2 eetlepels asemwater van een stuk asem ter grootte van
een walnoot
peper
zout

Wrijf de sambal met gemberpoeder, citroensap en asemwater tot een papje en meng de uien en knoflook hier doorheen zonder ze te wrijven. Fruit dit papje in de olie tot de uien geel zien, voeg er het vocht aan toe en het salamblaadje. Breek de eieren voorzichtig een voor een in dit sausje en laat ze daarin gaar worden. Vooral niet stuk kloppen.

328. GOELAI van GEPOCHEERDE EIEREN III (Bandjarmasin)

4 eieren
1/8 blok santen
2 dl water of bouillon
KRUIDEN:
3 eetlepels gesnipperde uien
2 fijngesneden groene lomboks
1/2 theelepel koenjit
zout

Kook het water met het zout, het blokje santen en de koenjit. Voeg er wanneer de santen is opgelost, de uien en de lombok aan toe. Pocheer in deze saus voorzichtig één voor één de eieren en laat ze nog een minuut of tien meestoven.

329. GEBAKKEN EIEREN met KETJAPSAUS

4 eieren
1 eetlepel boter
1 eetlepel gesnipperde ui
KRUIDEN:
1 theelepel sambal oelek
2 eetlepels ketjap
citroensap

Bak de eieren op de gewone manier. Doe ze op een schotel.
Voeg aan het restant boter in de pan de gesnipperde ui toe en de sambal. Laat dit even doorbakken en maak het mengsel af met de ketjap. Giet dit sausje over de eieren. Eventueel afmaken met citroensap.

330. SMOOR van EIEREN

4 eieren
1 preitje
1 grote tomaat of 2 theelepels tomatenpuree
2 eetlepels boter
1 dl bouillon
KRUIDEN:
1 eetlepel gesnipperde
uien
1 gesnipperd teentje
knoflook
1 eetlepel ketjap
nootmuskaat
peper
zout

Maak spiegeleieren en bak ze aan beide kanten.
Bak in het restant van de boter de uien en knoflook en vervolgens
het fijngesneden preitje en de in stukken gesneden tomaat of de
tomatenpuree. Voeg er de bouillon en de ketjap aan toe en maak
de saus af met nootmuskaat, zout en peper. Stoof hierin de eieren
even op.

331. OMELET met VULSEL van SAMBAL GORENG

4 eieren
restant sambal goreng, onverschillig welke

276

4 eetlepels water
2 eetlepels olie
peper
zout

Klop de eieren met zout, peper en water luchtig door elkaar. Bak er in de koekepan een omelet van. Haal nadat de omelet gedraaid is de pan van het vuur.
Bestrijk de gebakken zijde die nu boven ligt met het restant sambal goreng, dat niet te nat mag zijn. Rol haar op, zet de pan weer op het vuur en bak de omelet aan beide zijden nog even door.
Opdoen op een schotel en snijden in schuine repen van 2 à 3 cm breedte.
Wanneer de sambal goreng tamelijk vochtig is, dan kan het water waarmee de eieren geklopt worden vervangen worden door het vocht van de sambal goreng.

332. OMELET van KRAB

4 eieren
2 eetlepels krab uit blik
4 eetlepels water
2 eetlepels olie
KRUIDEN:
1/2 theelepel gemberpoeder
1 eetlepel gesnipperde selderie, bieslook of een mengsel van beide
peper
zout

Klop de eieren met het water, peper, zout, gemberpoeder, selderie en het krabvlees. Bak er op de gewone manier een omelet van. Rol haar op, snijd haar in schuine repen van 2 à 3 cm en serveer haar met een chili-saus (in flesjes verkrijgbaar).

333. OMELET met GARNALEN

4 eieren
4 eetlepels garnalen

4 eetlepels water
3 eetlepels olie
KRUIDEN:
1 eetlepel gesnipperde uien
sap van 1 teentje knoflook
$^1/_2$ theelepel gemberpoeder
1 eetlepel gesnipperde selderie of bieslook of mengsel
van beide
peper
zout

Klop de eieren met het water, peper, zout en knoflooksap en maak
er op de gewone manier een omelet van. Wrijf de uien fijn met de
gemberpoeder en bak ze even op in een eetlepel olie. Bak de garnalen even mee. Roer er de selderie of bieslook doorheen. Vul
hiermee de omelet. Druk het mengsel goed aan. Rol de omelet op
en snijd haar in schuine repen van 2 à 3 cm breedte.

334. JAVAANSE OMELET

4 kippeëieren
4 eetlepels koud water
2 eetlepels olie
KRUIDEN:
2 eetlepels gesnipperde uien
sap van 1 teentje knoflook
1 eetlepel sambal terasi
$^1/_2$ eetlepel snippers santen
mespuntje kentjoer
peper
zout

Wrijf de kruiden samen met de santen. Voeg er water aan toe.
Klop de eieren met dit mengsel losjes op en bak er in de olie een
omelet van. Rol haar op en bak haar aan beide kanten nog even
door. Doe haar op en snijd haar in schuine repen van 2 à 3 cm
breedte.

335. KABER-KABERTOE (Struif met vulling)

4 eieren
100 gram gehakt, fijngesneden kippevlees, fijngesneden
vis of garnalen
2 eetlepels olie
1/8 blokje santen

KRUIDEN:
2 eetlepels gesnipperde uien
1/2 theelepel ketoembar
1/4 theelepel djinten
1 theelepel sambal oelek
1/2 theelepel koenjit
1/2 theelepel terasi
peper
zout

Wrijf de uien met de ketoembar, djinten, sambal, koenjit, terasi,
wat zout en peper fijn. Meng hier doorheen het gehakt of fijn
gesneden kip, vis of garnalen en bak dit mengsel op in de olie.

Voeg er het blokje santen en wat water aan toe en bak verder tot het gaar en bijna droog is.
Maak op de gewone manier een omelet, vul haar met het mengsel, rol haar op en bak de omelet aan beide zijden nog even lichtbruin.

336. TELOR GAMBUANG (Padangs eiergerecht)

4 eieren
4 eetlepels water
2 eetlepels olie of boter
KRUIDEN:
1 eetlepel gesnipperde ui
1 theelepel sambal oelek
1 eetlepel gesnipperde bieslook
peper
zout

Klop de eieren met zout en peper en het water. Roer de gesnipperde ui, de sambal en de bieslook er doorheen.
Bak een omelet aan beide kanten gaar en rol haar op. Snijd haar in schuine, 4 à 5 cm dikke repen.

337. OMELET met GERASPTE AARDAPPELS

2 eieren
4 aardappelen, geraspt
olie of boter
KRUIDEN:
1 eetlepel gesnipperde ui
$^1/_2$ theelepel sambal oelek
sap van 1 teentje knoflook
zout
peper

Klop de eieren luchtig met de uien, de sambal, knoflooksap, peper en zout. Rasp de aardappelen grof en meng ze door het beslag. Bak er in de koekepan koekjes van op de manier van drie-in-de-pan.

338. OMELET met MEEL

> 2 eieren
> 2 eetlepels meel
> olie
> KRUIDEN:
> 1 eetlepel gesnipperde uien
> ¹/₂ theelepel sambal oelek
> peper
> zout
> ketjap

Maak beslag van het meel, de eieren en wat water, peper, sambal, ketjap en de fijn gesnipperde ui. Bak er in de hete olie een omelet van; dek de koekepan onder het bakken af. Bak de omelet aan beide kanten gaar.

339. OMELET met KOKOSMEEL

> 2 eieren
> 4 eetlepels kokosmeel
> olie of boter
> KRUIDEN:
> 1 eetlepel gesnipperde uien
> sap van 1 teentje knoflook
> ¹/₂ theelepel sambal oelek
> zout
> peper

Wrijf de gesnipperde uien met het kokosmeel, de sambal en het knoflooksap tot een papje. Klop de eieren met zout en peper en meng hier doorheen het kokosmeelmengsel. Bak er in de hete olie een omelet van; dek de pan onder het bakken af. Bak de omelet aan beide kanten gaar.

340. SAMBAL GORENG van EI

Zie Hoofdstuk Sambal Gorengs.

341. FOE YONG HAY

Zie Hoofdstuk Mie en andere Chinese gerechten.

TAHOE- en
TEMPEGERECHTEN

Tahoe en Tempe worden van kedelebonen (soyabonen) gemaakt. Het eiwit van de kedeleboon behoort tot de meest volwaardige plantaardige eiwitten, maar de boon is door de harde schil en vooral door de bijna ondoordringbare celwanden moeilijk verteerbaar. Door een eeuwenoud fermentatieproces van Chinese oorsprong zijn de eiwitten van de tahoe en tempe licht verteerbaar gemaakt.

Oorspronkelijk volksvoeding, worden tahoe en tempe door toevoeging van een aantal ingrediënten bijzonder lekkere gerechten. Tempe heeft een bijzondere, eigen smaak; tahoe veel minder, het bezit echter de eigenschap de smaakjes van de ingrediënten in zich op te nemen. Enige jaren geleden heeft men hier te lande proeven genomen met het vervaardigen van kunstvlees uit kedelebonen. Men voegde aan de bonen chemische smaakstoffen toe. Het sloeg hier niet in.

Tahoe en tempe bezitten alle goede eigenschappen van het kunstvlees, goedkoopte en hoog eiwitgehalte, maar het eigen karakter bleef behouden. Hier is geen sprake van een ersatzprodukt, maar van grondstoffen die door een zeer eigen bewerking zichzelf zijn gebleven.

Tahoe en tempe worden als aparte gerechten bereid, maar meestal in combinatie met andere ingrediënten, vis, vlees, groenten, garnalen en zelfs in combinatie met elkaar, droog gebakken of gestoofd in sausjes.

342. GEBAKKEN TAHOE (Midden-Java)

> 1 blok tahoe
> 6 eetlepels rijstemeel
> 6 eetlepels water
> 2 dl olie
> KRUIDEN:
> 3 gesnipperde teentjes knoflook
> 5 gepofte kemiries
> 1 theelepel ketoembar
> zout

Snijd de tahoe in plakken van een duim dik. Maak een beslag van het rijstemeel en water. Wrijf knoflook, kemiries, ketoembar en zout tot een brij en meng dit goed door het beslag. Wentel de plakken tahoe hier doorheen en bak ze in een frituurpan goudbruin.

343. TAHOE uit POERWOKERTO

1 blok tahoe
8 eetlepels olie
1 dl water
KRUIDEN:
3 eetlepels gesnipperde uien
stukje asem ter grootte van een walnoot
1 theelepel Javaanse suiker
1 theelepel laos
1 salamblaadje
zout

Snijd de tahoe in plakken van een duim dik.
Wrijf uien, suiker, laos en asempulp (dus zonder pitten en vezels) met elkaar tot een brij. Breng het water aan de kook met een weinig zout. Kook de plakken tahoe met de gewreven kruiden hierin op tot het water bijna geheel is verdampt. Laat de plakken uitlekken en bak ze dan in de olie gaar.
Warm opdienen.

344. TAHOE-BALLETJES

$^1/_2$ blok tahoe
2 eieren
1 middelgrote, gesneden prei
8 eetlepels olie
KRUIDEN:
knoflooksap van 2 teentjes
1 eetlepel fijn gehakte selderie
peper
zout
nootmuskaat

Kook de tahoe even op in een weinig water met zout of bouillon. Verkruimel haar. Snipper de prei heel fijn.

Meng tahoekruimels, ei, prei, knoflooksap, selderie, peper, zout en nootmuskaat met elkaar tot een egale massa. Vorm er balletjes van ter grootte van een walnoot en bak de balletjes in de olie tot ze geelbruin en gaar zijn.

Warm opdienen.

345. OMELET van TAHOE (Wonosobo)

$^1/_2$ blok tahoe
2 eieren
4 eetlepels olie
1 preitje
sap van 1 citroen
KRUIDEN:
sap van 2 teentjes knoflook
1 eetlepel sambal oelek
3 eetlepels ketjap
$^1/_2$ theelepel vetsin
peper
zout

Verkruimel de tahoe; vermeng haar met de uiterst fijngehakte prei, peper, zout, vetsin en de losgeklopte eieren. Bak hier in een koekepan met dikke bodem een omelet van. Draai haar om op een deksel, laat haar met de ongebakken zijde naar onder weer in de pan glijden en bak haar zachtjes lichtbruin en gaar.

Meng de ketjap door de sambal, voeg er het citroensap aan toe en giet de saus over de omelet.

346. SMOOR van TAHOE
(Semoer tahoe — Wonosobo)

1 blok tahoe
50 gram gedroogde garnalen (ebi)
2 eieren
6 eetlepels olie

KRUIDEN:
5 eetlepels gesnipperde uien
2 gesnipperde teentjes knoflook
2 theelepels tomatenpuree of 1 verse tomaat
2 eetlepels ketjap
zout
peper

Snijd de tahoe in vieren en kook haar even op met water (of bouillon) en een weinig zout. Laat de stukken goed uitlekken en verkruimel ze met een vork. Spoel de ebi af, week haar een kwartier in heet water en stamp haar fijn.

Bak de helft van de uien op voor strooisel. Wrijf de andere helft van de uien met de ebi en de knoflook tot een brij en bak deze even op. Vermeng de brij met de tahoekruimels, de ketjap, peper en de tomatenpuree en met de geklutste eieren.

Maak olie heet en bak hierin onder goed roeren de kruimelige massa tot ze gaar is. Bestrooi ze met de gebakken uien.

347. CHINESE TAHOE (Indo-Chinees)

1 blok tahoe
100 gram zeer fijn gesneden prei
150 gram taogé
8 eetlepels olie
sap van 1 citroen

KRUIDEN:
3 eetlepels gesnipperde uien
3 gesnipperde teentjes knoflook
2 eetlepels ketjap
mespuntje vetsin

Snijd de tahoe in plakken van ± 2 cm dik en snijd iedere plak weer in vieren. Bak ze goudbruin in de olie; laat ze uitlekken. Bak in dezelfde olie uien en knoflook en vervolgens de prei en op het laatst de taogé. Maak deze saus af met ketjap, citroensap en vetsin en roer er de stukjes tahoe doorheen.

348. TAHOE PEDAS

1 blok tahoe
6 eetlepels olie
KRUIDEN:
5 eetlepels gesnipperde uien
2 gesnipperde teentjes knoflook
2 theelepels sambal oelek
1 theelepel laos
1 theelepel Javaanse suiker
1 salamblaadje
2 eetlepels ketjap
zout

Snijd de tahoe in dobbelsteentjes, bestrooi ze met een weinig zout en bak ze goudgeel in de olie. Laat ze uitlekken. Wrijf uien, knoflook, sambal, laos en suiker met elkaar tot een brij. Fruit ze in de rest van de olie, maak het af met de ketjap en salamblaadje en roer er de stukjes tahoe doorheen.

349. TAHOE TJAMPOER (gemengde tahoe)

1 blok tahoe
100 gram garnalen
150 gram taogé
6 eetlepels olie

KRUIDEN:
5 gesnipperde teentjes knoflook
2 theelepels gemberpoeder
1 eetlepel taotjo
2 eetlepels gesnipperde selderie
1 eetlepel gesnipperde bieslook
zout

Snijd de tahoe in dobbelstenen van ± 2 cm, bestrooi ze met zout en bak ze lichtgeel in de olie; laat ze uitlekken. Bak in 2 eetlepels olie de garnalen en de met gemberpoeder fijngewreven knoflook. Voeg er de taotjo bij en daarna de taogé. Een minuut meebakken en vervolgens vermengen met de uitgelekte tahoestukjes, de selderie en de bieslook.

350. TAHOE met PINDASAUS

1 blok tahoe
3 eetlepels pindakaas
8 eetlepels olie
sap van 1 citroen
KRUIDEN:
5 eetlepels gesnipperde uien
2 gesnipperde teentjes knoflook
2 theelepels sambal oelek
2 theelepels Javaanse suiker
3 eetlepels ketjap
1 eetlepel gehakte selderie
zout

Snijd de tahoe in dobbelsteentjes.
Bak de uien goudbruin en knappend in de olie; laat ze uitlekken.
Bak de tahoeblokjes ook in dezelfde olie en laat ze uitlekken.
Wrijf knoflook, sambal, Javaanse suiker en pindakaas met elkaar tot een brij en bak die in het restje olie op een laag pitje even goed door en door. Maak de saus af met de ketjap en roer er dan de tahoeblokjes doorheen.
Maak het geheel af met het citroensap en bestrooi het gerecht bij het opdoen met de gebakken uien en de gehakte selderie.

351. TAHOE met TAOTJO

$^1/_2$ blok tahoe
100 gram garnalen
150 gram taogé
olie
KRUIDEN:
2 gesnipperde teentjes knoflook
1 eetlepel taotjo
1 theelepel gemberpoeder
1 eetlepel bakgember
2 eetlepels gehakte selderie
2 eetlepels gehakte bieslook

Snijd de tahoe in dobbelsteentjes van $\pm$ 2$^1/_2$ cm; bak ze op in de olie en laat ze uitlekken. Wrijf de knoflook en de gemberpoeder met de taotjo tot een brij; bak dit op in het restant olie. Bak ook de garnalen mee en meng er op het laatst de stukjes tahoe doorheen en de taogé. Roer voor het opdoen de selderie, de bieslook en de bakgember door het gerecht.

352. GEKOOKTE TAHOE van REMBANG
(Tahoe masak bawang)

1 blok tahoe
50 gram taogé
100 gram garnalen
50 gram peultjes
olie

KRUIDEN:
5 eetlepels gesnipperde uien
3 gesnipperde teentjes knoflook
1 theelepel Javaanse suiker
4 eetlepels ketjap
$^1/_2$ theelepel vetsin
peper
zout
2 eetlepels gehakte bieslook
1 eetlepel gehakte selderie

Snijd de tahoe in dobbelsteentjes en bak ze geel en halfgaar in
de olie. Laat ze uitlekken.
Bak in dezelfde olie de garnalen goudbruin en vervolgens in het
restant de uien en knoflook. Voeg er daarna de taogé en de
peultjes aan toe en de stukjes tahoe.
Doe er dan de ketjap bij, zout, peper en vetsin en bak alles tesamen onder goed om en om scheppen nog even door.
Doe het gerecht op en bestrooi de bovenkant met de gebakken
uien en knoflook, de gehakte selderie en gehakte bieslook.

353. SLA van TAHOE en TAOGE
(Tahoe Lengko van Tegal)

1 blok tahoe
1 kleine komkommer
± 100 gram taogé
8 eetlepels olie
2 eetlepels azijn
KRUIDEN:
5 eetlepels gesnipperde uien
2 gesnipperde teentjes knoflook
1 theelepel sambal oelek
1 eetlepel suiker
4 eetlepels ketjap
zout
1 eetlepel gehakte selderie

Snijd de tahoe in plakken van ± $2^1/_2$ cm dikte. Bak ze geel in de
olie en snijd ze na afkoeling in kleine stukjes. Bak in het restant
olie de uien goudbruin en knappend.

Spoel de taogé schoon onder de warme kraan en laat haar uitlekken in een zeef. Snijd de komkommer in uiterst dunne plakjes, bestrooi haar met een weinig zout en laat het water uitlekken.

Wrijf knoflook, sambal en suiker met elkaar en meng dit met de azijn en ketjap tot een sausje.

Schik de tahoe op een schotel, leg de taogé en de uitgelekte komkommer eroverheen. Giet de saus erover en bestrooi het gerecht met de gebakken uien en de gehakte selderie.

354. KETOPRAK

1 blok tahoe
100 gram taogé
100 gram fijngesneden kool (witte, savooye- of groene kool)
1 eetlepel pindakaas
olie
azijn
KRUIDEN:
5 eetlepels gesnipperde uien
2 gesnipperde teentjes knoflook
1 theelepel sambal oelek
1 theelepel Javaanse suiker
2 eetlepels ketjap
zout
1 eetlepel fijngehakte selderie
$^1/_2$ eetlepel fijngehakte bieslook

Was de taogé schoon, dompel haar even in kokend water en laat haar uitlekken.

Snijd de tahoe in dobbelsteentjes en bak die in de olie geelbruin. Bak in het restant olie de helft van de uien, bestemd voor strooisel. Wrijf de rest van de uien met de knoflook, de sambal en suiker tot een brij, meng hier doorheen de pindakaas en fruit deze brij op in olie. Leng deze massa met de ketjap en wat azijn aan tot een saus en meng eerst de tahoe en daarna de taogé, de kool en de selderie hier goed doorheen.

Dien het gerecht op bestrooid met de gebakken uien en de gehakte bieslook.

355. TAHOE uit OOST-JAVA (Tahoe Pong)

½ blok tahoe
2 hardgekookte eieren
8 eetlepels olie
2 eetlepels azijn
KRUIDEN:
3 gesnipperde teentjes knoflook
1 theelepel sambal oelek
3 eetlepels ketjap
zout

Snijd de tahoe in dobbelsteentjes van ± 2½ cm en bak ze in de olie. Pel de eieren. Wrijf de knoflook met de sambal en een weinig zout met elkaar tot een brij, meng er de azijn en de ketjap doorheen tot een sausje. Leg de blokjes tahoe op een schotel, versier ze met plakjes ei en giet er het ketjapsausje overheen.

356. TAHOE met KETJAP

½ blok tahoe
100 gram taogé
8 eetlepels olie
KRUIDEN:
5 eetlepels gesnipperde uien
2 gesnipperde teentjes knoflook
2 theelepels sambal terasi
2 eetlepels ketjap
zout

Snijd de tahoe in dobbelsteentjes van ± 2½ cm en bak ze in de olie goudbruin; laat ze uitlekken.
Wrijf de helft van de uien met de knoflook, sambal en zout met elkaar tot een brij. Bak de andere helft van de uien knappend bruin. Laat ze ook uitlekken.
Bak in het restant olie de gewreven kruiden. Spoel de taogé schoon en bak ze even mee met de kruiden. Maak het af met de ketjap en giet deze saus over de tahoe heen.

357. TAHOE GOLING van TEGAL

1 blok tahoe
200 gram taogé
8 eetlepels olie
1 eetlepel azijn

KRUIDEN:
5 eetlepels gesnipperde uien
2 gesnipperde teentjes knoflook
1 theelepel sambal oelek
1 theelepel Javaanse suiker
stukje asem ter grootte van een walnoot
3 eetlepels ketjap
1 eetlepel gehakte selderie
zout

Snijd de tahoe in plakken van een duim dikte. Maak van asem
en zout met 1 eetlepel water een papje en smeer daar de plakken
mee in. Laat ze ± 1 uur marineren. Bak de helft van de uien in
de olie goudbruin. Wrijf de andere helft met de knoflook, de
sambal en de suiker tot een brij, voeg er 4 eetlepels water, de ketjap
en de azijn aan toe; meng de selderie door dit sausje met de gewassen, in kokend water gedompelde, goed uitgelekte taogé.
Wrijf de plakken tahoe droog en bak ze in de olie goudbruin en
knappend. Serveer ze met het sausje en de gebakken uien.

358. EIER-TAHOE (Tahoe telor)

> 1 blok tahoe
> 2 eieren
> 150 gram taogé
> 2 eetlepels gehakte selderie
> olie
> sap van 1 citroen
> KRUIDEN:
> 5 eetlepels gesnipperde uien
> 1 gesnipperd teentje knoflook
> sap van 2 teentjes knoflook
> stuk asem ter grootte van 2 walnoten
> 3 eetlepels ketjap
> zout

Snijd de tahoe in plakken van ± 2 cm dikte en snijd vervolgens iedere plak in vieren. Maak een papje van de asem en zout met 2 à 3 eetlepels water en laat de tahoe hierin minstens 1 uur marineren onder nu en dan omscheppen.

Klop de eieren op met peper en zout en het knoflooksap. Draai na enkele minuten de partjes tahoe hierin eén voor eén om zodat ze geheel door het ei omhuld raken.

Bak 4 eetlepels uien goudbruin; laat ze uitlekken. Spoel de taogé onder de warme kraan schoon en laat die ook uitlekken. Bak de stukjes tahoe aan alle kanten goudgeel en gaar. Ook laten uitlekken. Wrijf 1 eetlepel uien fijn met het teentje knoflook en de sambal. Giet hierbij 2 eetlepels van de kokende olie waarin de tahoe gebakken werd en maak het sausje af met de ketjap en het citroensap. Schik de uitgelekte stukjes tahoe op een verwarmde schotel. Spreid de taogé er overheen, giet daarover de saus en versier het gerecht met de gebakken uien en de gehakte selderie.

359. EIER-TAHOE uit REMBANG (Tahoe goreng)

> 1/2 blok tahoe
> 100 gram taogé
> 2 eieren
> 2 eetlepels pindakaas
> 8 eetlepels olie

KRUIDEN:
1 eetlepel azijn
5 eetlepels gesnipperde uien
4 gesnipperde teentjes knoflook
1 theelepel sambal oelek
4 eetlepels ketjap
vetsin
zout
1 eetlepel gehakte bieslook
1 eetlepel gehakte selderie

Bak de uien goudbruin in de olie. Spoel de taogé schoon onder de warme kraan en laat ze uitlekken. Klop de eieren met het zout en 1 eetlepel water. Snijd de tahoe in 4 plakken, haal ze door het geklopte ei en bak ze in de olie goudbruin en gaar; laat haar ook uitlekken. Wrijf de knoflook met de sambal en de pindakaas tesamen tot een brij. Meng er de ketjap en de azijn doorheen met een scheut water en de vetsin.

Leg de gebakken stukken tahoe op een schaal; strooi er de taogé overheen. Overgiet ze met de saus en bestrooi ze met de gebakken uien en gehakte bieslook en selderie.

360. TAHOE met PETIS

1 blok tahoe
2 grote gekookte aardappelen
2 hardgekookte eieren
4 eetlepels olie
KRUIDEN:
3 eetlepels petis oedang
4 eetlepels gesnipperde uien
1 gesnipperd teentje knoflook
2 eetlepels gehakte bieslook
1 eetlepel gehakte selderie
schijfjes citroen

Snijd 2 cm dikke plakken uit de tahoe en bak die in de hete olie goudgeel. Druk onder het bakken telkens het water uit de tahoe met een vork. De tahoe moet zo worden dat zich buiten een knappend korstje vormt doch binnen moet het wit en sponzig blijven.

Leng de petis aan met zoveel water dat zich een tamelijk dunne saus vormt. Kook haar even op.
Bak in het restant olie van de tahoe de uien en knoflook bruin. (Dient straks als strooisel.)
Leg op elk bord in dobbelsteentjes gesneden stukjes tahoe, schik hier overheen een paar schijfjes aardappelen en een paar partjes ei. Bestrooi het geheel met gehakte bieslook en selderie en giet over alles de petissaus. Maak het geheel af met gebakken uien/knoflook en serveer er een schijfje citroen bij.

361. TAHOE met BALINESE KRUIDEN
(Tahoe boemboe Bali)

$^1/_2$ blok tahoe
$^1/_6$ blok santen
8 eetlepels olie
2 dl water
KRUIDEN:
3 eetlepels gesnipperde uien
2 gesnipperde teentjes knoflook
2 theelepels sambal oelek
5 gepofte kemiries
1 theelepel koenjit
1 theelepel gemberpoeder
2 theelepels Javaanse suiker
1 eetlepel ketjap
zout

Snijd de tahoe in dobbelsteentjes van $\pm$ 2^1/$_2$ cm en bak ze goud-geel in de olie. Laat ze uitlekken.

Wrijf uien, knoflook, sambal, kemiries, koenjit en gemberpoeder met suiker en zout tot een brij. Bak die brij op in het restant olie. Voeg er het water bij, dan het blokje santen en daarna de ketjap. Doe er de uitgelekte tahoe bij. Kook het gerecht tot het begint in te dikken.

362. TAHOE KRIDA

1 blok tahoe
200 gram taogé
2 eieren
200 gram rundvlees
1 ei
KRUIDEN:
3 eetlepels gesnipperde uien
3 gesnipperde teentjes knoflook
1 theelepel sambal oelek
1 theelepel petis
peper
zout

Kook het vlees en snijd het in uiterst kleine stukjes (eventueel restjes gekookt vlees gebruiken of een overgeschoten gehaktbal). Spoel de taogé schoon, laat haar een poosje in kokend water staan en daarna uitlekken.

Wrijf uien, knoflook, petis, met peper en zout met elkaar tot een brij. Meng hier doorheen de stukjes vlees en de sambal.

Snijd de tahoe in 4 stukken. Hol elk stuk uit en vul de holte met een vlees-kruiden-taogé-mengsel.

Klop de eieren losjes, haal de tahoe er doorheen en bak ze in de olie aan alle kanten bruin en gaar.

Wie het makkelijker vindt kan de gevulde tahoe paneren op de wijze van kroketten.

363. LAKSA van TAHOE

    1 blok tahoe
    25 gram laksa
    $^1/_6$ blok santen
    $^1/_4$ l water
    5 eetlepels olie
    KRUIDEN:
    3 eetlepels gesnipperde uien
    3 gesnipperde teentjes knoflook
    1 theelepel sambal oelek
    5 gepofte kemiries
    1 theelepel suiker
    zout

Snijd de tahoe in dobbelsteentjes en bak ze in de olie goudbruin, maar niet te droog. Week de laksa in lauw water. Wrijf uien, knoflook, sambal en kemiries met suiker en zout tot een brij. Breng het water aan de kook met het blokje santen, voeg er de gewreven kruiden, de dobbelsteentjes tahoe en de goed uitgeknepen laksa aan toe en kook de massa tot de laksa gaar is.

364. TAHOE BAKSO (Indonesisch-Chinees)

    1 blok tahoe
    100 gram garnalen
    100 gram varkensgehakt
    1 ei
    2 dunne preitjes
    KRUIDEN:
    5 eetlepels zeer fijngesnipperde uien
    5 zeer fijngesnipperde teentjes knoflook
    peper
    zout
    vetsin

Snijd de tahoe in dikke plakken van ongeveer 5 cm en snijd iedere plak weer doormidden. Hol de gehalveerde plakken uit; week ze in water met wat zout.
Hak de garnalen in kleine stukjes en vermeng ze met het varkensgehakt en de restantjes tahoe die door het uithollen zijn verkre-

links boven:	gado-gado schotel
rechts boven:	loempang (stenen vijzel) met lombok, knoflook en kruiden
daaronder:	schijfjes lontong met sate babi
hieronder:	kommetje met pindasaus, kroepoek emping, taogé en groene lombok

gen en met een vork verkruimeld zijn. Kneed de massa goed door elkaar met de zeer fijngehakte prei en de fijngewreven uien en knoflook. Meng er peper, zout, vetsin en het ei doorheen. Vul hiermee de holten in de tahoeblokjes en stoom de bakso in de stoompan gaar in ± 1 uur.

Eet ze met chilisaus uit een flesje of met de zoet-zure tomatensaus (zie hiervoor Hoofdstuk Sauzen).

365. DROGE TAHOE en TEMPE

$^1/_2$ blok tahoe
$^1/_2$ plak tempe
olie

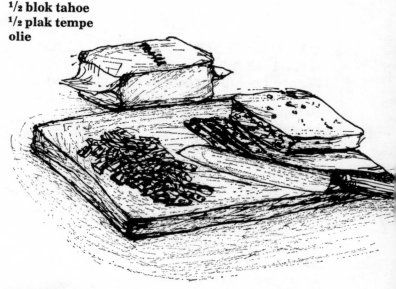

KRUIDEN:
5 eetlepels gesnipperde uien
4 gesnipperde teentjes knoflook
4 lomboks (ontpit) in ringetjes gesneden
1 theelepel laos
2 eetlepels Javaanse suiker
stukje asem ter grootte van een walnoot
1 salamblaadje
zout

Snijd de tahoe en de tempe in dunne schijfjes en bak ze in een frituurpan in de olie. Bak uien en knoflook in 4 eetlepels olie goudbruin. Laat ze uitlekken en bak in het restant olie de ringetjes lombok, die dan door de gebakken uien en knoflook gemengd worden.

Zet de suiker en de asempulp (dus zonder pitten en vezels) op met het water. Zeef de massa als de suiker is opgelost. Breng het zeefvocht opnieuw aan de kook met laos, salamblad en wat zout. Kook het vocht in tot het dik begint te worden. Meng er op het vuur de gebakken tahoe en tempe doorheen en het mengsel van uien, knoflook en lombok. Schep de massa om en om tot de suikerkruidenstroop de stukjes omhult.

Doe ze op en bewaar ze in een stopfles.

366. TAHOE/TEMPE met ROEDJAK-KRUIDEN
(Tahoe boemboe roedjak — Wonosobo)

$^1/_2$ blok tahoe
$^1/_2$ plak tempe
$^1/_4$ blok santen
2 eetlepels olie
3 dl water
KRUIDEN:
3 eetlepels gesnipperde uien
2 gesnipperde teentjes knoflook
1 theelepel sambal oelek
4 gepofte kemiries
1 theelepel laos
2 theelepels Javaanse suiker
2 sprieten sereh
2 salamblaadjes
zout

Snijd de tahoe in plakken en iedere plak in vieren. Snijd ook de tempe in stukken van gelijke grootte. Kook ze enkele minuten in water met zout.

Maak santen van het water en een weinig zout.

Wrijf uien, knoflook, sambal, laos en suiker tot een brij en kook die met de santen, de sereh en de salam samen op. Doe er daarna de tahoe en de tempe bij en kook de massa onder om en om scheppen tot de santen dik wordt en de olie boven komt drijven.

367. TEMPE GORENG

$^1/_2$ plak tempe
olie
KRUIDEN:
asem ter grootte van een walnoot
zout

Maak een papje van de asem met wat water en zout.
Snijd de plak tempe in de lengte in de helft en vervolgens de
stukken in plakjes van $\pm$ 1 cm dikte. Marineer de stukjes tempe
minstens 1 uur in het asempapje.
Bak ze daarna in ruim olie gaar en knappend.

368. KERIPIK TEMPE

1 plak tempe
$^1/_6$ blok santen
olie
KRUIDEN:
4 gesnipperde teentjes knoflook
2 theelepels ketoembar
1 theelepel Javaanse suiker
zout

Snijd de plak tempe in de lengte in twee helften en snijd hiervan
uiterst dunne plakjes. Wrijf knoflook, ketoembar en suiker en
zout met elkaar tot een brij en fruit die in de olie.
Los de santen op in 1$^1/_2$ dl water, breng dit aan de kook en voeg
er dan de kruidenbrij aan toe. Laat de vloeistof afkoelen. Meng
de stukjes tempe er doorheen en bak ze in een frituurpan goudgeel en knappend.

369. TEMPE KEMOEL (Oost-Java)

$^1/_2$ plak tempe
50 gram rijstemeel
$^1/_{10}$ blok santen

1 dl water
olie
KRUIDEN:
4 gesnipperde teentjes knoflook
$^1/_2$ theelepel ketoembar
$^1/_2$ theelepel koenjit
zout

Wrijf de knoflook fijn met ketoembar, koenjit en zout.
Breng het water aan de kook met de santen en voeg er als de santen is opgelost de gewreven kruiden aan toe.
Laat de massa afkoelen en meng er het rijstemeel doorheen.
Snijd de tempe in plakken van $\pm$ 1 cm halveer deze in de lengte, dompel ze één voor één in het beslag en bak ze gaar en knappend in de olie.

370. TEMPE van BANJOEMAS (Tempe beignets) (Mendoan Tempe)

$^1/_2$ plak tempe
2 kleine preitjes
100 gram rijstemeel
olie
KRUIDEN:
5 gesnipperde teentjes knoflook
2 theelepels ketoembar
1 theelepel kentjoer
zout

Snijd de tempe in stukken van 1 cm dikte bij een lengte van circa 4 cm.
Wrijf de knoflook met de ketoembar, laos en zout tot een brij.
Snijd de prei in uiterst dunnen plakjes. Maak het rijstemeel met wat water aan tot een dikke brij, meng er de kruidenbrij en de prei goed doorheen. Haal de stukjes tempe er door heen (op de manier van appelbeignets) en bak ze in ruim olie goudbruin.

371. TEMPE BATJAM (Oost-Java)

$^1/_2$ plak tempe
$^1/_{10}$ blok santen
2 dl water
olie
KRUIDEN:
1 theelepel laos
2 eetlepels Javaanse suiker
4 stukjes asem ter grootte van een walnoot
1 salamblaadje
zout

Snijd de tempe vanuit een hoek te beginnen in schuine repen van
$2^1/_2$ cm en de repen schuin in ruitvormige plakken.
Breng het water aan de kook met de asem en de suiker. Kook
zachtjes tot alle suiker gesmolten is, voeg er daarna het salamblaadje aan toe, de laos, een weinig zout en de in een weinig
warm water opgeloste santen. Laat in deze vloeistof de tempe
zachtjes koken tot het water vrijwel verdampt is. Laat de tempe
even opdrogen en bak haar in de olie tot ze gaar is.

372. BALLETJES van TEMPE (Ento-ento van Solo)

$^1/_2$ plak tempe
olie
1 ei

KRUIDEN:
3 eetlepels gesnipperde uien
2 gesnipperde teentjes knoflook
1 theelepel sambal oelek
1 theelepel ketoembar
$^1/_2$ theelepel djinten
1 theelepel Javaanse suiker
zout

Wrijf uien, knoflook, sambal, ketoembar, djinten, suiker en zout
met elkaar tot een brij. Stoom de tempe even op of kook ze kort
in een weinig water. Maak ze fijn met een vork en vermeng ze
met de kruidenbrij en het ei. Vorm er kleine balletjes van en bak
ze gaar in een frituurpan. Laat ze uitlekken.

373. BESENGĔK van TEMPE

1 plak tempe
$^1/_4$ blok santen
4 eetlepels ebi (gedroogde garnaaltjes)
3 dl water
olie
KRUIDEN:
5 eetlepels gesnipperde uien
1 gesnipperd teentje knoflook
1 theelepel sambal oelek
1 theelepel laos
2 theelepels suiker
3 salamblaadjes
zout

Week de ebi in lauw water minstens 1 uur. Snijd de tempe in
dobbelsteentjes. Wrijf uien, knoflook, sambal, laos en de suiker
tesamen tot een brij en fruit ze in de olie. Breng het water aan de
kook met de santen en wat zout, voeg er de salamblaadjes aan toe,
de kruidenbrij, de uitgelekte ebi en daarna de dobbelsteentjes
tempe.
Laat onder nu en dan omscheppen de massa zachtjes koken tot
de tempe gaar is.

374. TEMPE van REMBANG (Njomok Tempe)

$^1/_2$ plak tempe
$^1/_6$ blok santen
2 eetlepels olie
2 dl water
KRUIDEN:
3 eetlepels gesnipperde uien
3 gesnipperde teentjes knoflook
1 theelepel sambal terasi
2 theelepels ketoembar
1 theelepel djinten
5 groene lomboks.
1 mespuntje kentjoer
1 theelepel laos
1 theelepel koenjit
2 salamblaadjes
zout

Snijd de plak tempe in dobbelsteentjes van $\pm$ 2$^1/_2$ cm dikte. Snijd de lombok in ringetjes na het zaad verwijderd te hebben. Wrijf uien, knoflook, sambal, ketoembar, djinten, laos, koenjit en kentjoer tot een brij met wat zout. Fruit de kruidenbrij in de olie en braad de lombok mee tot die slap wordt. Voeg er dan het water aan toe, het blokje santen, de salamblaadjes en de tempe. Stoof het gerecht tot de tempe gaar is.

375. OESIH van TEMPE

$^1/_2$ plak tempe
$^1/_4$ blok santen
$^1/_4$ l water
olie
KRUIDEN:
5 eetlepels gesnipperde uien
2 gesnipperde teentjes knoflook
$^1/_2$ theelepel koenjit
1 theelepel sambal terasi
1 theelepel laos
1 theelepel ketoembar

¹/₂ theelepel djinten
2 sprietjes sereh
2 djeroek poeroetblaadjes
zout

Snijd de tempe in dobbelstenen.

Wrijf uien, knoflook, met de sambal, koenjit, laos, ketoembar, djinten en zout tot een brij.

Breng het water aan de kook met de santen, voeg er de gewreven kruiden bij, de sereh en de djeroek poeroetblaadjes. Laat hierin de tempe zachtjes koken tot de santen ingedikt is.

DROOG
GEBAKKEN GERECHTEN
(Gorengans)

Gorengans zijn droog gebakken gerechten die een onderdeel vormen van de rijsttafel, maar ook wel als aparte hapjes bij de thee en verder op ieder ander moment van de dag gegeten worden. Ze worden in grote stopflessen bewaard en de meeste blijven, mits luchtdicht afgesloten enkele dagen goed. Ze zijn ook heel goed geschikt als borrelhapjes.

De meest bekende – hier te lande althans – zijn de kroepoeks, die verpakt in plastic kant en klaar in de handel zijn. De keuze is tot één soort beperkt, de kroepoek oedang, gemaakt van meel en garnalen en het laatste dikwijls in minimale toevoeging. Indonesië kent een grote verscheidenheid van kroepoeks, wel zo'n dertig à veertig soorten. Van vrijwel alles wordt kroepoek gemaakt, van karbouwenhuid en van varkenshuid, van vis en garnalen en van vruchten- en wortelsoorten. In de Indische winkels kan men slechts drie soorten krijgen, rauw, d.w.z. in ongebakken vorm. De overbekende kroepoek oedang, de emping – ook wel emping belindjoe genaamd –, gemaakt van het geplette vruchtvlees van de belindjoevrucht en de kroepoek ikan (viskroepoek), afkomstig van Palembang en daarom ook wel kroepoek Palembang geheten. Ze wordt vervaardigd uit meel en vis.

Kroepoek wordt gebakken in hete olie, moet uitlekken en daarna droog bewaard worden. De bereidingswijze van de verschillende soorten wijken enigszins af, ze wordt daarom in dit boek afzonderlijk behandeld.

Naast de kroepoek kent men de keripik, b.v. uiterst dunne schijfjes aardappel of tempe die in zout water geweekt en dan in hete olie gebakken, met daarnaast een aantal met rijstmeel bereide, knappend gebakken gerechten die uit het vuistje gegeten worden.

376. KROEPOEK OEDANG

50 gram kroepoek oedang
olie

Koop kroepoek oedang die sterk naar garnalen ruikt. Kroepoek oedang wordt tegenwoordig hier te lande ook vervaardigd. De geïmporteerde is echter beter, wat mogelijk samenhangt met de soort garnalen die men gebruikt. Een van de beste soorten is de Kroepoek Sidoardjo, genoemd naar een stadje in de buurt van Soerabaja, waar al jaren een kroepoekindustrie gevestigd is.

Begin met de kroepoek te drogen, ook al is die in plastic verpakt geweest! Kroepoek oedang bakken lukt alleen als de kroepoek door en door droog is. Droog liefst in de zon. Helaas is dat hier dikwijls niet mogelijk. Droog kroepoek niet te snel, niet in de oven b.v., die is gauw te warm. Zet een bord op de radiator van de centrale verwarming en spreid daar de kroepoek op uit. Een laag brandende gaskachel is ook geschikt; in het algemeen een lauwwarm plekje met onderwarmte. De kroepoek moet nu en dan omgedraaid worden en langzaam drogen.

Bakken: bak de kroepoek in een pan met ruim olie, maar niet in de frituurpan. Een bodempje olie van $\pm$ 2 à 3 cm is de juiste. De olie moet heet maar niet te heet zijn. Als de eerste damp opstijgt is het juiste moment aangebroken. Regel dan de warmte zodat die constant blijft. Breek een klein stukje van de kroepoek af om te proberen. Als ze snel opzwelt is de temperatuur goed.

Bak de kroepoeks één voor één, ze mag niet bruin worden, dan wordt ze hard en de smaak verdwijnt. Neem twee vorken of beter nog: een vork en een platte roerspaan of houten lepel. Prik de kroepoek aan een zijde met de vork tegen de bodem en strijk op het moment dat ze gaat zwellen stevig met de roerspaan het oppervlak uit. De kroepoek wordt dan dunner en krult niet meer. Na enkele seconden de kroepoek omkeren en de bewerking herhalen.

Beginners kunnen het best met de kleine soort kroepoek werken of de grotere in tweeën bakken. Heeft men enige ervaring gekregen dan kan men zich aan de grotere wagen. De tijd van bakken is moeilijk aan te geven, dat ligt tussen de 20 à 30 seconden. Onder het bakken verandert de kroepoek van substantie, ze wordt luchtiger en makkelijk breekbaar.

Te lauwe olie maakt de kroepoek oedang taai en vettig.

Laat de kroepoek op papier uitlekken en zet haar op een lauwwarme droge plaats.

Bewaren in een goed af te sluiten stopfles. Kroepoek trekt snel de vochtigheid in de lucht aan en wordt dan taai en slap.

377. EMPING BELINDJOE

50 gram emping
ruim olie

Ook emping moet goed drogen. Het drogen vergt echter iets minder tijd dan bij de kroepoek oedang. De temperatuur van de olie dient dezelfde te zijn als voor het bakken van kroepoek oedang. Emping zwelt minder op dan kroepoek oedang. Voor beginners is ze makkelijker te bakken. Ze krult minder om, even een snelle streek met de roerspaan is voldoende. Ze hoeven ook niet één voor één gebakken te worden maar met een tiental tegelijk. Ze mogen niet bruin worden.
Zie verder vorig recept.

378. KROEPOEK PALEMBANG

Kroepoek Palembang bestaat uit dunne slangetjes meel vermengd met vis, die door elkaar gevlochten zijn als een soort vogelnestje. Ze moeten door en door droog zijn, anders mislukken ze onherroepelijk.

Bak de kroepoek Palembang in een laag olie van ongeveer 2 cm. De olie moet lauwwarm zijn. Doe een kroepoek in de pan en laat de olie onder het bakken langzaam heter worden. Eerst bij een bepaalde temperatuur begint de kroepoek te zwellen. Bak ze op de manier van kroepoek oedang. Laat de olie niet te heet worden; deze kroepoek moet wit van kleur blijven. Keer ze geregeld om en om. Ze zwelt zeer sterk uit. Reken daar op en kies een pan van voldoende doorsnede. Laat na de eerste kroepoek de olie opnieuw afkoelen.

379. KERIPIK van AARDAPPELEN

¹/₄ kg aardappelen
¹/₂ eetlepel fijn zout
frituurolie

Gebruik grote aardappelen. Schil ze, was ze en snijd ze met een scherp mes in vliesdunne plakjes. Laat ze een kwartiertje staan, bestrooi ze met $^1/_2$ eetlepel fijn zout. Laat ze uitlekken in een zeef en vervolgens op papier. Droog ze af met een schone doek en bak ze in ruim olie lichtgeel, met kleine porties tegelijk.

380. KERIPIK van TEMPE

Zie hiervoor Hoofdstuk Tahoe/Tempe.

381. BALLETJES van TEMPE

Zie hiervoor Hoofdstuk Tahoe/Tempe.

382. TEMPE — BEIGNETS (Mendoan tempe)

Zie hiervoor Hoofdstuk Tahoe/Tempe.

383. REMPEJEK

> 3 eetlepels rijstemeel
> 50 gram pinda's
> 2 eetlepels gesnipperde santen uit een blok
> 5 eetlepels water
> olie
> KRUIDEN:
> 3 gesnipperde teentjes knoflook
> $^1/_2$ theelepel ketoembar
> $^1/_2$ theelepel koenjit
> zout

Dit recept is het lekkerst van rauwe pinda's, die niet zo makkelijk te krijgen zijn. Men verwijdert de buitenschil en weekt de nootjes in kokend water om de vliezen er af te krijgen. Gebruik als rauwe

314

pinda's niet te krijgen zijn de gewone gebrande pinda's, maar neem dan wel de ongezouten soort.

Wrijf de knoflook tesamen met de ketoembar, koenjit en zout tot een brij. Vermeng deze brij goed met het rijstemeel. Los de santensnippers op in het water en doe dit bij het rijstemeel; maak van de massa een niet te dik beslag waar de pinda's doorheen geroerd worden.

Maak de olie heet in de koekepan. Laat telkens een eetlepel van het beslag er in glijden en laat het zoveel mogelijk uitlopen als bij flensjes. De rempejek moet knappend en goudgeel worden.

Rempejek hoort er enigszins als kant uit te zien, wordt bewaard in een stopfles, anders wordt ze onherroepelijk taai.

384. REMPEJEK van TERI (Wonosobo)

2 eetlepels teri (middelsoort)
3 eetlepels rijstemeel

2 eetlepels santensnippers
5 eetlepels water
olie
KRUIDEN:
3 gesnipperde teentjes knoflook
4 gepofte kemiries
^{1}/$_2$ theelepel koenjit
mespuntje kentjoer

Droog de teri een uurtje in de zon of op een lauwwarme kachel.
Breek de kopjes er af. Wrijf de knoflook tesamen met de kemiries, de koenjit en kentjoer tot een brij. Los de santensnippers op
in water. Maak een beslag van het rijstemeel met de santen en
roer er de kruidenbrij en de teri doorheen. Laat dit beslag een
kwartiertje staan. Bak er platte, knappende koekjes van zoals in
recept 383 is aangegeven. Men kan de rempejek teri ook maken
met dezelfde kruiden als in dat recept.

385. REMPEJEK van RUNDERGEHAKT

^{1}/$_4$ kg rundergehakt
1 ei
olie
KRUIDEN:
2 eetlepels gesnipperde uien
2 gesnipperde teentjes knoflook
2 theelepels ketoembar
2 djeroek poeroetblaadjes
peper
zout

Stamp de djeroek poeroetblaadjes fijn en wrijf dit poeder daarna
met de uien, knoflook, ketoembar, peper en zout tot een brij. Meng
gehakt, ei en de kruidenbrij goed door elkaar. Draai er balletjes
van ter grootte van 2 okkernoten. Sla ze plat en braad ze in de olie
bruin.

386. KOEKJES van JONGE MAIS I
(Perkedèl djagoeng)

4 kolven jonge mais (half rijp)
1 eetlepel gesnipperde santen uit het blok
1 ei
olie
KRUIDEN:
1 eetlepel gesnipperde uien
1 gesnipperd teentje knoflook
2 gepofte kemiries
1 theelepel laos
1 theelepel ketoembar

Rasp de maiskolven. De bedoeling is dat alleen de korrels geraspt worden. Gebruik hiervoor een grove rasp, b.v. de komkommer-rasp. Wrijf de ui met de knoflook, de kemiries tesamen met zout, peper en de gesnipperde santen tot een brij. Klop het ei los.
Meng de geraspte maiskorrels tesamen met het ei en de gewreven kruiden, de gehakte prei en selderie. Maak olie heet in een koeke-pan en bak er platte koekjes van ongeveer als drie-in-de-pan, maar kleiner van formaat.
Deze maiskoekjes worden bij de rijsttafel gegeten, maar ook wel bij de thee of als hapje tussendoor.

387. KOEKJES van JONGE MAIS II
(Perkedèl djagoeng)

4 kolven jonge mais (half rijp)
1 eetlepel gesnipperde santen uit het blok
1 ei
olie
KRUIDEN:
1 eetlepel gesnipperde uien
1 gesnipperd teentje knoflook
2 gepofte kemiries
1 eetlepel gehakte prei
1 eetlepel gehakte selderie
peper
zout

¹/₂ **theelepel djinten**
mespuntje kentjoer
zout

Rasp de maiskolven als in het vorige recept is beschreven.
Wrijf uien, knoflook, kemiries, laos, ketoembar, djinten, kentjoer
en zout met elkaar tot een brij. Klop het ei los en vermeng het met
de gewreven kruiden, de snippers santen en de geraspte maiskorrels.
Verdere bewerking: zie recept 386.

388. KOEKJES van JONGE MAIS III
(van mais uit blik) (Perkedèl djagoeng)

¹/₂ **blikje maiskorrels**
2 à 3 eetlepels bloem
Verdere ingrediënten en kruiderijen als in Perkedèl
djagoeng I of II (Recept 386, 387)

Laat de maiskorrels goed uitlekken. De verdere bereiding is dezelfde als in bovengenoemde recepten is beschreven, met dit verschil dat door het beslag bloem is verwerkt.
De geraspte verse maiskorrels hebben een bindend effect, dat de mais uit blik grotendeels mist. De koekjes worden er iets minder krokant door, maar smaken toch wel erg lekker.

389. KOEKJES van JONGE MAIS IV
(met mais uit blik) (Perkedèl djagoeng)

1 blikje mais
50 gram garnalen
2 eieren
1 eetlepel gesnipperde santen uit een blok
2 eetlepels bloem
olie
KRUIDEN:
2 eetlepels gesnipperde uien
2 gesnipperde teentjes knoflook
2 gepofte kemiries
1 eetlepel gehakte prei
1 eetlepel gehakte selderie

Laat de mais uitlekken op een zeef. Wrijf de uien met de knoflook en de kemiries tot een brij en vermeng die met de uiterst fijn gehakte prei en selderie, de santensnippers, de bloem en de eieren. Roer hier doorheen de uitgelekte mais en de garnalen en bak er in de hete olie koekjes van als in het vorige recept is beschreven.

390. BLOEMKOOL-KOEKJES

1 kleine bloemkool
2 à 3 eetlepels bloem
1 ei
1 lepel water
KRUIDEN:
2 eetlepels gesnipperde uien

1 gesnipperd teentje knoflook
1 kemirie (gepoft)
1 eetlepel gehakte selderie
peper
zout
nootmuskaat

Snijd met een scherp mes de bloempjes van de bloemkool af. Heel
dun! De stronk kan in sajoer gebruikt worden.
Maak beslag van bloem en water. Wrijf uien, knoflook, kemirie,
peper, zout en nootmuskaat tot een brij en meng dit door het beslag tesamen met de bloemkoolkruimels en de gehakte selderie.
Bak in hete olie koekjes hiervan ter grootte van een eetlepel.

391. DROOG GEBAKKEN VLEES (Empal)

1/2 kg runderlappen met een randje vet
1 à 2 dl water
olie
KRUIDEN:
3 eetlepels gesnipperde uien
stukje asem ter grootte van een walnoot
1 eetlepel Javaanse suiker
1 theelepel ketoembar
1 salamblaadje
zout

Snijd het vlees in nette rechthoekige stukken van ± 4 bij 10 cm.
Breng het water aan de kook met de asem, de suiker en het zout.
Laat het koken tot de suiker is opgelost en zeef het daarna. Wrijf
de uien met de ketoembar tot een brij. Breng het gezeefde water
weer aan de kook, voeg er de gewreven kruiden aan toe, het vlees
en het salamblaadje. Laat dit alles op een laag pitje gaar koken.
De bedoeling is dat het vocht vrijwel verkookt. Haal het vlees er
uit. Leg het onder iets zwaars om de stukken in een nette vorm te
krijgen en bak daarna deze stukken in hete olie bruin en knappend.

392. DROOG GEBAKKEN VLEES
met VEEL KRUIDEN (Empal pedas)

1/2 kg runderlappen met een vet randje
1 à 2 dl water
olie
KRUIDEN:
3 eetlepels gesnipperde uien
2 gesnipperde teentjes knoflook
1 theelepel sambal terasi
1 theelepel laos
1 theelepel ketoembar
1/2 theelepel djinten
1 eetlepel Javaanse suiker
stukje asem ter grootte van een walnoot
2 salamblaadjes
zout

Snijd het vlees in de lengte in stukken van ± 4 bij 10 cm. Breng
het water aan de kook met de suiker, de asem en zout. Laat het
koken tot de suiker is opgelost en zeef het daarna. Voeg het vlees
en de salamblaadjes aan het zeefvocht toe en kook hierin het vlees
gaar. Wrijf uien, knoflook, sambal, laos, ketoembar en djinten
met elkaar tot een brij. Wrijf daarmee het gaargekookte vlees in
en laat het enige tijd onder iets zwaars intrekken. Bak daarna het
vlees met de kruiden in de olie op, die niet te heet mag zijn om
aanbranden te vermijden.

393. EMPAL met SANTEN

1/2 kg rundvlees
1/8 blok santen
1 à 2 dl water
KRUIDEN:
olie
1 theelepel laos
2 theelepels ketoembar
1/2 theelepel djinten
2 theelepels Javaanse suiker
stukje asem ter grootte van een walnoot
zout

Snijd het vlees in rechthoekjes van $\pm$ 5 cm en 1 cm dikte. Kook het water met de asem en de suiker totdat het laatste is opgelost. Zeef het. Wrijf het vlees in met een mengsel van laos, ketoembar, djinten en zout en laat dit enige tijd intrekken. Kook de plakjes vlees in het suiker-asemwater waaraan de santen is toegevoegd tot het vlees gaar en de massa bijna droog is. Laat het geheel afkoelen en bak de plakjes vlees op de gewone manier in de hete olie.

394. GEKLOPT VLEES I (Tjiandjoer)
(Gegepoek)

1/2 kg runderlappen
1/8 blok santen
1/2 l water
olie
KRUIDEN:
3 eetlepels gesnipperde uien
2 gesnipperde teentjes knoflook
1 theelepel ketoembar
1 theelepel laos
1 theelepel Javaanse suiker
zout

Kook het vlees in water met een weinig zout half gaar. Snijd het in plakjes van $\pm$ 5 cm en van 1 cm dikte en klop het tot de vezels los zitten en de stukjes plat zijn. Wrijf uien, knoflook, ketoembar en laos met de suiker tot een brij. Los de santen op in 1 dl van de bouillon (de rest van de bouillon kan voor soep of saus gebruikt worden). Kook de kruiden op in de santen en voeg er de stukjes vlees aan toe. Kook ze 5 à 6 minuten mee tot het water verdampt is. Bak daarna het vlees in de olie die niet te heet mag zijn.

395. GEKLOPT VLEES II (Soekaboemi)
(Gegeboekan)

½ kg runderlappen
¼ blok santen
2 dl water
olie
KRUIDEN:
3 eetlepels gesnipperde uien
2 gesnipperde teentjes knoflook
asem ter grootte van 2 walnoten
1 theelepel ketoembar
1 eetlepel Javaanse suiker
1 theelepel laos
zout

Wrijf uien, knoflook, ontpitte en van vliezen ontdane asem, suiker, ketoembar, laos en zout tesamen tot een brij. Snijd het vlees in stukken van 5 bij 5 cm en ± 1 cm dik. Wrijf het in met de kruidenbrij en laat het enige tijd marineren op een zeef.
Los de santen op in het water, breng het aan de kook, voeg er het vlees aan toe en kook het tot het vlees droog en gaar is. Klop de stukken vlees tot ze weer plat zijn geworden en bak ze daarna op in niet te hete olie.

396. GEBAKKEN HERSENS (Gorengan otak)

± ½ kg hersens (van rund, kalf of schaap)
2 à 3 eetlepels meel
1 ei
1 à 2 eetlepels water

olie
¹/₂ citroen
KRUIDEN:
sap van 2 teentjes knoflook
peper
zout

Maak de hersens schoon, leg ze daarna in een kom water met zout en laat ze enige tijd staan. Ontdoe ze daarna met een puntig mesje van de vliezen en spoel het bloed er uit. Laat ze uitlekken. Snijd ze in plakken van een duim dik, besprenkel ze met het sap van knoflook en citroen en bestrooi ze met peper.

Roer het ei met het meel en het water tot een papje. Haal hier de plakken hersens doorheen en bak ze in hete olie goudbruin en gaar.

Hersens worden per stuk verkocht; dit recept aanpassen aan de hoeveelheid!

397. GEBAKKEN LONG (Gorengan paroe)

¹/₂ kg long
olie
KRUIDEN:
asem ter grootte van 2 walnoten
zout

Was de long, zet haar op met ruim kokend water en zout en laat haar een kwartier koken. Haal haar uit het water en laat haar uitlekken. Snijd haar in dunne plakken van ± 1 cm dikte. Smeer de plakken in met een papje van asem en zout en laat dit enige tijd intrekken. Bak de plakken in diep vet. Ze zwellen onder het bakken geweldig op. Eet ze warm, want als ze afkoelen worden ze taai en minder lekker. Long is moeilijk te krijgen. In een enkele dorpsslagerij waar men zelf slacht lukt het nog wel of bij bestelling vooraf bij de slager. Op deze manier klaargemaakt is long een delicatesse.

398. GEBAKKEN PINDA'S (Katjang goreng)

$^1/_2$ kg rauwe pindas in de schil
olie
KRUIDEN:
1 gesnipperd teentje knoflook
fijn zout

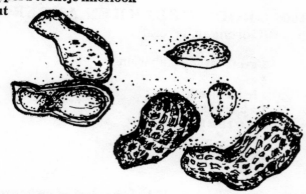

Dop de pinda's, verwijder ook het bruine velletje. Rauwe pinda's zonder schil, zelfs zonder vel zijn ook (in Indische winkels) verkrijgbaar. Indien ze met vel worden gebruikt kunnen ze het best even in heet water worden geweekt, dan zijn de velletjes makkelijk te verwijderen. Week de ontvelde pinda's daarna ongeveer een kwartier in zout water. Laat ze dan in vergiet of zeef zeer goed uitlekken. Het beste is ze af te drogen, dan pas kunnen ze goed worden gebakken.
Maak olie heet met de knoflook en bak hierin de pinda's goudgeel. Schep ze uit de olie met een schuimspaan en laat ze uitlekken op keukenpapier. Strooi terwijl ze nog warm zijn wat fijn tafelzout over de pinda's.

399. DROOG GEBAKKEN AUBERGINES I
(Gorengan terong)

1 grote terong (aubergine)
olie
KRUIDEN:
asem ter grootte van een walnoot
peper
zout

Was de terong en snijd haar met schil en al in plakken van
± 1 cm dikte. Bestrooi ze met peper.
Maak een asempapje met het zout en 1 à 2 lepels water. Laat hierin de terong marineren. Bak ze dan in de olie lichtbruin.

400. DROOG GEBAKKEN AUBERGINES II
(Gorengan terong)

1 grote terong (aubergine)
1 ei
1 lepel bloem
1 à 2 lepels water
KRUIDEN:
olie
peper
zout

Was de aubergine, snijd haar in plakken en bestrooi die met peper en zout. Maak een beslagje van ei, bloem, water en zout. Haal
hier de plakken aubergine doorheen en bak ze in de olie (of boter)
geelbruin.

401. GIMBAL OEDANG (garnalenkoekjes)

1/4 kg garnalen
1 ei
3 eetlepels bloem
4 eetlepels gesnipperde santen
2 dl water
KRUIDEN:
1 eetlepel gesneden prei
1 theelepel ketoembar
olie
zout

Hak de garnalen samen met de prei fijn. Los de santen op in het
water. Wrijf de garnalen en de prei fijn met de ketoembar en de
bloem. Maak er met de santen een beslag van.

326

Verhit de olie in een pan. Laat telkens een eetlepel van het beslag in de pan glijden en bak hier een rond koekje van aan beide zijden geelbruin van kleur.

402. MIRENG OEDANG (garnalenkoekjes)

100 gram garnalen
100 gram rijstmeel
KRUIDEN:
1 dl water
2 eetlepels gesnipperde uien
1 theelepel ketoembar
1 theelepel koenjit
1 theelepel gemberpoeder
1 theelepel laos
olie
zout

Wrijf de uien samen met alle kruiden. Meng het rijstmeel aan met het water en meng de kruiden er doorheen. Roer er ook de garnalen doorheen en bak ze daarna in de hete olie bruin en knappend.

403. LOEMPIA

zie hiervoor: Hoofdstuk Mie en andere Chinese gerechten.

404. PANGSIT

zie hiervoor: Hoofdstuk Mie en andere Chinese gerechten.

405. GEGADO

100 gram zelfrijzend bakmeel

1 ei
1 dl water of bouillon
KRUIDEN:
sap van 1 teentje knoflook
2 eetlepels gesneden prei
2 eetlepels gehakte selderie
olie
zout

Maak van meel, ei, water en zout een dik beslag. Meng er de prei
en de selderie doorheen. Bak er in diep vet kleine bollen van, niet
groter dan een flinke walnoot, op de manier van oliebollen. Eet
ze met een van de zoet-zure sauzen (zie hiervoor Hoofdstuk
Sauzen).

ZUREN (Atjars)

Zuren komen in de Indonesische keuken zeer veel voor, gedeeltelijk als gerechten die als inmaak langere tijd houdbaar zijn, gedeeltelijk als frisse gerechten, die ook zonder koelkast door de bereiding met azijn zelfs in een tropisch klimaat de andere dag nog genuttigd kunnen worden.

Ze worden zowel van plantaardige als van dierlijke ingrediënten vervaardigd, ook de langer houdbare. Vele houdbare zuren worden met ingrediënten bereid die afwijken van de Europese, hoewel die ook wel gebruikt worden. In dit hoofdstuk zijn alleen de zuren met afwijkende kruidenmengsels opgenomen.

Bij een goede rijsttafel behoort minstens één atjar. Ook de gewone Europese zuren als komkommer, augurken en bieten in het zuur smaken er uitstekend bij. (Zorg er wel voor dat de potten waar de atjars in bewaard worden van te voren goed met sodawater worden gewassen).

406. VIS in het ZUUR I (Atjar ikan)

> 1 kg makreel
> olie
> 4 eetlepels azijn
> KRUIDEN:
> 3 eetlepels gesnipperde uien
> 2 gesnipperde teentjes knoflook
> 2 theelepels sambal oelek
> 4 gepofte kemiries
> $^1/_2$ theelepel koenjit
> 1 theelepel Javaanse suiker
> zout

Snijd de makreel in 2 à 3 stukken, zout ze en bak haar geelbruin in zeer hete olie. De vis hoeft niet helemaal gaar te zijn. Wrijf uien, knoflook, sambal, koenjit, kemiries en suiker met elkaar tot een brij, bak ze op in 3 eetlepels restant olie. Voeg er de azijn aan toe en een scheutje water en laat hierin de vis gaarstoven, maar niet al te gaar. Doe ze op in een schaal en giet de azijnsaus met de kruiden er overheen.

Dit gerecht blijft enkele dagen goed. Men kan het recept gebruiken om een restantje vis op te maken.

407. VIS in het ZUUR II (Atjar ikan)

1 kg scholfilets
olie
4 eetlepels azijn
KRUIDEN:
5 eetlepels gesnipperde uien
3 gesnipperde teentjes knoflook
2 lomboks
10 gepofte kemiries
2 theelepels koenjit
1 theelepel gemberpoeder
1 theelepel suiker
3 salamblaadjes
1 spriet sereh
zout

Wrijf de filets in met zout en 1 lepel azijn. Laat haar zo enige tijd
staan en bak haar dan goudbruin in de olie. Laat haar uitlekken.
Snijd de lomboks in ringetjes en ontdoe die van het zaad. Wrijf
uien, knoflook, koenjit, gemberpoeder en de kemiries met de suiker en een weinig zout tot een brij. Bak die op in 3 eetlepels van
het restant olie. Voeg er 2 à 3 eetlepels water aan toe, het restant
van de azijn, de sereh en de salamblaadjes. Laat dit enkele minuten doorkoken. Doe de vis op in een schotel en giet de saus over de
vis.
Dit gerecht is alleen geschikt voor platte vis. Heel lekker is het
van zoetwatervis als voorn en baars. Het kan enkele dagen bewaard worden.

408. VIS in het ZUUR III (Palembang)
(Atjar ikan)

^{1}/$_2$ kg kabeljauwmoten
olie
4 eetlepels azijn

KRUIDEN:
10 sjalotten of andere kleine uitjes
5 ontpitte lomboks
1 theelepel gemberpoeder
1 theelepel laos
6 kruidnagelen
$^1/_4$ nootmuskaat (niet geraspt)
5 peperkorrels

Bak de moten vis in de olie goudbruin.
Kook de sjalotten met de lomboks, de gemberpoeder, laos, kruidnagels en de peperkorrels even op in de azijn. Doe er op het laatst
de nootmuskaat bij, maar laat die niet meekoken. Giet de massa
na afkoeling over de vis.
Het gerecht is pas een dag na de bereiding lekker. Bereid met
een dubbele hoeveelheid azijn is ze lang houdbaar.

409. ZUUR van VIS IV (Atjar ikan)

$^1/_2$ kg moten kabeljauw
8 eetlepels olie
3 dl azijn
KRUIDEN:
3 eetlepels gesnipperde uien
3 gesnipperde teentjes knoflook
1 ontpitte gesnipperde lombok
1 theelepel Javaanse suiker
2 theelepels koenjit
1 theelepel gemberpoeder
2 theelepels Engelse mosterdpoeder (vismosterd van
Colmans)

Bak de vis in de olie goudbruin en laat haar uitlekken.
Wrijf uien, knoflook, lombok, suiker, koenjit en gemberpoeder
met elkaar tot een brij. Bak dit mengsel even op in 2 lepels van
het restant visolie. Voeg er de azijn aan toe en breng de massa
aan de kook. Roer de mosterd aan met een weinig water en azijn
en schenk die bij de kokende azijnsaus.

Schik de vis in een stopfles of weckpot en giet er de azijnsaus
kokend overheen.
Deze atjar is heel goed houdbaar.

410. ZUUR van VARKENSVLEES (Atjar babi)

1 kg varkenspoot (liefst het dijbeen)
¹/₂ l water
1 dl kooknat
1 dl azijn
KRUIDEN:
5 eetlepels gesnipperde uien
3 gesnipperde teentjes knoflook
1 theelepel sambal oelek
1 theelepel gemberpoeder
1 theelepel koenjit
3 theelepels Engelse mosterdpoeder (Colmans)
zout

Zet de varkenspoot op met water en zout en kook haar half gaar.
Snijd het vlees met het zwoerd in stukjes.
Wrijf de uien met de knoflook, de sambal, gemberpoeder en
koenjit met elkaar tot een brij. Breng 1 dl azijn aan de kook met
1 dl kooknat en de gewreven kruiden. Voeg hier het vlees aan
toe en laat het nog ± 20 minuten doorkoken. Meng de mosterdpoeder aan met een weinig azijn en voeg die op het laatst aan
het kooknat toe.
Bewaar deze atjar in goed gereinigde potten. Ze kan na enkele
dagen gegeten worden, maar is ook langer houdbaar mits op een
koele plaats bewaard.

411. ZUUR van EIEREN (Atjar telor)

6 eieren
1 eetlepel olie
1 à 2 eetlepels water
4 eetlepels azijn

KRUIDEN:
3 eetlepels gesnipperde uien
1 theelepel sambal oelek
1 lombok
3 gepofte kemiries
1 theelepel koenjit
1 spriet sereh
zout

Kook de eieren in 10 minuten hard, pel ze en snijd ze in twee helften. Wrijf de uien met de sambal, kemiries, koenjit en zout met elkaar tot een brij. Verwijder het zaad van de lombok en snijd haar in lange reepjes. Fruit de kruidenbrij in de olie, voeg er de reepjes lombok aan toe en daarna de sereh, de azijn en 1 à 2 eetlepels water.
Stoof de eieren in dit sausje circa 5 minuten.

412. EIEREN in het ZUUR
(Atjar telor — Bandjarmasin)

6 à 8 eieren
2 eetlepels olie
4 eetlepels azijn
KRUIDEN:
3 eetlepels gesnipperde uien
1 gesnipperd teentje knoflook
6 groene lomboks
zout

Kook de eieren 10 minuten, spoel ze af met koud water en pel ze. Snijd de groene lomboks doormidden en verwijder het zaad. Bak de uien en knoflook in de olie goudbruin, voeg er daarna de lomboks aan toe en de gepelde eieren en bak dit alles tesamen nog even door. Doe er de azijn bij en het zout en zo nodig nog een scheutje water en stoof het gerecht nog even door.
Het gerecht is niet lang houdbaar.

413. KOMKOMMER in het ZUUR I
(Atjar ketimoen)

1 grote komkommer
1 dl water
6 eetlepels azijn
KRUIDEN:
10 sjalotten (niet te vervangen door grote uien)
3 gesnipperde teentjes knoflook
10 lomboks
5 gepofte kemiries
1 eetlepel suiker
2 theelepels koenjit
zout

Schil de komkommer, halveer haar in de lengte, verwijder het zaad en snijd beide helften in stukken van ± 4 cm. Verwijder ook het zaad uit de lomboks en snijd ze in de lengte in dunne repen. Schil de sjalotten. Wrijf knoflook, kemiries, suiker, koenjit en zout tot een brij. Breng het water aan de kook met de azijn; voeg er de gewreven kruiden aan toe en laat die een kwartiertje op een zacht vuurtje trekken. Doe er dan de sjalotten en de stukjes komkommer bij. Laat de massa 2 minuten doorkoken en doe het gerecht op.

Deze atjar is niet lang houdbaar.

414. ZUUR van KOMKOMMERS II
(Atjar ketimoen)

> 2 groene komkommers
> 1 eetlepel olie
> 3 dl azijn
> KRUIDEN:
> 5 eetlepels gesnipperde uien
> 3 gesnipperde teentjes knoflook
> 4 ontpitte lomboks
> 4 gepofte kemiries
> 1 theelepel suiker
> 2 theelepels koenjit
> 2 theelepels gemberpoeder
> zout

Was de komkommers zeer goed schoon, ontdoe ze van het zaad en snijd ze ongeschild in de lengte doormidden en iedere helft weer in even grote stukken van ± 2 cm. Bestrooi ze flink met zout en laat ze op een zeef enige uren uitlekken.

Wrijf de uien, knoflook, kemiries met de suiker, koenjit en gemberpoeder tot een brij. Fruit dit op in de olie. Voeg er dan de azijn aan toe en de in repen gesneden lomboks en laat de massa even goed doorkoken.

Droog de stukken komkommer af met een schone doek, schik ze in jampotten en overgiet ze met de afgekoelde kruidenazijn.

415. ZUUR van KOMKOMMERS III
(Atjar ketimoen)

1 grote komkommer
2 dl azijn
KRUIDEN:
1 theelepel koenjit
1 theelepel gemberpoeder
1 theelepel suiker
6 peperkorrels
zout

Schil de komkommer, verwijder het zaad en rasp ze op een grove rasp. Bestrooi haar ruim met zout en laat haar op een zeef onder iets zwaars een nacht lang uitlekken op een koele plaats. Kook de azijn op met de suiker, koenjit en de gemberpoeder en laat de massa afkoelen. Droog het komkommerraspsel met een schone doek. Schik het in een jampot en overgiet het met de afgekoelde azijn. Deze atjar is beperkt houdbaar in de koelkast.

416. ZUUR van TOMATEN en KOMKOMMER zonder AZIJN
(Atjar tanpa tjoeka — Poerwokerto)

1 grote komkommer
5 middelgrote tomaten
1 eetlepel olie
sap van 1 citroen
KRUIDEN:
5 sjalotten (niet te vervangen door grote uien)
2 gesnipperde teentjes knoflook
2 theelepels koenjit
5 lomboks
4 theelepels suiker
peper
zout

Schil de komkommer, halveer haar in de lengte en verwijder het zaad. Schil de sjalotten en snijd ze in tweeën. Verwijder ook de pitten uit de lomboks en snijd ze in de lengte in dunne repen van

± 2 cm. Was de tomaten en snijd ze in vieren. Wrijf knoflook, koenjit, suiker, peper en zout met elkaar fijn, fruit deze kruiden-brij in de olie op een klein pitje. Voeg er dan de sjalotten aan toe en de lombok en fruit die ook even mee. De sjalotten mogen niet uiteen vallen. Voeg er daarna de komkommer en de tomaten bij en schep de massa goed om en om. Doe er het citroensap bij, breng het gerecht aan de kook en doe het dan onmiddellijk op. Ook deze atjar is niet lang houdbaar.

417. TIMOREES ZUUR (Atjar Timor)

> $^1/_2$ **komkommer**
> **100 gram taogé**
> **100 gram kool** (witte, groene of savooyekool)
> **4 eetlepels azijn**
> **KRUIDEN:**
> **8 sjalotten** (gehalveerd)
> **sap van 3 teentjes knoflook**
> **2 lomboks**
> **2 theelepels gemberpoeder**
> **1$^1/_2$ eetlepel suiker**
> **zout**

Kook de azijn met de suiker, het knoflooksap en het zout en strooi er de gemberpoeder in. Maak de groente schoon, laat ze uitlekken. Kook de komkommer (ontpit en in stukjes gesneden) en de in kleine stukjes gesneden kool 5 minuten op in de azijnsaus. Verwijder de pitten van de lomboks en snijd ze in lange reepjes, kook ook die mee. Roer er daarna de taogé doorheen en laat de atjar nog een minuut koken.

418. GEMENGD ZUUR I (Atjar tjampoer)

> **100 gram witte kool**
> **100 gram taogé**
> **100 gram prinsesseboontjes**
> **100 gram worteltjes**
> $^1/_2$ **komkommer** (van zaad ontdaan en in stukjes sneden)

4 groene lomboks
8 eetlepels azijn
KRUIDEN:
3 eetlepels gesnipperde uien
2 gesnipperde teentjes knoflook
1 rode lombok (ontpit en in lange reepjes gesneden)
4 gepofte kemiries
1½ theelepel gemberpoeder
2 theelepels koenjit
2 eetlepels suiker
1 spriet sereh
zout

Was de groenten, ontpit de lombok en snijd alle groente (kool, worteltjes, boontjes) in kleine stukjes. Spoel de taogé schoon onder de kraan, halveer de lomboks in de lengte. Kook alle groenten, de taogé uitgezonderd, even op in water en wat zout. Laat ze uitlekken. Wrijf uien, knoflook, kemiries, gemberpoeder, koenjit en wat zout met elkaar tot een brij. Voeg er de azijn en de suiker aan toe en breng dit alles aan de kook. Doe er als de azijn kookt de voorgekookte groenten (boontjes, worteltjes, groene lomboks en komkommer) bij en het laatst de kool en de taogé en de reepjes rode lombok. Laat dit alles nog 1 minuut doorkoken.

419. GEMENGD ZUUR II
(Atjar tjampoer — Poerwokerto)

½ komkommer
100 gram witte kool
100 gram worteltjes
100 gram taogé
1 lombok
2 eetlepels olie
8 eetlepels azijn
KRUIDEN:
6 sjalotten (gehalveerd)
2 gesnipperde teentjes knoflook
5 gepofte kemiries
1 theelepel koenjit
½ theelepel gemberpoeder

1 eetlepel suiker
zout

Schil de komkommer, halveer haar en verwijder het zaad. Snijd haar overlangs in stukjes van 1 vingerdikte en ± 3 cm lang. Snijd ook de kool in stukjes van ongeveer gelijke grootte en doe hetzelfde met de worteltjes. Verwijder het zaad uit de lombok en snijd haar ook overlangs in dunne reepjes. Wrijf de knoflook met de kemiries, koenjit, gemberpoeder, suiker en zout met elkaar tot een brij en fruit die op in de olie. Breng de azijn aan de kook met de kruiden, voeg er eerst de worteltjes aan toe en na 5 minuten de kool en de komkommer. Enkele minuten daarna ook de taogé en de lombok. Laat de atjar dan nog een minuut doorkoken.

420. HELDER ZUUR (Atjar bening)

$^1/_2$ **komkommer**
100 gram worteltjes
1 dl water
100 gram kool (witte, groene of savooyekool)
100 gram sjalotten of andere kleine uitjes
4—6 eetlepels azijn

341

KRUIDEN:
1 theelepel suiker
8 gekneusde peperkorrels
zout

Breng het water aan de kook met zout, suiker en peperkorrels.
Kook hierin de in stukjes gesneden worteltjes 6 à 8 minuten mee.
Voeg er daarna de azijn aan toe en roer er de rest van de in stukjes gesneden groenten doorheen. Laat de massa 2 minuten doorkoken. Niet houdbaar!

421. ZOETZUUR van ANANAS

1 blik ananasstukjes
2 eetlepels olie
1 dl water
6 eetlepels azijn
KRUIDEN:
2 eetlepels Javaanse suiker
3 eetlepels gesnipperde uien
3 ontpitte lomboks
$1/2$ theelepel ketoembar
mespuntje djinten
1 stukje pijpkaneel van ± 3 cm
6 kruidnagels
4 peperkorrels

Laat de ananas uitlekken. Kook de suiker op met 1 dl water en
zeef haar. Fruit de uien in de olie, voeg als ze slap geworden zijn
de ketoembar en de djinten, de kruidnagels, het pijpje kaneel en
de peperkorrels aan toe. Doe er dan het ananasvocht bij en de
azijn. Roer de stukjes ananas er doorheen. Proef of het gerecht
zuur genoeg is, de ene suikerstroop is zoeter dan de andere en ook
bevat het ene merk ananas meer vocht dan een ander soort. Gebruik zo nodig alleen de helft van het ananassap. Laat het zuur
enige dagen staan alvorens het te eten. Met meer azijn bereid is
het lang houdbaar.
Het restant van deze zoetzuur kan gebruikt worden om bv. jus
van varkensvlees af te maken of bij de bereiding van rode kool.

422. ZUUR van BIETEN (Atjar biet)

$^1/_2$ kg bieten
4 dl azijn
KRUIDEN:
3 à 4 schijfjes gemberwortel
2 à 3 kruidnagelen
4 peperkorrels
4 salamblaadjes
1 theelepel suiker
zout

Kook de bieten op de gewone manier, pel ze en snijd ze in blokjes van $\pm$ 2 cm. Kook de azijn op met de gemberwortel, kruidnagelen, peperkorrels, salamblaadjes, suiker en zout. Schik de stukjes biet in jampotjes en overgiet ze met de kruidenazijn.

423. ZUUR van BOONTJES
(Atjar boontjes — Wonosobo)

$^1/_2$ kg boontjes
1 dl bouillon
2 eetlepels olie
4 eetlepels azijn
KRUIDEN:
3 eetlepels gesnipperde uien
5 gepofte kemiries
1 theelepel koenjit
$^1/_2$ theelepel gemberpoeder
1 theelepel suiker
zout

Haal de boontjes af, was ze en breek ze in vieren. Wrijf de kemiries samen met suiker, zout, koenjit en gemberpoeder. Bak de uien in de olie en voeg er als ze goudbruin zijn de gewreven kruiden aan toe. Bak ook de boontjes mee tot ze slap worden. Voeg er de bouillon aan toe en stoof hierin het gerecht tot de boontjes bijna gaar zijn; roer er daarna de azijn doorheen.
Deze atjar is niet lang houdbaar.

424. ZUUR van GROENE LOMBOKS
(Atjar lombok hidjau)

1/4 kg groene lomboks
3 dl azijn
zout

Snijd steeltje en kroontje weg van de lomboks, was ze, bestrooi ze met ruim zout en laat ze op een zeef onder iets zwaars enkele uren, maar liefst een nacht uitlekken. Kook de azijn op. Schik de lomboks in jampotten en giet de afgekoelde azijn er overheen. Op dezelfde manier kan men ook rode lomboks inmaken en de kleine lombok rawit, kleine pepertjes die zeer scherp zijn en alleen geschikt voor liefhebbers. Deze atjar is heel goed houdbaar.

425. ZUUR van KOOL en TAOGÉ
(Atjar Ramping — Rembang)

100 gram taogé
200 gram kool (witte, groene of savooyekool)
200 gram worteltjes
1 dl water
4 eetlepels azijn
KRUIDEN:
3 eetlepels gesnipperde uien
3 gesnipperde teentjes knoflook
3 lomboks
5 gepofte kemiries
1 theelepel koenjit
1 theelepel gemberpoeder
2 theelepels Javaanse suiker
zout

Snijd de kool en de worteltjes in kleine stukjes. Verwijder de pitten van de lomboks en snijd ze in ringetjes. Spoel de taogé schoon onder de koude kraan. Wrijf uien, knoflook, kemiries, koenjit, gemberpoeder, suiker en zout tot een brij. Breng het water aan de kook met de azijn. Voeg er de worteltjes, de kool en de kruidenbrij bij en laat dit alles aan de kook komen. Roer er dan de lomboks en de taogé doorheen en dien het gerecht zodra het kookt op. Deze atjar is kort houdbaar.

426. ZUUR van RAMENAS (Atjar Lobak)

$^1/_4$ kg ramenas
4 eetlepels azijn

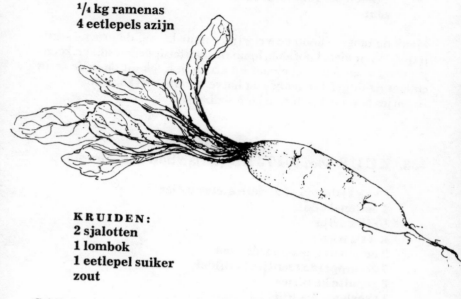

KRUIDEN:
2 sjalotten
1 lombok
1 eetlepel suiker
zout

Schil de ramenas en snijd haar in dunne plakjes. Bestrooi haar met zout en laat haar enige tijd uitlekken. Knijp haar daarna goed fijn. Snijd de sjalotten en de lombok (ontpit) in dunne schijfjes. Breng de azijn aan de kook met de suiker. Laat ze afkoelen. Schik de ramenasschijfjes op een schotel, versier haar met schijfjes uien en lombok en giet de azijn er overheen. Slechts enkele dagen houdbaar.

427. ZUUR van TAOGÉ (Atjar taogé)

$^1/_2$ kg taogé
3 dl azijn
KRUIDEN:
3 eetlepels gesnipperde uien
2 gesnipperde teentjes knoflook
2 ontpitte gesnipperde lomboks
$^1/_2$ eetlepel mosterdpoeder
2 theelepels suiker

1 theelepel koenjit
1 theelepel gemberpoeder
zout

Maak de taogé schoon en verwijder nauwkeurig de groene schilletjes. Wrijf uien, knoflook, lomboks, mosterdpoeder, suiker, koenjit, gember en zout met elkaar tot een brij. Kook dit op in de azijn en laat de uitgelekte taogé een halve minuut meekoken.
In potjes bewaard is deze atjar houdbaar.

428. ZUUR van UITJES (Atjar bawang Timor)

½ kg sjalotten of andere kleine uitjes
1 eetlepel olie
½ fles azijn
KRUIDEN:
2 eetlepels gesnipperde uien
3 gesnipperde teentjes knoflook
3 gepofte kemiries
1 theelepel koenjit
1 theelepel gemberpoeder
zout

Schil de uitjes, snijd ze niet door maar bestrooi ze met zout en laat ze enkele uren uitlekken.
Wrijf de gesnipperde uien met de knoflook, de gepofte kemiries, de koenjit en gemberpoeder tot een brij. Fruit die in de olie tot de uien lichtgeel zijn. Voeg de azijn er aan toe en kook die even mee. Laat de massa afkoelen.
Wrijf de sjalotten droog in een doek, schik ze in een jampot en giet de kruidenazijn er overheen.

429. ZUUR van RAUWE TOMATEN
(Atjar tomat mentah)

500 gram middelgrote tomaten (stevige)
1 eetlepel gehakte bieslook
sap van 1 citroen

KRUIDEN:
1 eetlepel gesnipperde uien
1 gesnipperd teentje knoflook
1/2 theelepel sambal oelek
1 eetlepel ketjap
peper
zout

Snijd de tomaten in plakken en schik ze op een schaaltje. Bestrooi
ze met peper, een weinig zout en de bieslook.
Wrijf uien en knoflook samen met de sambal, meng ketjap door
de brij en ook het citroensap. Giet dit sausje over de tomaten.
Deze atjar is slechts 1 à 2 dagen houdbaar.

430. CHUTNEY van KWETSEN I

1 kg kwetsen
1/2 l azijn
KRUIDEN:
1/2 kg grote uien, gesnipperd
4 gesnipperde teentjes knoflook
6 theelepels gemberpoeder
4 lomboks (ontpit)
500 gram donkere basterdsuiker
zout

Was de kwetsen, snijd ze middendoor en verwijder de pitten.
Wrijf de uien, knoflook, gemberpoeder met de fijngesneden ontpitte lomboks en een weinig zout tot een brij. Breng de azijn aan
de kook met dit kruidenmengsel en voeg er als ze kookt de kwetsen en de suiker aan toe. Kook de massa op een zeer laag vuur (gebruik bij gas een asbestplaatje) in tot ze de dikte van jam heeft.
Blijf roeren.
Doe de massa in potten. Sluit ze eerst als ze zijn afgekoeld. Minstens 6 weken bewaren alvorens ze te gebruiken.

431. CHUTNEY van KWETSEN II

1 kg kwetsen
1/2 l azijn
KRUIDEN:
1/4 kg gesnipperde uien
4 gesnipperde teentjes knoflook
500 gram donkere basterdsuiker
4 theelepels gemberpoeder
4 eetlepels bakgember
2 theelepels kaneelpoeder
1 theelepel nagelgruis
100 gram rozijnen
zout

Was de kwetsen, halveer ze en verwijder de pitten.
Wrijf de uien, knoflook, gemberpoeder, kaneel en nagelgruis met
een weinig zout tot een brij. Breng de azijn aan de kook met de
kruidenbrij. Voeg er als ze kookt de kwetsen en de suiker aan
toe en de rozijnen en de gehakte bakgember. Kook de massa onder goed roeren tot ze de dikte heeft van jam.
Verzorg ze verder als in recept 430.

432. ZOET-ZUUR van KWETSEN

1 kg kwetsen
1/2 l azijn

KRUIDEN:
$^1/_2$ theelepel gemberpoeder
2 stukjes pijpkaneel van $\pm$ 3 cm lang
8 kruidnagels
500 gram donkere basterdsuiker

Was de kwetsen, halveer ze en verwijder de pitten.
Kook de azijn op met de suiker, de pijpkaneel, kruidnagels en de gemberpoeder. Laat de massa iets indikken.
Schik de kwetsen in jam- of weckpotten. Giet er de kokende azijn met de kruiden overheen. Laat de flessen enkele dagen staan. Giet de azijn er af, breng die opnieuw aan de kook en giet haar weer over de kwetsen in de flessen.

INDONESISCHE SALADES
en andere
GROENTEGERECHTEN
die GEEN SAJOERS zijn

In Indonesië eet men veel halfrauwe groenten. Groenten die even in kokend water zijn ondergedompeld of die men bovenop de rijst enkele minuten heeft laten meestomen. Ze worden lalab genoemd.

Voor lalab worden tientallen groenten gebruikt: kool, komkommer, sla, maar ook groenten die in het wild groeien, langs de bosrand of aan de rivierkant, in een hoekje van het erf zijn opgekomen of zich als slingerplant in de heg hebben verward. Van dit soort „onkruid" wordt meestal de poetjoek, de jonge uitlopers, gegeten. Deze lalab is het allereenvoudigste gerecht van de Indonesische keuken. Men neemt een paar blaadjes tussen de vingers, haalt ze door een likje sambal en eet ze met droge rijst.

Belangrijk minder simpel zijn de pindasauzen, die men de Indonesische mayonaise zou kunnen noemen, niet omdat ze qua smaak of bereiding op mayonaise lijken, maar omdat ze dezelfde culinaire functie bezitten, n.l. die van „sladressing". De eenvoudigste pindasaus bestaat uit pindakaas vermengd met sambal, water, azijn en ketjap. Als variatie kunnen allerlei kruidencombinaties toegevoegd worden, dikte en zuurgraad kunnen verschillen en ook de bereiding kan afwijken. Soms wordt de pindakaas meegekookt, soms niet. Het culinaire hoogtepunt van de Indonesische slaschotels wordt gevormd door de gado-gado en de petjel. In beide worden zeer veel ingrediënten verwerkt. Het grappige verschijnsel doet zich voor, dat zowel de gado-gado als de petjel volkseten is, dat in draagbare gaarkeukentjes langs de huizen wordt gevent en tegelijkertijd tot de schotels behoren die de feestmaaltijd sieren. Hoewel op het eerste gezicht in opmaak beide gerechten erg op elkaar lijken, bestaat er toch een belangrijk smaakverschil tussen en wijkt ook de bereiding af. De pindasaus voor gado-gado wordt gekookt met santen. In de petjelsaus wordt geen santen verwerkt en behoren kentjoer en salamblad tot de kruiden die er niet in mogen ontbreken.

433. LALAB van KOMKOMMER I
(Lalab Ketimoen)

1 komkommer
sambal oelek of sambal terasi

Schil een komkommer, snijd haar in de lengte doormidden en verwijder het zaad. Snijd iedere helft nogmaals in de lengte doormidden en verdeel daarna de lange repen in de breedte in stukken van ± 4 à 6 cm. Het lekkerste is deze lalab van zeer jonge komkommers, die nog geen zaad hebben geschoten. Stapel de stukken komkommer op een schaaltje en serveer er apart de sambal bij. De lekkerste combinatie is die met sambal oelek of sambal terasi. Men legt een lepeltje sambal op de rand van het bord en haalt daar het uiteinde van de komkommer doorheen; bijt dat stukje af en haalt het restant opnieuw door de sambal.

434. LALAB van GEKOOKTE KOM-KOMMER II (Lalab Ketimoen)

1 grote komkommer
zout

Schil de komkommer, snijd haar doormidden en verwijder het zaad. Snijd haar vervolgens nogmaals in de lengte en in de breedte in tweeën. Breng water aan de kook met zout en laat de stukken komkommer 3 à 4 minuten meekoken. Laat ze uitlekken. Schik ze op een schotel en serveer er een petissaus bij.

435. LALAB van SLA (Lalab slada)

het binnenste van een slakropje
sambal, onverschillig welke

Pluk het hart van de sla niet helemaal uit, maar snijd het in de lengte in vieren. Serveer de stukjes met sambal. Ook kunnen grotere slabladeren gescheurd worden en op dezelfde manier gegeten.

436. LALAB van SPINAZIE (Lalab bajem)

een handvol jonge spinaziebladeren
sambal, onverschillig welke

Was de spinazie; laat ze uitlekken. Leg ze, gewikkeld in plastic even boven de kokende of stomende rijst. Haal ze uit de plastic en serveer ze met sambal.

437. LALAB van STERREKERS

50 gram sterrekers
sambal manis
sap van ¹/₂ citroen
1 theelepel ketjap

Meng de sambal manis aan met het sap van een halve citroen en wat ketjap. Meng hier doorheen – vlak voor het begin van de maaltijd – de sterrekers.

438. LALAB van KOOL (Lalab koebis)

> 4 à 6 koolbladeren uit het hart van de kool
> sambal, onverschillig welke

Overgiet de koolbladeren met kokend water en laat ze daarin afgedekt een poosje staan, zodat ze slap worden.
Laat ze uitlekken en besmeer ze met sambal. Heerlijke combinatie
is met sambal manis.

439. LALAB van SELDERIE (Lalab seldri)

> 1 bosje selderie
> 1 theelepel sambal oelek
> 1 theelepel ketjap
> 1/2 eetlepel azijn of citroensap

Snijd de wortels en harde steeldelen van de selderie weg en gebruik alleen de bladeren en de jonge stengeldelen. Hak ze in
grove stukken. Maak de sambal oelek aan met de azijn en ketjap
en roer er vlak voor het begin van de maaltijd de selderie doorheen.

440. LALAB van TAOGÉ I (Lalab taogé)

> 100 gram taogé
> 1 theelepel sambal brandal
> 1 eetlepel azijn
> 1 theelepel ketjap

Maak de taogé schoon; spoel haar af met kokend water. Laat haar
uitlekken en vermeng haar met een sausje op dezelfde manier van
recept 439. Deze lalab hoeft niet op het laatste ogenblik gemaakt
te worden.

441. LALAB van TAOGÉ II (Lalab taogé)

$^1/_4$ kg taogé
1 eetlepel gehakte selderie
SAUS: gekookte petissaus

Spoel de taogé schoon en verwijder de schilletjes. Maak een van
de twee gekookte petissausen (zie Hoofdstuk Sausen). Roer er de
taogé doorheen. Doe haar op en bestrooi haar met de gehakte
selderie.

442. LALAB van TOMAAT (Lalab tomat)

2 grote tomaten
1 theelepel sambal terasi
1 eetlepel ketjap
sap van 1 teentje knoflook
sap van $^1/_2$ citroen
1 theelepel slaolie

Dompel de tomaten een minuut in kokend water. Trek er de schil
van af, snijd ze in dikke plakken.
Vermeng de sambal met de ketjap, het knoflooksap en citroensap
en enkele druppels slaolie. Giet dit sausje over de plakken tomaat.
Kort voor het opdienen bereiden.

443. LALAB van AUBERGINES (Lalab terong)

Schil de aubergines zo dun mogelijk. Gebruik kleine aubergines.
Verwijder zo nodig het zaad. Snijd ze in dobbelsteentjes.
Maak een sausje als in het recept voor Lalab tomaat is aangegeven, maar gebruik het sap van een hele citroen en meng hier
doorheen de stukjes aubergines.

444. LOTEK (W. Java)

100 gram spinazie
100 gram kool
150 gram boontjes
100 gram taogé
1 gekookte aardappel

KRUIDEN:

5 eetlepels pindakaas
2 theelepels sambal oelek
$^1/_2$ theelepel kentjoer
2 eetlepels keuken-tamarinde (zoete asembrij)

Kook de groenten in water en zout enkele minuten op, de boontjes iets langer; de taogé alleen even onderdompelen. Maak de aardappel fijn, vermeng haar met de pindakaas, de sambal en de kentjoer en de asembrij. Voeg er nog 1 à 2 eetlepels water aan toe en meng er de uitgelekte groenten doorheen.

445. KAREDOK (Preanger)

1/2 kleine komkommer
100 gram taogé
100 gram boontjes
100 gram kool
1 kleine aubergine
KRUIDEN:
5 eetlepels pindakaas
2 eetlepels gesnipperde uien
2 gesnipperde teentjes knoflook
1/2 theelepel kentjoer
2 theelepels sambal oelek
4 eetlepels keuken-tamarinde (zoete asembrij)
3 à 4 eetlepels water

Schil de komkommer en de aubergine. Snijd kool, boontjes, aubergine en komkommer uiterst dun. Spoel de taogé af met koud water. Wrijf uien, knoflook, sambal, kentjoer, pindakaas, asem en zout met elkaar tot een brij. Meng deze saus met de groenten.

446. KOELOEBAN (Poerwokerto)

1 kleine struik andijvie
100 gram boontjes
100 gram spinazie
100 gram taogé
1/2 kokosnoot of 200 gram kokosmeel
1 eetlepel olie
KRUIDEN:
2 gesnipperde teentjes knoflook
2 theelepels sambal terasi

359

½ theelepel kentjoer
1 theelepel Javaanse suiker
zout

Maak de groenten schoon en was ze. Kook de boontjes half gaar evenals de andijvie. Kook de spinazie niet langer dan 2 à 3 minuten of stoom haar, in plastic gewikkeld, samen met de rijst. Overgiet de taogé met kokend water.

Wrijf knoflook, sambal, kentjoer, suiker en zout met elkaar tot een brij en fruit ze in de olie. Rasp het witte vruchtvlees van de kokosnoot fijn. Wie daar tegen op ziet kan kokosmeel gebruiken, gemengd met 2 eetlepels gesnipperde santen, opgelost in 2 à 3 eetlepels water.

Meng de kruidenbrij met de geraspte kokosnoot door elkaar en meng er de uitgelekte groenten doorheen.

447. OELANG — OELANG (Ambon)

1 middelgrote aubergine
½ komkommer
100 gram taogé
100 gram kool
100 gram kenari, te vervangen door amandelen
2 eetlepels azijn
KRUIDEN:
2 eetlepels gesnipperde uien
2 gesnipperde teentjes knoflook
2 theelepels sambal terasi
1 theelepel Javaanse suiker
zout

Maak de groenten schoon. Schil de komkommer en de aubergine. Snijd beide met de kool in kleine stukjes.

Wrijf uien, knoflook, sambal, suiker en zout met elkaar fijn met de gepelde amandelen en verdun deze brij met de azijn en eventueel nog een eetlepel water. Meng hier doorheen de rauwe groenten.

oogstoffer op Bali

448. OERAPAN I

1 kleine struik andijvie
een handvol waterkers
of veldsla
100 gram taogé
¹/₃ kokosnoot

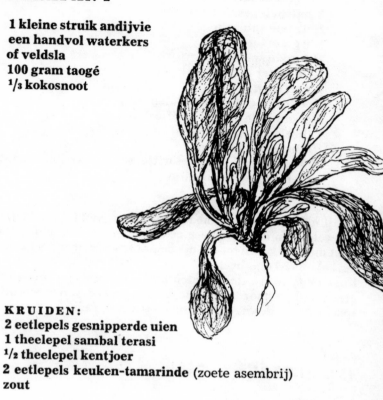

KRUIDEN:
2 eetlepels gesnipperde uien
1 theelepel sambal terasi
¹/₂ theelepel kentjoer
2 eetlepels keuken-tamarinde (zoete asembrij)
zout

Overgiet de schoongemaakte taogé met kokend water. Kook de andijvie (gesneden) enkele minuten, ze moet knappend blijven. Snijd de gewassen waterkers (of veldsla) in stukjes. Rasp de kokosnoot; indien kokosmeel wordt gebruikt: los de gesnipperde santen op in het water en meng ze door het kokosmeel. Wrijf uien, sambal, kentjoer, asem en zout met elkaar fijn. Vermeng de kruiden met de geraspte kokos en de groenten.

449. OERAPAN II

100 gram boontjes
100 gram kokosmeel

100 gram andijvie
2 eetlepels gesnipperde santen
200 gram spinazie
100 gram taogé
100 gram spitskool
$^1/_2$ dl water
KRUIDEN:
2 eetlepels gesnipperde uien
1 gesnipperd teentje knoflook
1 theelepel sambal terasi
$^1/_2$ theelepel kentjoer
200 gram kool (groene, witte, savooye- of bloemkool)
1 djeroek poeroetblaadje
zout

Wrijf uien, knoflook, sambal, kentjoer en zout tot een brij. Breng het water aan de kook, voeg er de santen en de kruiden aan toe. Laat dit alles koken tot het dik begint te worden en roer er daarna het kokosmeel doorheen.
Kook ondertussen de groenten half gaar in water met zout, uitgezonderd de taogé, die alleen met kokend water wordt afgespoeld. Meng de uitgelekte groenten met de saus.

450. PETJEL

250 gram andijvie
250 gram spinazie
100 gram boontjes
200 gram taogé
200 gram kool (groene, witte, savooye- of bloemkool)
$^1/_2$ pot pindakaas
1 à 2 dl water
2 eetlepels olie
KRUIDEN:
5 eetlepels gesnipperde uien
2 gesnipperde teentjes knoflook
2 theelepels sambal terasi
3 eetlepels keuken-tamarinde (zoete asembrij)
1 eetlepel azijn
1 theelepel Javaanse suiker

½ theelepel kentjoer
zout

Maak de groenten schoon en kook ze met een weinig zout één voor
één even op, zò dat ze knappend blijven. De taogé wordt niet gekookt en alleen met kokend water afgespoeld. Laat de groenten
goed uitlekken. Wrijf de uien met de knoflook, de sambal, suiker,
kentjoer en zout met elkaar tot een brij. Fruit ze in de olie tot de
uien geel zijn. Meng er de pindakaas doorheen; heel makkelijk
gaat dat in de mengkom met een mixer. Maak van het water en
de asem een papje (na de zaden en vliezen te hebben verwijderd)
en roer dit lepelsgewijze door de massa. De saus moet dik zijn
als slasaus. Schik de uitgelekte groenten op een schotel en overgiet
haar met de saus.
De gekookte groenten kunnen al naar gelang het seizoen gevarieerd worden. Ze moeten bestaan uit:
1) donkergroene groente als andijvie, boerenkool, spinazie;
2) lichtgroene groente als jonge spinazie, raapsteeltjes, boontjes,
   groene of savooyekool;
3) witte groente als taogé, witte kool of bloemkool.

451. GADO — GADO

100 gram kool (witte, groene, savooye- of bloemkool)
100 gram boontjes
100 gram taogé
½ komkommer
2 grote gekookte aardappelen
3 slabladeren
2 lepels gehakte selderie
¼ blok tahoe
¼ plak tempe
⅙ blok santen
½ pot pindakaas
10 gram emping belindjoe
10 gram kroepoek oedang
2 hardgekookte eieren
2 eetlepels olie
2 dl water
1 eetlepel azijn

KRUIDEN:
3 eetlepels gesnipperde uien
2 gesnipperde teentjes knoflook
2 theelepels sambal terasi
stuk asem ter grootte van 2 walnoten
2 theelepels Javaanse suiker
1 eetlepel ketjap
zout

Maak de groenten schoon; kook kool en boontjes even op. Spoel de taogé af met kokend water. Laat de groenten uitlekken.

Maak een asempapje van 3 lepels water, asem en zout; snijd de tempe en tahoe in plakjes en marineer ze in dit papje.

Bak de kroepoek en de emping en in het restant olie de helft van de uien. Wrijf de rest van de uien met de knoflook, sambal, suiker en zout met elkaar tot een brij, fruit ze op tot de uien geel zijn.

Breng het water aan de kook met de santen en de kruidenbrij en meng de pindakaas er doorheen en tenslotte het asemwater, de azijn en de ketjap.

Bak de stukjes tahoe en tempe lichtbruin.

Leg een rand van slabladeren rond de schotel en schik de gekookte groenten en de in plakjes gesneden aardappelen er op, overgiet ze met de pindasaus en garneer de bovenkant met de gebakken stukjes tahoe en tempe, de emping en de kroepoek, plakjes uitgetande ongeschilde komkommer. Strooi er de gebakken uien en de gehakte selderie overheen.

De gekookte groenten kunnen naar gelang van het seizoen gevarieerd worden (zie recept 450).

In plaats van de saus er overheen te gieten kan men haar ok apart erbij serveren. Men versiert de bovenkant van de groenten op dezelfde manier.

452. ORAK — ARIK I
(Fijngesneden groenten met gehakt)

> ½ kg kool (groene of spitskool)
> 100 gram gehakt
> 2 eieren
> 2 eetlepels olie
> KRUIDEN:
> 3 eetlepels gesnipperde uien
> 2 gesnipperde teentjes knoflook
> peper
> zout

Snijd de kool uiterst fijn. Braad het gehakt los in de olie, voeg er de uien, knoflook, zout en peper aan toe. Iets meer peper dan gewoonlijk. Fruit als het gehakt gaar is de fijngesneden kool even mee, ze moet knappend blijven.

Klop de eieren los met peper en zout. Meng ze door de bradende massa en blijf roeren tot het ei gestold is.

453. ORAK — ARIK II (met garnalen)

100 gram peultjes
100 gram bloemkool
100 gram worteltjes
100 gram prei
2 eetlepels gehakte selderie
100 gram garnalen
2 eieren
2 eetlepels olie
KRUIDEN:
2 eetlepels gesnipperde uien
1 gesnipperd teentje knoflook
2 gesnipperde lomboks zonder pit
peper
zout
nootmuskaat
mespuntje vetsin

Snijd alle groenten uiterst fijn. Snijd of hak ook de garnalen heel fijn. Fruit ui, knoflook en lombok en voeg er, als de uien geel zijn, de garnalen aan toe. Bak ook de fijngesneden groenten mee. Klop de eieren met zout, peper en nootmuskaat en roer die als de groenten halfgaar zijn voorzichtig er doorheen. Blijf roeren tot het ei gaat stollen. Roer er voor het opdoen de selderie en de vetsin doorheen.

454. TJARANTJAM I

100 gram taogé
$^1/_2$ komkommer
100 gram jonge worteltjes
$^1/_2$ bosje radijsjes
100 gram kokosmeel
2 eetlepels gesnipperde santen
KRUIDEN:
2 eetlepels gesnipperde uien
1 gesnipperd teentje knoflook
1 theelepel sambal oelek
mespuntje kentjoer

2 eetlepels keuken-tamarinde
1 eetlepel verse basilicum
zout

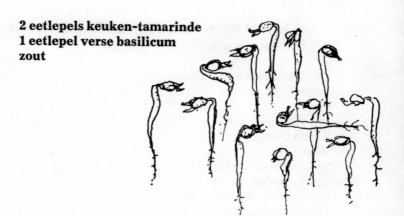

Was de groenten, snijd ze fijn en laat ze uitlekken. Koop taogé met korte wortels, spoel ze af onder de koude kraan. In dit gerecht blijven alle groenten rauw.

Wrijf ui, knoflook, sambal en kentjoer tot een brij. Wrijf ook de gesnipperde santen mee en roer er het kokosmeel doorheen en tenslotte de tamarinde en het zout. Werk deze dikke saus door de rauwe groenten. Even proeven op zout en zuur. Eventueel enkele druppels citroensap toevoegen en de basilicum. Als verse basilicum niet verkrijgbaar is, gedroogde gebruiken en die meewrijven met de uien.

455. TJARANTJAM II

$1/2$ komkommer
de hartjes van 2 kropjes sla
50 gram kokosmeel
1 eetlepel gesnipperde santen
citroensap
KRUIDEN:
1 eetlepel fijngesneden prei
sap van 1 teentje knoflook
1 theelepel sambal manis
1 eetlepel verse basilicum
zout

Bereiding: zie recept 454.

456. AUBERGINES met TJOLOH-TJOLOH-SAUS (Ambon) (Tjoloh-tjoloh)

1 middelgrote aubergine
1 theelepel slaolie
zout
sap van 1 citroen
KRUIDEN:
voor de saus:
3 sjalotten of andere kleine uien (gesnipperd)
1 gesnipperd teentje knoflook
1 theelepel sambal oelek
1 theelepel ketjap

Wrijf ui, knoflook en sambal tot een brij. Roer er de ketjap, de slaolie en het citroensap doorheen.
Snijd de aubergines in dunne plakjes, bestrooi ze met zout en meng ze door de saus.

457. SMOOR van AUBERGINES (Semoer terong)

1 grote aubergine
1 dl bouillon of jus
citroensap
2 eetlepels olie
KRUIDEN:
1 eetlepel gesnipperde uien
1 theelepel sambal oelek
ketjap
zout

Snijd de aubergine met schil en al in dikke plakken en bestrooi die met zout. Bak de uien met de sambal in de olie. Bak de plakken aubergine mee. Voeg er de bouillon, de ketjap en citroensap bij en laat het gerecht nog even stoven.

458. SMOOR van AUBERGINES met TOMAAT

1 middelgrote aubergine
2 grote tomaten
3 eetlepels olie
enkele druppels citroensap
KRUIDEN:
1 eetlepel gesnipperde uien
1 theelepel sambal oelek
1 theelepel Javaanse suiker
1 eetlepel ketjap
zout

Snijd de aubergine met schil en al in dikke plakken, bestrooi ze met zout en bak ze aan beide zijden bruin, maar niet gaar in de olie.
Wrijf ui, sambal en suiker tesamen met de geschilde tomaten. Bak ze op in het restant olie. Laat ze iets indikken. Maak de saus af met ketjap en citroensap en strijk ze over de plakken aubergine.

459. INDONESISCHE PASTEI I (Pastel)

aardappelpuree van $1/2$ kg aardappelen
$1/4$ kg rauw gehakt of restant gebraden gehakt
100 gram gekookte worteltjes
klein blikje doperwten
10 gram laksa
2 hardgekookte eieren
1 rauw ei
1 grote prei
2 eetlepels gehakte selderie
paneermeel
boter
KRUIDEN:
$1/2$ theelepel nootmuskaat
$1/2$ theelepel kaneel
$1/2$ theelepel nagelgruis
$1/2$ theelepel peper
$1/2$ theelepel kerrie

Week de laksa in lauw water. Snijd de prei in schijfjes en bak haar in 2 à 3 lepels boter of het vet van een restant jus. Bak het gehakt mee met de kruiden. Wanneer een restant gebraden gehakt gebruikt wordt moeten de balletjes eerst met een vork fijn gemaakt worden. Voeg daar de worteltjes aan toe en de erwtjes, 1 à 2 dl vocht van de erwtjes of restant jus. Doe er de uitgeknepen laksa bij en laat de massa even zachtjes doorkoken. Meng er de selderie doorheen en doe dit alles over in een met boter besmeerde vuurvaste schotel. Snijd de hardgekookte eieren in plakjes en leg die er bovenop. Maak op de gewone manier aardappelpuree maar gebruik iets meer peper en meng er een losgeklopt ei doorheen. Bedek de laag eierplakjes met een laag aardappelpuree, strooi er paneermeel overheen en leg over het gehele oppervlak verdeeld klontjes boter.

Zet de schotel $\pm$ $^1/_2$ uur in een oven van 250 °C (gasovenstand 5-6). Laat er een bruin korstje op komen.

460. PASTEI II (Indonesisch-Chinees)

       aardappelpuree van $^1/_2$ kg aardappelen
       4 gebraden saucijsjes
       50 gram koeping tikoes (Chinese champignons)
       50 gram sedep malem
       10 gram laksa
       1 grote fijngesneden prei
       2 eetlepels gehakte selderie
       sap van 1 teentje knoflook
       1 gesnipperd teentje knoflook
       2 eetlepels gebakken uien
       2 hardgekookte eieren
       1 rauw ei
       peper
       zout
       boter
       paneermeel
       mespuntje vetsin

Week de koeping tikoes, de sedep malem en de laksa elk apart enige tijd van tevoren.

Bak de uien knappend bruin en maak de aardappelpuree op de gewone manier, vermeng haar met het losgeklopte ei. Eventueel er het sap van een teentje knoflook doorheen roeren.

Haal het vel van de saucijsjes af en snijd ze in plakjes. Bak ze op met de prei en de knoflook. Maak de jus af met een restje oude jus en het weekwater van de koeping tikoes. Snijd de koeping tikoes in stukjes, evenals de sedep malem. Stoof ze met de saucijsjes en voeg er ook de laksa aan toe, die even mee moet stoven. Meng er tenslotte de vetsin doorheen.

Doe de massa over in een beboterde vuurvaste schotel, strooi er de selderie overheen en bedek ze met de in partjes gesneden eieren en de gebakken uien. Strijk over dit alles de aardappelpuree, bestrooi het oppervlak met paneermeel en leg er wat klontjes boter op. Zet de schotel $^1/_2$ uur in een oven van 250 °C (gasovenstand 5–6). Laat er een bruin korstje op komen.

SAUZEN

Zeer vele Indonesische gerechten worden in sauzen gestoofd. Om die soort sauzen gaat het hier echter niet. In dit hoofdstuk zijn een aantal sauzen opgenomen, die apart bij de gerechten worden geserveerd. Ze zijn in drie verschillende categoriën in te delen: de KETJAPSAUZEN, meestal bij vlees, vis of gevogelte geserveerd;

de KATJANG (Pinda)-SAUZEN, die hoofdzakelijk bij groenten worden gegeten en

de ZOET-ZURE en CEMBERSAUZEN, die van Chinese origine zijn.

461. EENVOUDIGE KETJAPSAUS

2 gesnipperde teentjes knoflook
2 eetlepels ketjap
1/2 eetlepel azijn of citroensap

Wrijf de knoflook fijn, giet er de ketjap bij en de azijn of het citroensap. Eventueel nog enkele druppels water. Wrijf alles nog even samen.

462. HETE KETJAPSAUS I

2 gesnipperde teentjes knoflook
1 theelepel sambal oelek of sambal terasi
2 eetlepels ketjap
1/2 eetlepel azijn of citroensap

Bereiding: zie recept 461

463. HETE KETJAPSAUS II

1 eetlepel gesnipperde uien
1 gesnipperd teentje knoflook
1 gesnipperde lombok (ontpit)
2 eetlepels ketjap
1 eetlepel azijn of citroensap
1 eetlepel olie

Wrijf ui, knoflook en lombok met elkaar tot een brij. Maak de olie heet en werk de brij al wrijvend er doorheen. Afmaken met ketjap en azijn of citroensap.
Wanneer deze saus bij vis wordt gegeven kan een restant van de olie waarin de vis is gebakken gebruikt worden.

464. ZOET-ZURE KETJAPSAUS

1 eetlepel gesnipperde uien
2 gesnipperde teentjes knoflook
1 theelepel Javaanse suiker
$^1\!/_2$ theelepel djinten
3 eetlepels ketjap
2 eetlepels keuken-tamarinde (gezoete asembrij)
2 eetlepels olie

Wrijf ui, knoflook, suiker en djinten met elkaar tot een brij. Meng er al wrijvend ketjap en tamarinde doorheen en vervolgens de olie. Wanneer zoete ketjap gebruikt wordt kan de suiker weggelaten worden. Soms is de zoete ketjap erg zoet. Voeg er dan nog enkele druppels citroensap aan toe.
Deze saus kan bij sate gebruikt worden.

465. EENVOUDIGE PETISSAUS

1 eetlepel petis oedang (garnalen petis)
1 eetlepel gesnipperde uien
1 gesnipperd teentje knoflook
1 theelepel sambal terasi
1 eetlepel keuken-tamarinde (gezoete asembrij)

Wrijf ui, knoflook, sambal tesamen en meng er al wrijvende de petis doorheen en de tamarinde.

Deze sambal smaakt lekker bij Lalab Ketimoen, Lalab taogé en Lalab kool en ook bij gebakken vis.

466. GEKOOKTE PETISSAUS I

1 eetlepel petis oedang (garnalen petis)
1 eetlepel gesnipperde uien
1 gesnipperd teentje knoflook
1 theelepel sambal terasi
$^1/_2$ theelepel Javaanse suiker
stukje asem ter grootte van een walnoot
$^1/_2$ theelepel gemberpoeder
$^1/_2$ theelepel laos
1 spriet sereh
1 djeroek poeroetblad
1 salamblaadje

Wrijf ui, knoflook, sambal, suiker, gemberpoeder en laos tot een brij. Meng er al wrijvende de petis doorheen.

Maak asemwater door de asem te kneden met 3 à 4 eetlepels water, zeef het. Kook hierin de kruiden-petis-brij op samen met de sereh, djeroek poeroetblad en salamblaadje.

467. GEKOOKTE PETISSAUS II
   (van Midden-Java)

1 eetlepel petis oedang (garnalen petis)
1 eetlepel gesnipperde uien
1 gesnipperd teentje knoflook
1 theelepel sambal oelek
$^{1}/_{2}$ theelepel koenjit
stukje asem ter grootte van een walnoot
2 eetlepels gesnipperde santen
5 eetlepels water
1 spriet sereh
1 djeroek poeroetblaadje
1 eetlepel olie

Wrijf ui, knoflook, sambal en koenjit met elkaar tot een brij, roer er al wrijvende de petis bij. Fruit deze brij in de olie.

Kneed de asem met water tot een papje, zeef het en voeg dit bij de kruiden. Roer er ook de santensnippers doorheen en laat de saus met de sereh en het djeroek poeroetblad nog even zachtjes stoven.

468. EENVOUDIGE PINDASAUS I
   (Saos Katjang)

$^{1}/_{2}$ pot pindakaas
2 theelepels sambal oelek
1 eetlepel zoete ketjap
2 eetlepels azijn
zout
water

Meng de pindakaas met de sambal, de ketjap en de azijn aan. Men kan dit met een stevige houten lepel doen. Bijzonder snel en makkelijk gaat het met een mixer: de pindakaas en de sambal in de mengkom doen, apparaat inschakelen, lepelsgewijs (anders spet het) het water toevoegen, de ketjap en de azijn. Proeven en eventueel iets meer azijn of zout bijvoegen. De saus moet de dikte hebben van slasaus.

469. EENVOUDIGE PINDASAUS II

$^1/_2$ pot pindakaas
3 eetlepels gesnipperde uien
1 gesnipperd teentje knoflook
1 theelepel sambal oelek
1 eetlepel zoete ketjap
1 eetlepel keuken-tamarinde
1 eetlepel azijn
zout
water

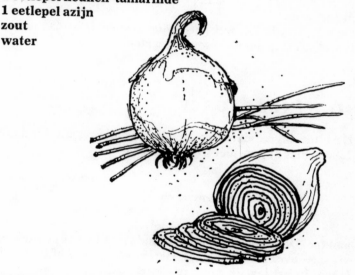

Wrijf ui, knoflook en sambal met elkaar tot een brij en meng er vervolgens al wrijvende de pindakaas, tamarinde, ketjap, azijn, zout en water doorheen.
Wie een mixer bezit wrijft daarin eerst ui, knoflook en sambal mee fijn en werkt, na het toevoegen van de pindakaas de saus af zoals in recept 468 is beschreven.

470. PINDASAUS III

¹/₂ pot pindakaas
2 eetlepels olie
water
1 eetlepel azijn

KRUIDEN:
3 eetlepels gesnipperde uien
2 gesnipperde teentjes knoflook
2 theelepels sambal terasi
3 eetlepels keuken-tamarinde
1 theelepel Javaanse suiker
¹/₂ theelepel kentjoer
zout

Wrijf de kentjoer samen met de ui, knoflook, sambal, suiker en zout tot een brij. Fruit ze in de olie tot de uien geel zijn. Doe er de pindakaas bij en maak de saus verder af zoals in recept 469 is aangegeven.

De saus wordt ook wel petjelsaus genoemd, omdat ze bij petjel (zie Hoofdstuk Salades) wordt gegeten.

471. PINDASAUS IV

Dezelfde ingrediënten en dezelfde bereiding als Pindasaus III. Laat echter de kentjoer weg en voeg er:

1 theelepel laos
1 theelepel ketoembar en
¹/₂ theelepel djinten

aan toe. Deze saus kan evenals Pindasaus I en II gebruikt worden bij sate, over hard gekookte eieren, gado gado of over gebakken tahoe. In het laatste geval iets meer azijn gebruiken.

Alle pindasausen kunnen voor het opdienen vermengd worden met 3 eetlepels gebakken uien.

472. PINDASAUS met SANTEN bereid

½ pot pindakaas
3 à 4 eetlepels gesnipperde santen
2 eetlepels olie
water
1 à 2 eetlepels azijn
KRUIDEN:
3 eetlepels gesnipperde uien
2 gesnipperde teentjes knoflook
2 theelepels sambal terasi
stuk asem ter grootte van 2 walnoten
2 theelepels Javaanse suiker
1 salamblaadje
zout

Wrijf uien met de knoflook, de sambal, suiker en zout tot een brij en fruit ze in de olie tot de uien geel zijn.
Breng 2 dl water aan de kook met de santen. Maak met wat eetlepels water en het stuk asem asemwater en zeef het.
Meng pindakaas, gefruite kruiden, santen en asemwater door elkaar. Kook de saus op met het salamblad en maak haar af met de ketjap en de azijn.

473. EENVOUDIGE ZOET-ZURE SAUS I
(Indonesisch)

2 lomboks
1 grote, geschilde tomaat
3 eetlepels keuken-tamarinde
mespuntje zout

Ontdoe de lomboks van de pitten, spoel ze af onder de warme kraan en snijd ze in uiterst kleine reepjes.
Week de tomaat in kokend water, schil haar en snijd haar in plakjes. Wrijf lomboks en tomaat met wat zout tot een papje en roer er de tamarinde doorheen en eventueel nog een paar druppels citroensap.
Deze saus te gebruiken bij loempia, over omelet van tahoe, tahoeballetjes en pangsit.

474. EENVOUDIGE ZOET-ZURE SAUS II
(Indonesisch)

2 gesnipperde teentjes knoflook
2 lomboks
1 eetlepel zoete ketjap
1 à 2 eetlepels azijn

Wrijf de knoflook met de lomboks, die ontpit en in dunne reepjes gesneden zijn. Voeg er de ketjap en de azijn aan toe.
Te gebruiken bij vis, gebakken tahoe, sate babi (sate van varkensvlees).

475. EENVOUDIGE ZOET-ZURE SAUS III
(Chinees)

Meng:

¹/₃ deel tomatenketchup
¹/₃ deel chilisaus (Amay chilisaus in flesjes)
1 eetlepel Japanse soya

met elkaar. Eventueel een paar druppels citroensap toevoegen.
Gebruik haar bij droog gebakken Chinese gerechten.

476. ZOET-ZURE SAUS (Chinees)

>2 eetlepels azijn
>2 eetlepels suiker
>2 eetlepels soya
>sap van 1 teentje knoflook
>1 theelepel maizena
>2 eetlepels water

Doe de azijn, suiker, soya, knoflooksap en water in een pannetje. Breng het vocht aan de kook en bind het met de aangelengde maizena.

477. SAUS van TOMAAT en KETJAP

>2 grote tomaten
>2 eetlepels azijn
>1 eetlepel olie
>KRUIDEN:
>3 eetlepels gesnipperde uien
>2 gesnipperde teentjes knoflook
>1 eetlepel sambal oelek
>1 theelepel laos
>4 eetlepels zoete ketjap
>1 spriet sereh
>zout

Wrijf de ui fijn met de knoflook, sambal, de tomaten en de laos. Fruit de brij in een eetlepel olie. Voeg er ketjap, azijn en sereh aan toe en een scheut water.
Deze saus wordt gebruikt bij gebakken of geroosterde vis.

478. ZOET-ZURE GROENTESAUS I
(Indonesisch-Chinees)

>geel van 2 preitjes
>$1/4$ kleine bloemkool
>3 à 4 worteltjes

1 flinke tomaat
3 à 4 augurken
¹/₂ eetlepel maizena
olie
2 à 3 eetlepels azijn
KRUIDEN:
2 gesnipperde teentjes knoflook
2 eetlepels keuken-tamarinde

Maak de groenten schoon. Snijd de prei in de lengte in luciferstokjes. Doe hetzelfde met de worteltjes. Verdeel de bloemkool in roosjes. Week de tomaat in kokend water en schil haar. Wrijf de knoflook samen met de tomaat en de tamarinde. Fruit de prei met de bloemkool en de worteltjes even op in wat olie en voeg er daarna de gewreven massa, fijngesneden augurk en de azijn aan toe. Bind de saus met de maizena.
Gebruik de saus over gegrild varkensvlees of droog gebakken vis.

479. ZOET-ZURE GROENTESAUS II
(Chinees)

1 grote tomaat
5 à 6 champignons
2 kleine preitjes
1 eetlepel azijn
1 eetlepel suiker
1 eetlepel soya
sap van 1 teentje knoflook
1 theelepel maizena
1 eetlepel olie

Ontdoe de tomaat van haar schil en snijd haar in plakken. Snijd ook de champignons en de prei in dunne schijfjes.
Fruit alles tesamen in olie zonder dat ze geel wordt. Voeg azijn, suiker, soya en knoflooksap toe en zo nodig een scheut water. Laat de massa 2 à 3 minuten koken en bind haar met de maizena.

480. SOYA-AZIJNSAUS (Chinees)

3 eetlepels azijn
3 eetlepels soya
2 theelepels
suiker
3 eetlepels
olie

Kook de azijn op met de suiker en voeg er daarna de soya en de
olie bij. Te gebruiken over in plakken gesneden tomaat, komkommer of met kokend water overgoten taogé.

481. GEMBERSAUS

3 schijfjes gemberwortel
2 eetlepels azijn
2 theelepels suiker
1 eetlepel soya
2 theelepels maizena
1 dl bouillon

Trek de bouillon ± ¹/₄ uur met de gemberwortel. Voeg er daarna
azijn, suiker en soya aan toe en bind de saus met de aangelengde
maizena.

482. ZOET-ZURE GEMBERSAUS I

2 dl bouillon
2 sjalotten

2 teentjes knoflook
2 eetlepels tomatenpuree
1 theelepel gemberpoeder
2 eetlepels azijn
1 eetlepel gehakte bakgember
1 eetlepel olie
$^1/_2$ eetlepel maizena

Hak de sjalotten en de knoflook samen fijn en bak ze op in de
olie. Voeg er de gemberpoeder aan toe, de tomatenpuree, de
bouillon en de azijn. Bind het sausje met de maizena en roer er de
bakgember doorheen.

483. ZOET-ZURE GEMBERSAUS II
(Indonesisch-Chinees)

4 eetlepels witte suiker
2 schijfjes gemberwortel
4 eetlepels azijn
1 eetlepel soya
1 eetlepel gehakte bakgember
1 eetlepel maizena
2 dl water

Rasp de schijfjes gember. Meng ze door de suiker en brand onder
voorzichtig roeren de suiker tot caramel. Haal de pan van het
vuur en voeg er het water kokend bij.
Breng de massa nadat ze tot bedaren is gekomen opnieuw aan de
kook en laat haar zachtjes koken tot alle gebruinde suiker is opgelost. Voeg er de azijn aan toe en de soya en bind de saus met
de maizena. Roer er voor het opdoen de bakgember doorheen.

484. ZOET-ZURE GEMBER/GROENTE-
SAUS (Indonesisch-Chinees)

3 à 4 worteltjes
3 à 4 stronkjes bloemkool
2 dunne preitjes

1 flinke tomaat
zout
4 eetlepels witte suiker
2 schijfjes gemberwortel
4 eetlepels azijn
1 eetlepel soya
1 eetlepel maizena
2 dl water

Pel de tomaat en snijd haar in grove stukken. Snijd roosjes uit de
stukken bloemkool. Snijd de worteltjes en de prei overlangs in
reepjes. Kook de wortel en de bloemkool 5 minuten in een weinig
water met zout.
Maak de gembersaus als in recept 483 is aangegeven. Laat de bakgember weg. Roer er de voorgekookte groenten doorheen samen
met de prei. Laat dit alles even met de saus meestoven en roer er
vlak voor het opdoen de tomaat doorheen.

485. TAOTJO-SAUS (Indonesisch-Chinees)

1 eetlepel taotjo
3 eetlepels tomatenketchup
2 eetlepels chilisaus
1 eetlepel zoete ketjap
sap van 2 teentjes knoflook
1 schijfje gemberwortel
2 eetlepels water
citroensap

Rasp de gember, meng er de ketchup en de chilisaus doorheen, de
ketjap, de taotjo, het water en het knoflooksap. Meng er vlak
voor het opdoen enkele druppels citroensap doorheen. Proef de
saus, ze is gauw te zout; in het laatste geval aanlengen met wat
meer water.

486. CHINEES PEPER en ZOUTMENGSEL

3 eetlepels zout
3 theelepels zwarte peperkorrels

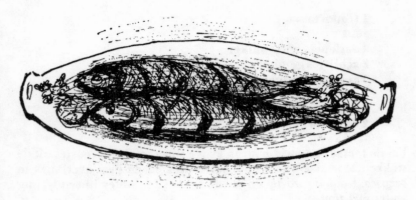

Rooster zout en peperkorrels droog met elkaar in een pan met dikke bodem (wadjan of koekepan). Matig de vlam en schep de massa om en om tot het zout lichtgeel begint te worden. Doe het over in een mixer en maal het tesamen fijn.
Droog bewaren. Heerlijk over droog gebakken kip, vis enz.

487. CHINEES AZIJNMENGSEL

$^1/_2$ fles keukenazijn
3 schijfjes gemberwortel
3 teentjes knoflook
3 eetlepels soya

Ontdoe de schijfjes gemberwortel van de schil. Schil ook de knoflookpitjes. Breng de azijn aan de kook met de knoflook en gember. Vermeng ze daarna met de soya en doe ze terug in de fles.

MIE en andere CHINESE GERECHTEN

Mie wordt gemaakt van een deeg van tarwemeel, water en soms eieren. Het wordt na het kneden in repen gesneden en in de wind gedroogd.

Mie is een soort spaghetti, beter gezegd spaghetti is een soort mie, want volgens de verhalen is het Marco Polo geweest, de 13e eeuwse reiziger uit Venetië, die het recept uit China meebracht. Mie wordt behalve uit tarwe- ook uit bonen- en rijstmeel vervaardigd. Er zijn een groot aantal soorten en kwaliteiten. Hier in Nederland hebben wij te maken met de soort die hier wordt gefabriceerd, meestal eiermie in lintvorm en bovendien de importmie, meestal zonder ei, die rond en dunner is. Persoonlijk prefereer ik de laatste. Daarnaast is hier ook een variëteit verkrijgbaar die in Indonesië ,bihoen' of ,mihoen' genoemd wordt en hier Chinese vermicelli heet. Ze is wit en uiterst fijn van draad en wordt van rijstmeel gemaakt. Tenslotte bestaat er dan ook nog de laksa, fijn en doorzichtig, die in vele Indonesische gerechten wordt gebruikt en ook wel hier te lande als Chinese vermicelli wordt verkocht. Ze wordt doorzichtig als ze gaar is. Ze is uit zeewier gefabriceerd en wordt als bindmiddel in soepen en sajoers gebruikt en ook wel met de naam ,soön' uitgeduid.

Mie (in Amerikaanse recepten ,mien' of ,mein') vormt in Noord-China het hoofdvoedsel. In Zuid-China waar geen tarwe, maar veel rijst wordt verbouwd is de rijst het hoofdvoedsel en komt de mie op de tweede plaats. Wel wordt ze daar veel in soepen en bijgerechten verwerkt wat in Indonesië ook het geval is.

Mie als hoofdgerecht wordt meestal met één of meer gecombineerde sauzen van groenten, vlees, vis of kip of schaaldieren gegeten. Ze wordt ook wel opgedaan gestoofd in zo'n saus, zoals b.v. bami, of met een of meer bijgerechten geserveerd. Men vindt in dit hoofdstuk een aantal van die gerechten, die behalve bij mie en bihoen ook met rijst gegeten kunnen worden. Deze gerechten zijn voor een deel origineel Chinees, voor een ander deel aan de Indonesisch-Chinese keuken ontleend. Een van de opvallende verschillen in de bereiding is het gebruik van een marinade, dat in China veelvuldig voorkomt, maar in Indonesië geen gewoonte is. In de Indonesisch-Chinese recepten wordt ketjap, in de origineel Chinese soya gebruikt. Soya is erg zout, vandaar dat men onder de ingrediënten geen zout vindt opgesomd.

Bij de maaltijd als tussengerecht of voorgerecht, maar ook als kleine hapjes tussen de maaltijden in worden een aantal gebakken of gestoomde gerechten gegeven waarvan enkele hier zijn opgenomen: Loempia, Pangsit, Bak Pao.
De Chinese soepen kan men in het Hoofdstuk Sajoers en Soepen vinden.

488. GEKOOKTE MIE

> 1/2 kg mie
> ruim kokend water
> zout
> 2 eetlepels olie

Evenals spaghetti en macaroni wordt mie gekookt in ruim water met zout. Het water moet goed borrelen en de mie wordt er bij gedeelten aan toegevoegd. Teveel mie tegelijk zou de temperatuur van het water te sterk doen afkoelen. Trek tijdens het koken de mie die tijdens het drogen in krullen is gelegd met twee vorken losjes uit elkaar. Na het koken wordt de mie op een zeef of vergiet onder de kraan enkele malen met koud water afgespoeld en vervolgens met een of twee eetlepels olie vermengd om het kleven te voorkomen. Mie wordt gebruikt:
als vulling van soepen;
als hoofdgerecht (in plaats van rijst) met verschillende bijgerechten;
tot een schotel verwerkt, die als complete maaltijd genuttigd kan worden, b.v. bami.
De kooktijd van mie hangt samen met de wijze waarop ze verder wordt verwerkt. Als vulsel voor soep kookt men haar slechts 2 à 3 minuten voor. Eet men de mie als hoofdgerecht dan moet ze 8 à 10 minuten koken. Verwerkt men de mie tot bami dan zijn 6 à 8 minuten voldoende. De tijden zijn niet precies op te geven. Ze hangen samen met de ingrediënten waarvan de mie vervaardigd is (met of zonder eieren en van de tarwesoort die is gebruikt). Op de pakken staat meestal de kooktijd aangegeven. Lees daarom vooral voor het gebruik de voorschriften op het pak.
Mie mag evenals macaroni en spaghetti niet te papperig worden. Al dente noemen de Italianen de juiste graad van gaarheid, wat men in recepten met ‚beetgaar’ vertaalt. Ook mie moet beetgaar

zijn. Het is mijn indruk dat de kooktijd op de pakken hier te lande vervaardigde mie een beetje aan de lange kant is.
Mie kan voorgekookt 2 à 3 dagen in de koelkast bewaard worden. Om haar weer op temperatuur te krijgen spoelt men haar af met kokend water. Nooit stomen of opnieuw koken, dan wordt ze te gaar. Men rekent voor een maaltijd van 4 à 6 personen ½ kg mie. Wordt mie op de Indonesische manier als bijgerecht bij rijst gegeten dan kan men met minder toe.

489. GEBAKKEN MIE

½ kg mie
ruim kokend water
zout
6 à 8 eetlepels olie

Kook de mie 2 à 3 minuten. Let vooral op de kooktijd. Te gare mie laat zich moeilijk bakken. Stort de mie op een zeef en spoel haar geruime tijd af onder de koude kraan. Laat haar daarna uitlekken, droog haar met een doek, vermeng haar met 1 à 2 eetlepels olie. Laat haar voor het bakken minstens een uur in de koelkast staan. Ze kan ook een dag tevoren gekookt worden. Hoe kouder de mie hoe makkelijker ze zich laat bakken.
Verhit in een diepe pan – een wadjan is hiervoor zeer geschikt – 2 à 3 eetlepels olie tot de damp er uit opstijgt. Wanneer de olie niet heet genoeg is gaat de mie aan de pan plakken. Bak een gedeelte van de mie onder goed om en om scheppen gedurende 2 à 3 minuten tot ze lichtgeel begint te worden. Doe ze op op een voorgewarmde schotel en houdt ze warm. Doe daarna weer enkele lepels olie in de pan, laat ze zo heet mogelijk worden en herhaal de bewerking. Goed gebakken mie is van buiten goudbruin en knappend en van binnen zacht. De buitenlandse miesoorten laten zich gemakkelijker bakken dan de hier te lande vervaardigde.

490. MIHOEN KOKEN

½ kg mihoen
ruim water met zout

Breng het water met het zout aan de kook tot het volop borrelt. Doe de mihoen er in, wacht tot het opnieuw over het hele oppervlak borrelt en haal dan de pan van het vuur. Laat haar ± 10 minuten staan. Doe dan de mihoen op een zeef en spoel haar af met koud water.

Voor het serveren overspoelen met kokend water; beslist niet meer koken.

De op deze wijze gekookte mihoen wordt in plaats van rijst gegeten met een of meerdere gerechten.

Mihoen, die daarna tot een mihoen-schotel wordt verwerkt op de wijze van bami of als vulling van soep wordt niet gekookt, maar alleen in ruim lauw water ¹/₄ uur voorgeweekt en koud afgespoeld.

491. DROOG GEBAKKEN MIHOEN

¹/₂ kg mihoen
¹/₂ dl olie
zout

Verhit de olie zo heet mogelijk. Doe er $^1/_4$ gedeelte van de mihoen bij en bak haar om en om scheppend goudgeel in $\pm$ 1 minuut. Strooi er een weinig zout overheen en doe haar op in een voorgewarmde schaal. Herhaal deze bewerking tot alle mihoen gebakken is.

Giet er vlak voor het opdoen een van de groente-, vlees- of schaaldierensauzen overheen.

In kleine hoeveelheden gebakken wordt gebakken mihoen als „snoepje" gegeten of als versiering gebruikt.

492. BAMI I (Chinees-Indonesische bereiding)

$^1/_2$ kg mie
$^1/_4$ kg niet te vet varkensvlees
50 gram ham
2 eetlepels gedroogde garnalen of 50 gram verse
2 eieren
augurken
2 eetlepels olie
citroensap
KRUIDEN:
3 eetlepels gesnipperde uien
3 gesnipperde teentjes knoflook
2 grote gesnipperde preien
2 eetlepels gehakte selderie
1 eetlepel gehakte bieslook
1 eetlepel ketjap
1 mespuntje vetsin
peper
zout

Week de gedroogde garnalen minstens 1 uur.

Bak de uien in de olie bruin en knappend. Laat ze uitlekken.

Maak van de eieren, peper en zout een omelet en snijd die als ze afgekoeld is in dunne reepjes. Kook de mie zoals onder „Mie Koken" is aangegeven.

Snijd het varkensvlees in blokjes en bak ze in de olie. Voeg er als ze geelbruin zijn geworden de prei, knoflook en de geweekte garnalen aan toe. Bak dit alles tesamen enkele minuten. Doe er dan de goed uitgelekte koude mie bij en bak de gehele massa onder goed om en om scheppen nog 5 à 6 minuten door tot ook de mie warm is geworden. Meng er de bieslook, selderie, ketjap, zout en vetsin doorheen. Doe ze op een schotel, garneer de bovenzijde en randen met reepjes omelet, reepjes ham, schijven augurk en strooi over het geheel de gebakken uien.

493. BAMI II (Javaanse bereiding)

1/2 kg mie
400 gram kippevlees
2 eieren
2 eetlepels gedroogde garnalen of 50 gram verse
6 eetlepels olie
KRUIDEN:
3 eetlepels gesnipperde uien
3 gesnipperde teentjes knoflook
1 grote gesnipperde prei
100 gram rauwe gesneden kool
100 gram peultjes, schuin in stukjes gesneden
100 gram taogé
3 eetlepels gehakte selderie
1 eetlepel gehakte bieslook
ketjap
citroensap
plakjes komkommer
peper
zout

Week de gedroogde garnalen minstens 1 uur.
Bak de uien in de olie knappend bruin en laat ze uitlekken.
Maak van de eieren, peper en zout een omelet en snijd haar nadat ze is afgekoeld in dunne reepjes. Kook de mie zoals onder „Mie Koken" is aangegeven.
Snijd het kippevlees in blokjes en bak het in de olie tesamen met de garnalen tot het vlees geelbruin ziet. Voeg er de prei en knoflook aan toe en bak die enkele minuten mee. Bak vervolgens de kool, de peultjes en de taogé mee gedurende 1 à 2 minuten, de groenten moeten knappend blijven. Werk er daarna onder goed om en om scheppen, al bakkend de mie doorheen tot het hele gerecht door en door warm is geworden. Meng er dan de ketjap, de bieslook en de helft van de selderie door, zout en peper.

Doe het gerecht op in een schotel en garneer de bovenkant met de achtergehouden selderie, de reepjes omelet en de gebakken uien. Leg langs de randen schijfjes ongeschilde komkommer.

494. BAMI III (Chinese bereiding)

1/2 kg mie
1/4 kg mager varkensvlees
1 dl bouillon
2 eetlepels olie
KRUIDEN:
2 dikke preien
1 eetlepel Chinese champignons (gedroogde)
4 dikke stengels bleekselderij
2 eetlepels soya

Zet de gedroogde champignons 1 uur te weken en knip ze als ze zacht beginnen te worden in grove stukken. Snijd de prei in stukken van ± 2 cm en vervolgens in de lengte in sliertjes.
Snijd het varkensvlees in plakjes en de selderie in stukjes. Verhit de olie zo heet mogelijk en schroei onder goed roeren de stukjes varkensvlees dicht in ± 2 minuten; temper daarna het vuur. Voeg er daarna de prei bij en roer vlees en prei nogmaals 2 minuten.
Voeg de soya toe en vervolgens de bleekselderij en de champignons, die nog een 2 minuten geroerd worden. Maak de massa af met de bouillon en laat alles nog 2 minuten koken.
Meng er de voorgekookte mie doorheen, die na koud afgespoeld te zijn met kokend water is overgoten. Breng de massa aan de kook en doe haar daarna onmiddellijk op.
Garneer het gerecht met fijn gehakte peterselie, schijfjes hard gekookte eieren of reepjes omelet.

495. BAMI IV (Chinese bereiding)

1/2 kg mie
1/4 kg garnalen
1/4 kg spitskool
1 eetlepel maizena
4 eetlepels olie

KRUIDEN:
2 eetlepels gedroogde Chinese champignons
1/2 blikje bamboespruiten
2 à 3 schijfjes gemberwortel
2 eetlepels soya
1 eetlepel sherry

Kook de mie voor om haar later te bakken (zie Gebakken Mie, 489). Week de champignons 1 uur van tevoren. Schil de gember, rasp haar en meng haar met de maizena, de sherry en de soya tot een papje. Marineer hierin de garnalen.
Snijd de kool, de bamboespruiten en de champignons in stukjes. Maak 2 lepels olie heet. Roer er de garnalen doorheen en haal ze na 2 minuten er uit. Voeg aan het restant olie 2 lepels verse olie toe en verhit haar opnieuw. Fruit er 1 minuut lang de kool, de bamboespruiten en de champignons in, voeg er het weekwater aan toe, temper het vuur en laat de groenten 2 minuten smoren. Voeg er de garnalen aan toe om ze op te warmen.
Bak de mie. Vermeng haar met de helft van de garnalengroentesaus en giet de rest eroverheen.
Garneer het gerecht met gehakte peterselie, schijfjes hard gekookt ei of reepjes omelet.

496. BAMI V (op Chinese wijze bereid)

1 portie gebakken mie (zie recept gebakken mie)
1/4 kg varkensvlees in plakjes
100 gram verse garnalen
2 eetlepels olie
1 eetlepel maizena
1 dl water
KRUIDEN:
100 gram champignons
100 gram uien
100 gram grote selderijstengels

4 eetlepels soya
zout

Snijd de selderie in stukken van ± 2 cm, de champignons in plakjes en de uien in lange snippers.
Maak de olie heet en bak er als de damp eruit opstijgt eerst de plakjes varkensvlees en na 1 minuut de garnalen in mee. Bak nog 1 minuut en voeg er dan de selderie en ui en even later de champignons aan toe, de ketjap en het zout. Roer nog 2 minuten en doe er dan de met water aangelengde maizena aan toe. Kook de massa tot de saus iets is ingedikt.
Doe de gebakken en warm gehouden mie op een schotel en giet de saus er over heen. Onmiddellijk eten.

497. BAMI KOEAH I (Indonesisch-Chinees)

¹/₄ kg mie
¹/₂ vette kip
100 gram garnalen
100 gram taogé
100 gram prei
100 gram kool
1 bosje selderie
olie
KRUIDEN:
2 eetlepels gesnipperde uien
2 gesnipperde teentjes knoflook
2 eetlepels ketjap
¹/₂ theelepel vetsin
peper
zout

Zet de kip op met water en zout en kook haar half gaar. Snijd het vlees van de beenderen en verdeel het in kleine stukjes. Laat het restant van botten en aanhangend vlees verder trekken.
Bak de uien goudbruin. Kook de mie (zie Mie Koken, recept 488).
Snipper kool en prei, hak de selderie en spoel de taogé schoon.
Verhit de olie, bak er de stukjes kip en de garnalen met de knoflook in en vervolgens de gesnipperde groenten. Maak het gerecht af met vetsin en ketjap.

Verwarm de gekookte mie door haar met kokend water af te spoelen. Meng de mie door het groenten-kip-garnalen-mengsel. Giet er de kokende bouillon over heen.

498. BAMI KOEAH II (Chinees)

1/4 kg mie
2 borststukken kip ± 500 gram
3 eetlepels rauwe ham
1 eetlepel gedroogde Chinese champignons
100 gram prei (alleen het gele gedeelte)
100 gram spitskool
1 1/2 eetlepel maizena
1 eetlepel soya
2 eetlepels olie

Week de champignons minstens 1 uur.
Kook de kip half gaar in water met een weinig zout. Kook de mie (zie Mie Koken, recept 488).
Snijd de prei in stukken van ± 2 cm en vervolgens in de lengte tot dunne reepjes. Knip de champignons als ze zacht zijn geworden in stukjes. Snijd de ham in reepjes en schaaf de kool zo fijn mogelijk. Snijd ook het half gare kippevlees in lange plakjes.
Maak de olie heet en bak hierin de kool tot ze slap wordt in 2 à 3 minuten. Voeg er daarna de prei, de champignons en de helft van de ham aan toe en laat die een minuut meebakken. Doe er ± 3/4 liter kippebouillon bij en het weekwater van de champignons. Maak de maizena aan met een weinig water en bind hiermee de saus. Maak die af met de soya. Doe de mie in een kom of terrine en giet de saus eroverheen. Versier met de rest van de ham. Men kan ook de mie over een aantal soepkommen verdelen en er vervolgens de saus over gieten.

499. BAMI KOEAH III (Indonesisch-Chinees)

1/4 kg mie
± 250 gram restant gebraden varkensvlees
100 gram garnalen

100 gram taogé
100 gram selderie
3 schijfjes gemberwortel
³/₄ l bouillon

Kook de mie voor (zie Mie Koken, recept 488). Spoel de taogé af en snipper het selderieblad en de steeltjes. Schil de gember en rasp haar of wrijf haar fijn. Snijd het varkensvlees in dunne reepjes.
Zet de bouillon op met de gember en voeg er als ze kookt de stukjes varkensvlees, de garnalen en de taogé aan toe. Breng de massa aan de kook en giet haar over de met heet water afgespoelde mie, als aangegeven in recept 498.

500. FOE JOENG HAY I (Indonesisch-Chinees)

Foe Joeng Hay bestaat uit een grote omelet, bedekt met een saus van garnalen en verschillende groentesoorten.

Voor de omelet:
5 eieren
sap van 1 teentje knoflook
2 eetlepels olie
peper
zout
Voor de vulling:
200 gram garnalen
2 à 3 plakjes rookspek
2 teentjes knoflook
het gele gedeelte van 2 preien
4 à 5 kleine gekookte worteltjes
3 à 4 eetlepels doperwten
2 eetlepels tomatenketchup

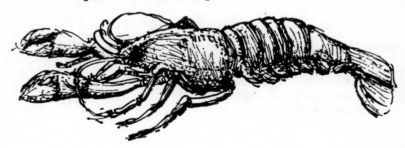

Bak het spek in de olie, voeg er de gesneden knoflook en prei aan toe en bak die even met de garnalen. Roer er daarna de doperwten doorheen en de tomatenketchup.
Bak de omelet aan beide zijden, vul haar, sla haar dubbel en bedek haar met een van de gembersauzen (zie Hoofdstuk Sauzen).

501. FOE JOENG HAY II (Indonesisch-Chinees)

Voor omelet:
zie recept 500
Voor de vulling:
100 gram varkensvlees in dobbelsteentjes
100 gram garnalen
50 gram gesnipperde ham
100 gram champignons
2 gele preitjes
2 eetlepels doperwten
1 eetlepel gehakte selderie
2 plakjes gemberwortel
2 theelepels tomatenpuree
$^1/_2$ eetlepel maizena
2 eetlepels olie
peper
zout

Bak de dobbelsteentjes varkensvlees op in de olie. Voeg er de prei aan toe, de knoflook, de geschilde en de geraspte gember en de champignons en de garnalen. Laat dit alles tesamen enkele minuten met de aangelengde maizena stoven.
Bak de omelet op de gewone manier. Vul ze met het groente-garnalen-vleesmengsel en bedek ze met een zoet-zure saus (zie Hoofdstuk Sauzen).

502. FOE JOENG HAY III (Chinees)

4 eieren
$^1/_2$ blikje bamboespruiten
3 eetlepels doperwten

2 eetlepels gedroogde Chinese champignons
2 preitjes
3 eetlepels olie
2 eetlepels soya
1¹/₂ dl bouillon
1 eetlepel maizena
peper
zout

Week de champignons minstens 1 uur van tevoren. Snijd de bamboespruiten in dunne plakjes en de prei in lange reepjes. Snijd ook de champignons in reepjes. Maak een omelet van de eieren met wat peper en zout naar smaak en houd haar warm. Verhit de olie, roer er eerst de prei, daarna de uitgelekte champignons en vervolgens de bamboespruiten doorheen en laat de massa 2 à 3 minuten fruiten. Doe er de bouillon bij en de soya en breng het geheel aan de kook. Bind het gerecht met de aangelengde maizena en roer er de doperwten doorheen. Giet de groentesaus over de omelet.

503. GARNALEN met ASPERGES

200 gram garnalen
1 blik soepasperges of restje asperges met kooknat
1 eetlepel maizena
2 eetlepels olie
KRUIDEN:
2 schijfjes gemberwortel
1 eetlepel soya
2 eetlepels sherry

Besprenkel de garnalen met 1 eetlepel sherry en laat ze zo enige tijd staan. Maak de olie heet en bak hierin de garnalen met de geraspte gember ± 2 minuten. Voeg er daarna de stukjes asperges bij, roer die goed om en om. Voeg er 1 dl van het kooknat aan toe, de sherry en de soya en bind de massa met de aangemaakte maizena.

504. GARNALEN met SELDERIE en CHAMPIGNONS

200 gram garnalen
2 eetlepels gedroogde Chinese champignons
2 dunne preitjes
2 eetlepels gehakte selderie
¹/₂ eetlepel maizena
1 dl bouillon
3 eetlepels olie
KRUIDEN:
1 gesnipperd teentje knoflook
2 schijfjes gemberwortel
1 eetlepel soya
2 eetlepels sherry

Week de champignons minstens 1 uur van tevoren. Wrijf de knoflook met de geschilde en geraspte gember tot een brij. Snijd de prei overlangs in reepjes. Maak van de maizena met de soya en de sherry een papje.
Verhit de olie en bak hierin de prei en de knoflook-gemberbrij even op. Voeg er de garnalen aan toe en bak ze 1 minuut mee. Voeg er de selderie en de in reepjes gesneden champignons aan toe en na een minuut de bouillon en het weekvocht van de champignons. Laat het gerecht 2 à 3 minuten doorkoken en bind het met het maizenamengsel.

505. GEBAKKEN MOSSELEN met GEMBER

200 gram gekookte mosselen
3 schijfjes gemberwortel
1 klein preitje
sap van 1 teentje knoflook
$^1/_2$ eetlepel maizena
2 eetlepels water (of kooknat van de mosselen)
2 eetlepels olie

Rasp de gemberwortel. Snijd het preitje heel fijn en vermeng het met het gemberraspsel.
Verhit de olie tot de damp opstijgt. Roer er het prei-gembermengsel snel doorheen. Voeg er daarna onmiddellijk de mosselen aan toe. Temper het vuur en bak ze 2 à 3 minuten door. Voeg er het water en het knoflooksap aan toe en bind de massa zo gauw ze kookt met de aangelengde maizena.

506. OEDANG WOTIAP (Indonesisch-Chinees)

4 grote garnalen
4 plakken ham (dun gesneden)
1 à 2 eieren
KRUIDEN:
sap van 2 teentjes knoflook
zout

Verwijder de ingewanden van de garnalen en kook ze 5 à 6 minuten in water met wat zout. Pel ze daarna. Laat ze uitlekken.
Haal de garnalen door het even opgeklopte ei waaraan wat zout en het knoflooksap is toegevoegd. Wikkel de ham eromheen, paneer ze en haal ze dan weer door het ei. Vervolgens weer door het paneermeel en bak ze in de hete olie aan alle zijden goudbruin.
Eet ze met een zoet-zure of gembersaus (zie hiervoor Hoofdstuk Sauzen).

507. TOJANG (Indonesisch-Chinees)

100 gram garnalen
100 gram laksa
2 eetlepels gesneden prei
2 eetlepels gehakte bieslook
1 eetlepel gehakte selderie
olie
2 dl kippebouillon
KRUIDEN:
2 gesnipperde teentjes knoflook
peper
zout

Week de laksa. Fruit de knoflook in een weinig olie, voeg er als ze geel begint te worden de prei en de garnalen aan toe. Fruit dit alles tesamen nog 2 minuten. Voeg er dan de bouillon aan toe, de selderie en de bieslook en de goed uitgeknepen laksa.
Eet dit gerecht bij de rijst of na toevoeging van wat meer bouillon als soep.

508. TJAP TJAY (Indonesisch-Chinees)

1 borststuk van de kip ± 300 gram
200 gram garnalen of krab
100 gram spitskool
3 eetlepels gehakte selderie
100 gram peultjes, vers of uit de diepvries
1 grote gekookte aardappel
1 ei
KRUIDEN:
4 eetlepels gebakken uien
2 schijfjes gemberwortel
sap van 1 teentje knoflook
peper
zout
boter

Hak de helft van de garnalen fijn. Prak de aardappel, vermeng haar met de gehakte garnalen, het ei, zout, peper en knoflooksap.

Draai er gehaktballetjes van ter grootte van een walnoot en braad ze in de boter bruin.
Kook de kip met de schijfjes gember. Verwijder het vlees van de botten en snijd het in nette stukjes.
Breng de bouillon aan de kook met de gesnipperde kool en de schuin in stukken gesneden peultjes. Voeg er als de massa 5 minuten gekookt heeft de garnalenballetjes aan toe en maak de bouillon af met peper en zout; roer er de gehakte selderie doorheen.
Serveer het gerecht bestrooid met garnalen en gebakken uien. Men eet het met rijst of gebakken mie.

509. TJEN-TJOAN (Indonesisch-Chinees)

1 moot tonijn van ± ¹/₂ kg
olie
1 dl water
KRUIDEN:
3 eetlepels taotjo
2 schijfjes gemberwortel
3 gesnipperde teentjes knoflook
1 eetlepel gesnipperde uien
1 eetlepel ketjap
zout

Zout de vis en laat het zout ¹/₂ uur intrekken. Bak de moot in hete olie aan beide zijden mooi bruin.
Wrijf uien, knoflook en gemberwortel met elkaar tot een brij. en bak haar even mee. Leng de taotjo aan met het water en voeg dit aan de vis toe. Laat haar hierin ± 20 minuten stoven. Maak het sausje af met de ketjap en eventueel wat citroensap.

510. KRABBALLETJES (Chinees-Indonesisch)

1 klein blikje krab
100 gram champignons
200 gram gesneden prei
1 grote gekookte aardappel

1 ei
olie
paneermeel
KRUIDEN:
sap van 1 teentje knoflook
peper
zout
vetsin

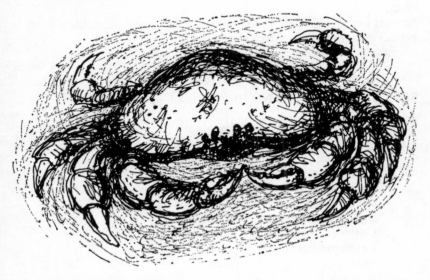

Hak de champignons en de prei zo fijn mogelijk. Vermeng ze met het krabvlees, de fijngemaakte aardappel, het losgeklopte ei, peper, zout, knoflooksap en vetsin.
Draai er balletjes van ter grootte van een walnoot, haal ze door de paneermeel en bak ze in de olie goudbruin. Serveer ze met een zoet-scherpe saus (zie Hoofdstuk Sauzen).

511. KRAB-GERECHT (Chinees)

¹/₂ blikje krab
100 gram varkensgehakt
2 eieren
1 eetlepel olie

408

KRUIDEN:
2 schijfjes gemberwortel
1 klein preitje
1/2 eetlepel soya
1 eetlepel sherry
mespuntje suiker
zout
peper

Rasp de gemberwortel. Snijd het preitje in stukjes en meng beide door elkaar. Klop de eieren los met peper en zout.
Verhit de olie en bak hierin het varkensvlees onder goed roeren niet langer dan 2 minuten. Voeg er daarna de krab aan toe en de stukjes prei. Bak ze onder goed roeren 1 minuut mee. Temper het vuur en voeg er nog steeds roerend de geklopte eieren aan toe. Afmaken met sherry en soya.

512. KRAB met TAOGÉ en BAMBOESPRUITEN

1/2 blik krab
100 gram taogé
1/2 blik bamboespruiten
2 kleine preitjes
3 eieren
1 eetlepel maizena
1 eetlepel soya
3 eetlepels water of bouillon
olie
zout
peper

Snijd de bamboespruiten in dunne plakjes en de prei overlangs in reepjes. Spoel de taogé af onder de kraan.
Verhit 1 eetlepel olie en fruit hierin de groenten 1 minuut.
Klop de eieren samen met zout, peper en soya en meng er de maizena doorheen. Roer groenten, eimengsel en krab door elkaar en bak er in de hete olie koekjes van ter grootte van drie in de pan.
Dien ze warm op en serveer ze met zoet-zure of gembersaus (zie daarvoor hoofdstuk over sauzen).

513. KIP met ANANAS I (Chinees)

300 à 400 gram borstvlees van een malse kip,
in uiterst dunne plakjes gesneden
1 verse ananas in blokjes gesneden of 1 blik ananas
in blokjes
1¹/₂ eetlepel maizena
3 eetlepels olie
1 eetlepel azijn
sap van 2 teentjes knoflook
2 eetlepels soyasaus
2 dl ananassap

Meng de maizena aan met 1 eetlepel ananassap, de soya, de azijn
en het knoflooksap. Laat hierin de stukjes kip ± ¹/₄ uur marineren.
Verhit de olie tot ze dampt en bak daarin de stukjes kip ± 2 minuten. Voeg er de stukjes ananas aan toe en laat die op een zacht
vuur ± 3 minuten meekoken. Meng het restant van het marinade-
vocht aan met het restant ananassap en bind hiermee het gerecht.
Daarna vlug opdoen.
Eten met rijst of mie.

514. KIP met ANANAS II (Chinees)

³/₄ kg borststukken kip (jonge kip niet uit de diepvries)
¹/₂ verse of ¹/₂ blikje ananas
1 middelgrote prei in de lengte in stukken
van ± 3 cm gesneden
3 dl olie
KRUIDEN:
2 eetlepels sherry
¹/₂ theelepel gemberpoeder
mespuntje gemalen anijszaad
mespuntje vetsin
sap van 1 teentje knoflook
1 eetlepel tomatenketchup
¹/₂ eetlepel soyasaus
¹/₂ eetlepel azijn
¹/₂ eetlepel maizena
1 eetlepel gesneden bakgember met vocht
peper
zout

Haal het vlees van de botten en snijd het in dobbelsteentjes.
Meng 1 eetlepel sherry, anijs, gemberpoeder, vetsin, peper, zout
en knoflooksap door elkaar en laat het kippevlees daar $\pm$ 1 uur
in marineren.
Snijd de ananas in blokjes en laat ze uitlekken.
Maak de olie warm. Bak de stukjes kip $\pm$ 2 minuten; laat ze uitlekken.
Gebruik van het restant olie 1 eetlepel, maak die warm, doe er de
prei in en na enkele minuten de stukjes ananas en de gember. Blus
de massa met 1 lepel sherry en 2 lepels ananasvocht, de ketchup,
gembersap, soyasaus en de azijn. Bind haar met de maizena, voeg
er de stukjes kip aan toe en laat die 1 minuut meekoken onder
goed omscheppen.
Opdoen en onmiddellijk eten.

515. KIP met AMANDELEN (Chinees)

$^3/_4$ kg borststukken van een jonge kip (niet uit de
diepvries)
100 gram gepelde amandelen
100 gram gehalveerde champignons
1 eiwit
1 dunne prei in de lengte in stukjes van $\pm$ 3 cm gesneden
$^1/_2$ eetlepel maizena
1 dl olie
$2 \times ^1/_2$ theelepel maizena
KRUIDEN:
2 eetlepels sherry
2 eetlepels gesneden bakgember
mespuntje gemalen anijszaad
mespuntje vetsin
sap van 1 teentje knoflook
2×1 eetlepel soyasaus
peper
zout

Haal het kippevlees van de botten en marineer het 1 uur in een
mengsel van $^1/_2$ eetlepel maizena, 1 eetlepel soyasaus, het losgeklopte eiwit, 1 eetlepel sherry, anijs, peper, zout, vetsin en knoflooksap.
Maak 4 eetlepels olie heet en bak hierin op een laag vuur de

amandelen geel en knappend; laat ze uitlekken. Vul het restant van de olie aan tot ± 1 dl, laat die heet worden. Bak hierin de stukjes kip in 2 minuten gaar met 2 à 3 porties tegelijk. Ze mogen alleen goudbruin van kleur worden; laat ze uitlekken. Fruit in het restant olie de prei en voeg er na 2 minuten de champignons aan toe en op het laatst de bakgember. Blus de massa met 1 eetlepel sherry en 1 eetlepel water. Bind deze met de aangelengde maizena en warm de stukjes kip erin op. Roer er de amandelen doorheen, doe het gerecht warm op en eet het onmiddellijk.

516. KIP met TOMAAT (Chinees)

> 1 borststuk van de kip ± 300 gram
> 2 grote tomaten
> 2 dunne preitjes
> 1 dl kippebouillon
> 2 eetlepels olie
> KRUIDEN:
> 2 eetlepels soya
> 2 schijfjes gemberwortel
> 1 eetlepel sherry
> peper
> zout

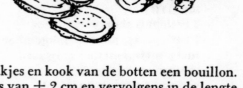

Snijd het borstvlees in plakjes en kook van de botten een bouillon. Snijd de preitjes in stukjes van ± 2 cm en vervolgens in de lengte in dunne sliertjes. Rasp de gember fijn.
Meng gember, prei, soya en sherry met elkaar en marineer hierin de stukjes kippevlees ± ¼ uur. Pel de tomaten, snijd ze in plakken en bestrooi ze met peper en zout.
Maak de olie heet en bak hierin de stukjes kip onder goed roeren ± 2 minuten. Doe er de marinade bij en roer nog een minuut langer. Voeg er daarna de bouillon bij en roer er als de massa kookt de plakken tomaat doorheen. Onmiddellijk opdoen.
Men eet dit gerecht met rijst of gekookte mie.

517. LAKSA TJINA (Indonesisch-Chinees)

1 vette kip van ± 1 kg
50 gram laksa
1/8 blok santen
olie
3 dl bouillon
100 gram garnalen
4 hardgekookte eieren
3 eetlepels gesneden prei
sap van 1 citroen
KRUIDEN:
3 eetlepels gesnipperde uien
2 gesnipperde teentjes knoflook
2 salamblaadjes
3 schijfjes gemberwortel
2 theelepels ketoembar
1 theelepel djinten
1 theelepel koenjit
2 djeroek poeroetblaadjes
1 theelepel terasi
1 spriet sereh
peper
zout
ketjap
1 eetlepel gehakte bieslook
1 eetlepel gehakte selderie

Zet de kip op met kokend water, sereh, salam en djeroek poeroetblad en zout. Kook haar half gaar. Stamp of wrijf uien, knoflook
en gember tot een brij met de ketoembar, djinten, koenjit, terasi,
zout en peper. Week de laksa.
Fruit de kruidenbrij tot de uien geel zijn. Snijd de kip in stukken
en fruit die mee. Voeg er de bouillon aan toe, de gesneden prei,
de garnalen, het blokje santen en de laksa. Laat het gerecht nog
1/4 uur stoven en maak het af met 1 lepel ketjap en het citroensap.
Serveer het bij rijst.
Laksa tjina (tjina betekent Chinees) is een voorbeeld van een gerecht waarin Chinese en Indonesische ingrediënten in een heel
nieuwe combinatie zijn verwerkt.

518. VARKENSLEVER met SPINAZIE en CHAMPIGNONS

1/4 kg varkenslever
1/2 kg spinazie
2 eetlepels gedroogde Chinese champignons
2 dunne preitjes
1 1/2 eetlepel maizena
3 eetlepels olie
KRUIDEN:
3 gesnipperde teentjes knoflook
2 schijfjes gemberwortel
2 eetlepels soya
2 eetlepels sherry
1 theelepel suiker

Week de champignons minstens 1 uur. Snijd de lever in uiterst dunne plakjes en overspoel haar met kokend water. Was de spinazie en verwijder de dikke stelen. Snijd de prei overlangs in reepjes.
Wrijf knoflook en gember (geschild en fijngesneden) met elkaar tot een brij. Maak van de maizena, soya en suiker met een weinig water een dun papje.
Maak de olie warm en fruit tesamen gedurende een minuut de prei en het knoflook-gembermengsel. Doe er lepelsgewijze de plakjes lever bij en roer ze om tot ze geelbruin beginnen te worden. Snijd de geweekte champignons in reepjes, voeg die toe en bak ze even mee. Doe er vervolgens de uitgelekte spinazie bij, schep ze goed om en om en als ze kookt de aangelengde maizena. De spinazie moet groen blijven en niet pappig worden. Zo warm mogelijk opdoen. Champignonvocht meekoken.

519. VARKENSVLEES met AUGURKEN

4 grote zure augurken
1/4 kg mager varkensvlees
2 eetlepels soya
2 eetlepels olie

Snijd het vlees zo dun mogelijk in plakjes. Marineer het in de

soyasaus. Snijd de augurken schuin in schijven van een pink dikte.
Maak de olie zo heet mogelijk. Roer hierin de plakjes vlees ± 3 minuten. Doe er de augurken bij. Meng er het restant van de marinade door, aangelengd met 1 eetlepel water en doe het gerecht op. Zo warm mogelijk eten bij rijst of mie.

520. VARKENSVLEES met KOOL

1 varkenshaasje van 100 à 150 gram
1/2 kg kool
4 dunne preitjes
1 dl bouillon
4 eetlepels olie
maizena
KRUIDEN:
2 gesnipperde teentjes knoflook
2 schijfjes gemberwortel
3 eetlepels soya
2 eetlepels sherry

Snijd het varkensvlees in dunne plakjes van ± 2¹/₂ cm. Wrijf de knoflook met de geschilde en geraspte gemberwortel, meng er 1 eetlepel maizena doorheen, 1 eetlepel soya en ¹/₂ eetlepel sherry. Marineer in dit papje het varkensvlees ± ¹/₄ uur.
Snijd de kool in grove stukken en de prei in stukken van ± 2 cm, die vervolgens in de lengte in dunne slierten worden gesneden.
Verhit 3 eetlepels olie tot ze dampt. Bak hierin de stukjes vlees in 3 minuten geelbruin. Haal ze er uit. Bak in dezelfde olie de reepjes prei lichtgeel. Haal ze er ook uit. Vul het restant olie aan met een eetlepel verse olie. Laat die weer zo heet mogelijk worden en fruit hierin de kool tot ze slap is. Voeg er de bouillon aan toe, 1¹/₂ eetlepel sherry, 2 eetlepels soya en de prei. Laat de groen-

ten zachtjes doorkoken met open deksel. Doe er daarna het vlees bij om het te verwarmen, maar laat het niet meestoven. Opdoen. Dit gerecht wordt bij mie of rijst gegeten.

521. VARKENSVLEES met TAHOE

200 gram gebraden varkensvlees
^{1}/$_2$ blok tahoe
1 eetlepel maizena
3 eetlepels olie
KRUIDEN:
4 sjalotten
2 eetlepels soya
2 eetlepels sherry
1 eetlepel gehakte koetjai (bieslook)

Snijd het varkensvlees en de tahoe in plakjes. Snijd de sjalotten in de lengte in snippers.
Maak van de maizena, sherry en soya een marinade; leg hierin de stukjes tahoe.
Verhit de olie tot ze dampt. Bak hierin de sjalotten tot ze goudgeel zijn, haal ze eruit en laat ze uitlekken. Bak daarna gedurende 2 minuten het varkensvlees, haal het eruit en bak vervolgens in het restant olie de stukjes tahoe. Schep ze voorzichtig om en om (ze mogen niet breken), gedurende $\pm$ 2 minuten. Schep de massa op een verwarmde schotel.
Verdun het restant van de marinade met 1 eetlepel water en roer die door de olie. Voeg er de bieslook bij en giet het sausje over het gerecht.

522. VARKENSVLEES met TAOGÉ

^{1}/$_4$ kg mager varkensvlees
^{1}/$_4$ kg taogé
2 eetlepels olie
KRUIDEN:
2 schijfjes gemberwortel
2 eetlepels soya

416

1 eetlepel sherry
mespuntje suiker
1 eetlepel gehakte koetjai (bieslook)
2 eetlepels gehakte selderie
zout

Snijd het varkensvlees in dunne plakjes. Rasp de geschilde gemberwortel fijn en vermeng haar met 1 eetlepel soya, de sherry, de suiker en wat zout. Laat hierin de plakjes vlees ± ¹/₄ uur marineren.
Spoel ondertussen de taogé schoon onder de kraan.
Verhit de olie tot ze dampt. Roer er snel gedurende 2 minuten de plakjes vlees doorheen. Schep ze eruit en bak er daarna de taogé onder voortdurend om en om scheppen 1 minuut in. Doe er vervolgens het varkensvlees weer bij, de selderie en de bieslook en 1 eetlepel soya. Laat onder goed om en om scheppen het gerecht nog 1 minuut doorbakken.
Te eten bij rijst of mie.

523. VARKENSVLEES met TAHOE en TAOTJO (Chinees)

¹/₄ kg mager varkensvlees
¹/₄ blok tahoe
1 eetlepel taotjo
2 eetlepels olie
¹/₂ eetlepel maizena
1 dl bouillon
KRUIDEN:
4 gesnipperde sjalotten
1 gesnipperd teentje knoflook
2 eetlepels sherry
1 theelepel suiker

Snijd het varkensvlees in dunne plakjes en de tahoe in dobbelsteentjes van ± 2¹/₂ cm.
Verhit de olie zo heet mogelijk. Fruit het varkensvlees met de knoflook en de sjalotten ± 2 minuten. Doe er de bouillon bij, de suiker, sherry en taotjo en wanneer de massa kookt de tahoe. Laat het gerecht enkele minuten zachtjes koken. Schep het vlees en de

417

tahoe eruit. Bind het vocht met de aangelengde maizena en giet
het over het vlees/tahoemengsel.

524. ROOD GEKOOKT VARKENSVLEES

1 bovenpoot van een varken, ± 1 kg
2 dl water
KRUIDEN:
5 schijfjes gemberwortel
2 eetlepels soya
2 eetlepels sherry
1 theelepel suiker

Laat het zwoerd aan de varkenspoot zitten. Snijd het op de dikste
plaatsen in tot op het bot.
Breng het water aan de kook met de geschilde gemberwortel, de
soya, suiker en sherry. Doe de poot erbij en kook haar ± 2 uur
tot het vlees zacht is.

525. GEROOSTERDE VARKENSVLEES-REPEN

1 kg varkensvlees
¹/₂ eetlepel olie
KRUIDEN:
2 eetlepels gesnipperde uien
2 gesnipperde teentjes knoflook
4 schijfjes gemberwortel
4 eetlepels soya
2 eetlepels sherry
1 eetlepel suiker

Snijd het varkensvlees in lange repen van 5 cm breedte bij 15 cm
lengte en een dikte van ± 5 cm.
Wrijf uien, knoflook, suiker en geraspte gember tesamen tot een
brij, meng er de soya, de olie en de sherry doorheen. Marineer
hierin de repen vlees minstens 2 uur. Droog ze goed af en smeer
ze in met wat olie. Rijg ze aan pennen. Men kan er satepennen
voor gebruiken die één keer op en neer er doorheen gestoken worden.

Verwarm de grill zo hoog mogelijk en temper haar nadat het vlees erin gelegd is tot 100 °C. Na 5 minuten opnieuw met olie bestrijken en de pennen omdraaien. Roostertijd ± 15 minuten.
Serveren naar keuze met een ketjap-, zoet-zure, gember- of gecombineerde groentesaus uit het Hoofdstuk Sauzen.

526. GEROOSTERDE VARKENS-KARBONADE

4 varkensribkarbonades van ± 150 gram
olie
Marinade: zie recept 525

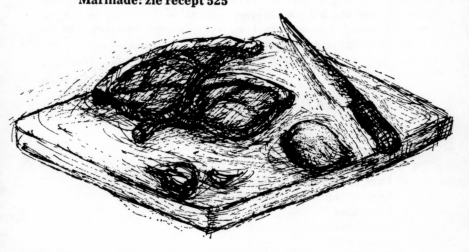

Marineer de karbonades minstens 2 uur. Droog ze goed af.
Verhit de oven tot ± 200 °C. Leg de karbonades op het rooster en vul de afdruipbak met een bodempje water. Smeer de karbonades met olie in en rooster ze 30 à 40 minuten. Draai ze geregeld om en bestrijk ze telkens opnieuw met olie. Om de buitenzijde zeer knappend te krijgen kan men de laatste keer aan de olie een theelepel suiker toevoegen en de hitte tot 250 °C opvoeren.
Serveer de karbonades naar keuze met een ketjap-, zoet-zure, gember- of gecombineerde groentesaus uit het Hoofdstuk Sauzen.

527. TJAH BABI I

¹/₂ kg varkensvlees
3 eetlepels olie
KRUIDEN:
3 schijfjes gemberwortel
6 gesnipperde sjalotten
4 gesnipperde teentjes knoflook
peper
zout
ketjap

Snijd het varkensvlees in plakjes en zout het. Fruit de sjalotten, knoflook en de geraspte gemberwortel in de olie tot de uien geel zien. Doe er dan het varkensvlees bij en bak het even mee. Voeg er 1 dl water aan toe en 1 eetlepel ketjap; laat het gerecht ± 10 minuten zachtjes stoven.

528. TJAH BABI II (Indonesisch-Chinees)

¹/₂ kg varkensvlees
2 grote rijpe tomaten
4 eetlepels gesneden prei
1 eetlepel gehakte selderie
1 eetlepel gehakte bieslook
1 dl water
2 eetlepels olie
KRUIDEN:
1 eetlepel gesnipperde uien
3 gesnipperde teentjes knoflook
3 schijfjes gemberwortel
1 gesnipperde lombok

Wrijf de uien, knoflook, lombok en geschilde gemberwortel tot een brij. Snijd het varkensvlees in plakjes.
Fruit de kruidenbrij in de olie tot de uien lichtgeel zijn. Bak de plakjes varkensvlees even mee en na enkele minuten de gepelde en in plakjes gesneden tomaten. Voeg er het water aan toe, de selderie en de bieslook en laat het gerecht nog een kwartiertje stoven.

529. ZOET-ZUUR VARKENSVLEES met GROENTEN en ANANAS (Amerikaans-Chinees)

¹/₄ kg varkensvlees
¹/₂ blik bamboespruiten
¹/₂ blikje ananas in stukjes
2 worteltjes
2 dunne preitjes
1 kleine groene paprika
1 kleine rode paprika
1 ei
olie
maizena
KRUIDEN:
sap van 1 teentje knoflook
2 eetlepels soya
3 eetlepels suiker
3 eetlepels azijn
3 eetlepels ananassap
1 dl kippebouillon
4 eetlepels sherry
1 eetlepel tomatenketchup
2 kleine tomaten ter garnering

Snijd het varkensvlees in dunne plakjes en marineer het ± ¹/₄ uur in een mengsel van 2 eetlepels maizena aangelengd met 2 eetlepels sherry en 1 eetlepel soya en het losgeklopte ei.

Schrap de worteltjes, snijd ze overlangs in reepjes van 3 cm; verwijder het zaad van de paprika's en snijd de paprika's in lange reepjes van ± 3 cm dikte. Snijd ook de preitjes overlangs in reepjes van dezelfde lengte evenals de bamboespruiten.

Meng 3 eetlepels azijn met 3 eetlepels suiker, 3 eetlepels ananassap en 2 eetlepels sherry en het knoflooksap door elkaar en meng met dit vocht 1 eetlepel maizena aan.

Verhit 4 eetlepels olie tot de damp eruit opstijgt. Temper het vuur. Bak hierin het gemarineerde vlees gedurende 3 minuten. Het vlees moet goudbruin van buiten zijn en zacht van binnen. Haal het uit de pan en houd het warm. Vul zo nodig het restant olie met 1 à 2 eetlepels verse olie aan en verhit het tot de damp eruit opstijgt. Temper dan het vuur en fruit de stukjes wortel met de stukjes prei gedurende 1 minuut.

Roer er daarna de paprikareepjes doorheen en tenslotte de bamboespruiten. Giet de kippebouillon er bij en tenslotte het mengsel met de aangelengde maizena.

Voeg wanneer de saus kookt de ananasstukjes en 1 eetlepel tomatenketchup toe. Laat de massa al roerend goed aan de kook komen en giet haar over het vlees. Garneer het gerecht met in plakjes gesneden tomaten.

530. HAM met SPINAZIE

een dikke plak ham van 200 gram
$^1/_2$ kg spinazie
1 klein preitje
1 eetlepel maizena
1 dl bouillon
3 eetlepels water
$^1/_2$ eetlepel azijn
KRUIDEN:
1 gesnipperd teentje knoflook
$^1/_2$ eetlepel soya
mespuntje suiker

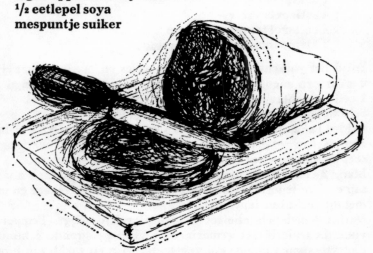

Snijd de ham in reepjes van 1 cm breed. Was de spinazie, verwijder de grove stelen en laat ze goed uitlekken. Snijd de prei overlangs.

Maak een papje van maizena, soya, azijn, suiker en water.

Verwarm de olie, bak hierin de prei en de knoflook, voeg er na

1 minuut de ham aan toe en roer tot ze goed warm is. Doe de spinazie erbij en roer haar goed om en om. Roer er de bouillon doorheen, laat de massa aan de kook komen en bind haar met het maizenapapje. Onmiddellijk opdoen.
De spinazie moet groen zijn en niet papperig worden.

531. ROOD GEKOOKT LAMSVLEES

    1 kg lamsvlees met vet
    4 sjalotten
    2 teentjes knoflook
    4 eetlepels soya
    $^1/_2$ l water

Snijd het lamsvlees in blokjes van $\pm$ $2^1/_2$ cm.
Breng het water aan de kook met de knoflook, uien en soya. Laat het een uur heel zachtjes koken met het lamsvlees.
Kook het de volgende dag nog een uur. Het water moet bijna verdampt zijn.

532. DEEG voor BAK PAO (Gestoomde broodjes)

    250 gram bloem
    10 gram gist
    1 dl melk
    $^1/_2$ dl water
    1 theelepel suiker

Zeef de bloem in een kom. Maak in het midden een kuiltje en doe daarin de gist, die met de suiker, een eetlepel water en 1 à 2 lepels van de bloem tot een papje is geroerd. Bedek de bloem met een vochtige doek en laat de gist 10 minuten rijzen. Meng daarna gistmengsel, bloem en het restant van het vocht (dit laatste met scheutjes tegelijk) door elkaar en kneed of draai er een stevig glad deeg van. Laat het daarna bedekt met een vochtige doek een uur rijzen.
Vorm er een langwerpige rol van en snijd die in 10 à 12 plakken. Rol elke plak apart cirkelvormig uit tot een dikte van 1 cm en een doorsnee van 12 à 15 cm. Leg in het midden van de cirkel 2 theelepels van de vulling (zie daarvoor recept 533 en 534) en vouw de

zijkanten naar binnen en plak ze dicht met water. Laat ze nog ± 10 minuten narijzen onder een vochtige doek. Stoom de broodjes in een stoompan, één laag tegelijk, gedurende ¹/₄ uur.

533. VULSEL voor BAK PAO I

¹/₄ kg varkensgehakt
1 eetlepel olie
KRUIDEN:
1 eetlepel gesnipperde uien
sap van 2 teentjes knoflook
1 theelepel suiker
1 theelepel soya
2 eetlepels gehakte selderie

Maak de olie heet, doe het varkensgehakt erin, temper het vuur en braad het ± 1 minuut. Voeg er de uien, het knoflooksap, de selderie, suiker en soya aan toe en braad nog 2 minuten langer. Laat het mengsel afkoelen en vul de broodjes hiermee.

534. VULSEL voor BAK PAO II

300 gram gehakte garnalen
1 eetlepel gehakte prei
1 eetlepel olie
¹/₂ eetlepel maizena
KRUIDEN:
1 schijfje gemberwortel
1 teentje knoflook
2 eetlepels sherry

Wrijf de knoflook met de gember en prei tot een brij.
Maak de olie heet tot ze walmt, temper het vuur en fruit de gehakte garnalen onder goed om en om scheppen 1 minuut mee. Voeg er daarna de kruidenbrij aan toe en bak alles tesamen nog 1 minuut.
Maak de maizena aan met de sherry en roer dit door het mengsel tot het begint in te dikken. Laat het vulsel afkoelen en vul er de broodjes mee.

535. LOEMPIA van FLENSJES
(Indonesisch-Chinees)

Flensjesbeslag:
80 gram zelfrijzend bakmeel
1 ei
2 dl water
zout
50 gram boter

Vulling:
100 gram restant gekookte kip
50 gram ham
2 eetlepels taogé
2 eetlepels fijn gesneden kool
1 eetlepel gesneden prei
1 eetlepel gehakte selderie
1 eetlepel olie

Voor het bakken:
2 eieren
olie
KRUIDEN:
2 gesnipperde teentjes knoflook
peper
zout
vetsin

Maak het beslag en bak er in een kleine pan van 12 tot 14 cm doorsnee uiterst dunne flensjes van. Laat ze afkoelen zonder dat ze gaan plakken.
Bak in de olie de knoflook en de prei op. Voeg er het vlees aan toe en bak dit nog even mee. Doe er daarna de goed uitgelekte groenten bij en schep het mengsel om en om in 3 à 4 minuten. Maak het af met peper, zout, vetsin, de gesnipperde ham en de selderie. Laat het uitlekken op een zeef.
Klop de eieren voor het bakken los met 1 eetlepel koud water. Leg op ieder flensje 2 eetlepels vulsel. Rol het op en plak het dicht met ei. Sluit ook de kanten met ei.
Haal de gevulde flensjes eerst door het ei en daarna door het paneermeel en bak ze in een flinke laag olie aan beide zijden goudbruin.

536. LOEMPIA II

Maak flensjes als in recept 535
Vulsel:
2 eetlepels taogé
2 eetlepels gesneden bamboespruiten uit blik
2 gesnipperde teentjes knoflook
1 eetlepel gesneden prei
1 eetlepel gehakte selderie
100 gram restjes varkensvlees of rauw varkensgehakt
50 gram garnalen
peper
zout
vetsin

Hak de garnalen zo fijn mogelijk en maak het gerecht verder zoals onder Loempia I is beschreven.

537. LOEMPIA III (Chinees)

10 loempiavelletjes (recept 538)
150 gram mager varkensgehakt
100 gram garnalen
1 eetlepel gesneden prei
2 eetlepels taogé
soya
olie
zout

Voor het bakken:
1 losgeklopt ei
olie

Hak de garnalen zo fijn mogelijk. Maak 1 eetlepel olie heet. Roer er het gehakt doorheen. Temper het vuur en bak het vlees 3 minuten. Voeg nu de garnalen toe en bak nog 1 minuut langer. Doe er vervolgens de prei bij en de taogé en bak opnieuw 1 minuut langer. Roer er de soya door en laat het mengsel op een zeef afkoelen. Het mag vooral niet te vochtig zijn.
Leg op ieder velletje 1 à 2 eetlepels van de vulling. Sla het velletje dicht en plak het vast met het geklopte ei. Vouw ook de kanten om en plak ze dicht.
Maak de olie zo heet mogelijk. Bak de loempia aan beide kanten goudbruin. Houd ze zo nodig korte tijd warm in een matig lauwe oven ± 100 °C (gasovenstand 1 of 2).
Serveer ze met een der zoet-zure sauzen (zie Hoofdstuk Sauzen).

538. LOEMPIA-VELLETJES

Loempia-velletjes zijn in verschillende Indische winkeltjes te koop. Let er op dat ze niet teveel zijn uitgedroogd, ze breken dan onder het vouwen.
Voor wie geen kans ziet om er aan te komen of zich aan het avontuur wil wagen, volgt hierbij het recept:

100 gram bloem
wit van een klein ei, even opgeklopt
8 eetlepels water
snufje zout
20 gram maizena

Zeef de bloem en de maizena samen met het zout en maak er met het losgeklopte eiwit en water een glad beslag van. Doe het op een met meel bestoven bordje, strooi er ook bovenop meel en laat het goed afgedekt 1 uur in de koelkast rusten. Rol het daarna uit op een met bloem bestoven tafel met een met bloem bestoven deegroller. Deel na 1 maal rollen het deeg in de helft. Rol onder telkens bestuiven de lap uit tot ze doorzichtig wordt. Snijd haar in 4 ongeveer vierkante stukken. Snijd de randen iets bij en laat ze alvorens te vullen minstens $^1/_2$ uur rusten in de koelkast.

539. PANGSIT

180 gram bloem
20 gram maizena
4 eetlepels water
snufje zout
1 eiwit

Zeef de bloem samen met de maizena en het zout. Klop het eiwit los en maak van bloem, water en eiwit een beslag. Kneed het stevig met de hand of in de mixer. Rol het uit op een met bloem bedekte tafel, zo dun dat het half doorzichtig is. Zorg ervoor dat de gehele deeglap dezelfde dikte heeft. Wie er moeilijkheden mee heeft kan het zich iets gemakkelijker maken door het deeg in tweeën te delen en iedere helft apart uit te rollen.
Snijd het als het dun genoeg is in vierkanten van 10 cm. Leg tot aan het gebruik de velletjes zo plat mogelijk op een bakblik of blad en bedek ze met een vochtige doek. Ze kunnen, verpakt in aluminiumfolie op deze wijze enkele dagen in de koelkast bewaard worden. Men kan ze in lagen op elkaar leggen met plastic of aluminiumfolie ertussen.
VOUWEN en BAKKEN: Leg in het midden van ieder vierkantje deeg een opgehoopte theelepel van een der vulsels (zie recepten 540, 541, 542). Sla de rechterbovenhoek om en plak haar met een weinig water aan de linkerbenedenhoek; even aandrukken. Vouw nu de losse linker- en rechterhoeken naar binnen over het vulsel en wel zo, dat ze elkaar overlappen. Plak ze vast. Laat zo de pangsit ¹/₂ uur rusten alvorens ze te bakken.
Verhit een hoeveelheid olie tot de damp eraf komt. Bak hierin de pangsit (op de manier van oliebollen) aan beide zijden bruin en knappend. Laat ze uitlekken en serveer ze met een zoet-zure Chinese saus of een taotjo-saus (zie hiervoor Hoofdstuk sauzen).

540. PANGSIT-VULLING I (Indonesisch-Chinees)

100 gram varkensgehakt
100 gram fijn gehakte garnalen
1 eetlepel olie
KRUIDEN:
4 gesnipperde teentjes knoflook

428

1 eetlepel gehakte prei
1 eetlepel gehakte selderie
1 eetlepel gehakte bieslook
¹/₂ theelepel vetsin
peper
zout

Fruit in de hete olie vlees en de garnalen ± 2 à 3 minuten. Roer er dan de knoflook en prei doorheen en bak die even mee. Meng er de selderie en bieslook door, peper, zout en vetsin en laat het mengsel afkoelen.

541. PANGSIT-VULLING II (Chinees)

100 gram varkensgehakt
¹/₂ blikje krab
1 eetlepel olie
KRUIDEN:
1 eetlepel gehakte prei
1 eetlepel soya
zout

Meng het varkensvlees en de krab door elkaar. Fruit het mengsel 2 minuten in de hete olie. Meng er daarna de prei en soya door en laat het afkoelen.

542. PANGSIT-VULLING III (Chinees)

100 gram varkensgehakt
100 gram garnalen
¹/₂ blikje gesnipperde bamboespruiten
1 theelepel maizena
1 eetlepel olie
KRUIDEN:
1 fijngehakte sjalot
1 eetlepel sherry
1 eetlepel soya

Hak de garnalen fijn. Fruit het varkensgehakt 1 minuut in de hete olie en voeg er daarna de gehakte garnalen aan toe, vervolgens de bamboespruitjes en na nog 1 minuut fruiten de sherry en de soya.
Bind het mengsel met de aangelengde maizena en laat de massa afkoelen.

543. GEKOOKTE PANGSIT

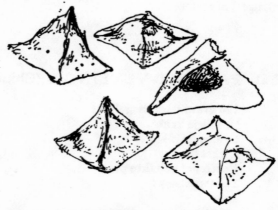

Pangsit wordt ook gekookt in bouillon als soep gegeten.
Maak pangsits zoals in recept 539 en verder is beschreven. Breng 1 liter sterke kippebouillon of een mengsel van kippe- en varkensbouillon aan de kook en laat de pangsits ($\pm$ 10 à 12 op 1 liter bouillon) er 10 minuten in meekoken.
Meng voor het opdoen een eetlepel fijngehakte selderie en 1 eetlepel fijngehakte prei door de soep heen.

544. CHINESE GEHAKTBALLETJES

zie hiervoor: Hoofdstuk Vlees

545. CHINESE VISBALLETJES

zie hiervoor: Hoofdstuk Vis

ZOETE GERECHTEN

Zoete nagerechten kent de Indonesische keuken eigenlijk niet. Na de rijstmaaltijd worden vruchten gegeten, hoogstens een vruchtensla en alleen na een „etentje" volgt onder westerse invloed een enkele keer wel een vla of een pudding.

Zoete gerechten nemen echter wel een belangrijke plaats in bij de tussen-de-maaltijden-hapjes. Zo wordt bij thee of koffie niet alleen koekjes, maar ook wel kolak, koeé talam of ongol-ongol gegeven, gerechten die culinair bekeken eerder tot pap of pudding gerekend kunnen worden.

Zeer veel Indonesische zoete gerechten bestaan uit santen, Javaanse suiker en een bindmiddel, al of niet met de toevoeging van een smaakje. Er bestaat een zeer grote variatie in koekjes (eigenlijk kleine puddinkjes) bereid uit santen, rijstmeel, hoen-kwee-meel en rode suiker, in pisangblad gewikkeld en daarna gestoomd. Pisangblad is hier te lande niet verkrijgbaar en daarmee vervielen deze typisch Indonesische gerechten. Om diezelfde reden zijn de bijzonder lekkere taarten die van jonge kokosnoot worden bereid hier niet opgenomen wat tevens geldt voor de vele vruchtengerechten. Alleen de pisang en in de laatste tijd de ananas staan ter onzer beschikking. Van de zeer dure mangga en dito avocado is slechts een enkele verwerking opgenomen.

Kolak, boeboer santen, ketan hitam (zwarte kleefrijst) en ketan poetih (witte kleefrijst) worden dikwijls als ontbijt gegeten. Pisang goreng, hier te lande bij de rijsttafel geserveerd wordt in Indonesië of als ontbijt of bij thee en koffie gegeten.

546. GERASPTE KOKOSNOOT

Vele zoete gerechten worden in de Indonesische keuken versierd met geraspte verse kokosnoot. Het witte gedeelte van verse kokosnoten wordt daartoe geraspt en over de oppervlakte van het gerecht gestrooid.

Wie daar tegenop ziet – het is een werkje waar je een zekere handigheid in moet hebben – kan de verse kokosnoot vervangen door een blokje santen dat in het vriesvak van de koelkast keihard is gemaakt en op het fijne gedeelte van een komkommer-schaaf geraspt kan worden.

547. SANTEN voor ZOETE GERECHTEN

150 gram santen ($\pm$ ^{3}/$_4$ blok)
4 eetlepels koffiemelk
^{1}/$_2$ l water

Kook water en santen tot deze geheel is opgelost en roer er dan de koffiemelk doorheen.

548. GESMOLTEN JAVAANSE SUIKER

250 gram Javaanse suiker
2 dl water

Breng het water aan de kook. Voeg de suiker toe en laat die smelten. Zeef de oplossing en kook daarna de stroop nog even op tot de gewenste dikte.
Bewaar haar in een kannetje.

549. ONGOL — ONGOL

3 eetlepels Javaanse suiker
3 eetlepels maizena of tapiocameel
^{1}/$_4$ verse kokosnoot
^{1}/$_2$ l water

Breng het water aan de kook. Los er de suiker in op. Zeef het suikerwater en breng het opnieuw aan de kook.
Maak de maizena aan met 2 eetlepels water en bind hiermee het vocht tot vladikte. Doe de massa over in een met water omgespoelde kom en laat haar koud worden. Rasp vlak voor het opdoen het wit van verse kokosnoot of een bevroren blokje santen eroverheen.
De Javaanse suiker verschilt nog al eens van kwaliteit en geur. Proef daarom eerst even de oplossing en voeg er wanneer ze te weinig smaak heeft nog wat suiker toe.

550. KOEÉ TALAM I

Voor het bruine gedeelte:
3 eetlepels Javaanse suiker
3 eetlepels maizena
$^1/_2$ l water

Voor het witte gedeelte:
1 eetlepel maizena
2 dl dikke santen (zie recept 547)
zout

Maak van het water, suiker en maizena een vla als in het recept Ongol-Ongol (549). Laat haar afkoelen in een met water omge-spoelde schotel. Breng de santen aan de kook met een weinig zout. Bind haar met de aangelengde maizena. Proef of er genoeg zout in is. Het zout moet er een uitgesproken smaak aan geven. Strijk de massa over de bruine vla in de schotel.
Dit recept is niet helemaal stijf. Persoonlijk vind ik het zo het lekkerst. Wie van een massiever toetje houdt kan beide lagen stijver maken door wat meer maizena.

551. KOEÉ TALAM II

Voor het bruine gedeelte:
3 eetlepels Javaanse suiker
3 eetlepels maizena
75 gram santen = $^3/_8$ blok
$^1/_2$ l water

Voor het witte gedeelte:
1 eetlepel maizena
2 dl dikke santen
zout

Breng het water aan de kook met de suiker. Zeef de vloeistof en breng haar opnieuw aan de kook met de santen. Voeg er als de santen is opgelost de aangelengde maizena aan toe en stort de massa in een met water omgespoelde schotel.
Verder is de bereiding als in Koeé Talam I.

552. BOEBOER SANTEN
(Rijstebrij in kokosmelk gekookt)

100 gram rijst
1 blok santen
4 eetlepels koffiemelk
1 l water
zout

Breng het water aan de kook met een weinig zout. Voeg de goed gewassen rijst toe. Snijd een blok santen in grove snippers en voeg die onder goed roeren bij de kokende massa. Temper de vlam en roer als de pap dik begint te worden er de lepels koffiemelk doorheen. Laat het gerecht onder nu en dan omroeren nog ruim een uur koken op een zeer laag vuur. Gebruik bij gas een asbestplaatje. Serveer er stroop van Javaanse suiker bij.

553. BOEBOER KETAN HITAM
(Pap van zwarte kleefrijst)

100 à 125 gram zwarte ketan
100 gram Javaanse suiker
1 l water

Breng het water aan de kook en voeg er de goed gewassen ketan aan toe. Laat haar op een zeer laag vuur (gebruik bij gas een asbestplaat) gaar worden in ± 1½ uur. Kook de suiker met 1 dl water tot een stroopje, zeef het en roer het door de gare ketan. Laat het gerecht nog 5 minuten op het vuur staan en doe het dan op.
Serveer het met dikke santen waardoor een weinig zout is geroerd.
Dit gerecht kan zowel koud als warm gegeten worden.

436

554. ZOETE WITTE KETAN

Stoom de ketan (zie hiervoor Hoofdstuk Rijst).
Doe haar als ze gaar is op een platte schotel. Rasp er een dikke
laag verse kokosnoot of bevroren santen (zie recept 546) overheen en serveer er gesmolten Javaanse suiker bij (zie recept 548).

555. BOEBOER ASEM I (Tamarinde vla)

6 eetlepels keukentamarinde
4 eetlepels suiker
1 1/2 eetlepel maizena
1/2 l water

Breng het water aan de kook en voeg er de tamarinde aan toe en
de suiker. Roer tot de tamarinde en suiker zijn opgelost en de
massa weer kookt. Bind haar met de aangelengde maizena en serveer haar koud in glazen of coupes.

556. BOEBOER ASEM II (Tamarinde vla)

6 eetlepels keukentamarinde
4 eetlepels suiker
8 blaadjes witte gelatine
1/2 l kokend water

Week de blaadjes gelatine vooraf in ruim water. Los suiker en
tamarinde op in het water en voeg er als de massa kookt de goed
uitgeknepen gelatine aan toe. Roer tot ze is opgelost en giet dan
de vloeistof in een schaal. Laat ze afkoelen. Roer er nu en dan in,
zodat de gelatine niet op de bodem stijf wordt.
Zet de schaal als de inhoud drillig begint te worden in de koelkast.
Serveer er geklopte room of vanillevla bij.

557. KOKOSVLA

1 l melk
40 gram custardpoeder
100 gram kokosmeel
2 eetlepels gemberstroop of bakgember

Maak van de melk met de custardpoeder een vla. Roer er het kokosmeel doorheen en de gember. Doe de vla op in een glazen schaal en serveer haar koud.

558. JAVAANSE PUDDING

$^1/_2$ l dikke santen
40 gram maizena
2 eiwitten, stijf geslagen
50 gram Javaanse suiker

Smelt de suiker in een $^1/_2$ dl water en zeef haar.
Kook van de santen met de maizena een dikke pap. Laat die onder nu en dan roeren afkoelen, meng er de gesmolten suiker en het geklopte eiwit doorheen. Doe haar in een vorm. Laat haar in de koelkast zeer koud worden en serveer haar met mangga of ananas uit blik.

559. ANANASPUDDING I

1 literblik ananasblokjes
35 gram gelatine
zo nodig enkele druppels citroensap

Laat de ananas uitlekken. Week de gelatine in ruim lauw water. Breng het ananasvocht aan de kook. Voeg er de goed uitgeknepen gelatine aan toe en breng de massa opnieuw onder goed roeren aan de kook. Meng er de uitgelekte stukjes ananas doorheen en zo nodig een paar druppels citroensap.

Doe de pudding in een goed omgespoelde schaal of puddingvorm. Serveer haar met vanillevla of geklopte slagroom.

560. ANANASPUDDING II

1 grote rijpe ananas
100 gram suiker
35 gram gelatine
2 à 3 dl water

Schil de ananas. Wrijf haar in met een weinig zout. Verwijder de ogen door schuine inkervingen. Snijd daarna de ananas in plakken en vervolgens in blokjes. Week de gelatine. Breng het water aan de kook met de suiker en doe er op het moment dat het vocht kookt de stukjes ananas bij. Voeg de goed uitgeknepen gelatine toe.

Opdoen en serveren als in recept 559.

561. PISANG GORENG I (Gebakken Banaan)

4 à 6 grote bananen
olie

Gebruik voor dit gerecht niet al te rijpe bananen. Het vruchtvlees van de te rijpe banaan is er niet stevig genoeg voor en het bevat te veel suiker, zodat de bananen tijdens het bakken gaan kleven. Snijd de bananen overlangs in twee helften en vervolgens elke helft in de breedte in twee stukken. Maak olie heet en bak hierin de bananen goudbruin. Bestrooi ze met poedersuiker, geraspte of gesmolten Javaanse suiker.

562. PISANG GORENG II (Gebakken Banaan)

4 à 6 grote bananen
50 gram bloem

1 dl water
zout
olie

Snijd de bananen overlangs in de helft en iedere helft dwars in
twee stukken. Maak een papje van bloem, water en een mespuntje zout en haal de stukjes banaan hier doorheen. Bak ze goudbruin en knappend in ruim olie.

563. PISANG GORENG III (Bananen beignets)

8 à 10 grote bananen
125 gram bloem
2 dl lauwe melk
10 gram gist
1 ei
kaneel
olie

Maak van bloem, gist, ei, melk en zout een beslag als voor appelbeignets. Laat het een uur rijzen op een warm plaatsje onder een
vochtige doek. Maak de olie heet in een diepe pan. Dompel de
stukken banaan in het beslag, laat ze even hangend aan een vork
uitdruipen en bak ze in de olie geelbruin.
Serveer ze met poedersuiker of Javaanse suiker.

564. SMEERPROPPEN (Indisch gerecht)

6 à 8 grote bananen
300 gram zelfrijzend bakmeel
3 dl melk
1 ei
75 gram suiker
mespuntje zout
olie

Maak van het meel, melk, ei, suiker en zout een stevig deeg.
Snijd de bananen in grove schijven, meng ze door het deeg en
bak er op de manier van oliebollen ronde ballen van in diepe,
hete olie.

440

565. KOEÉ PISANG (Bananenkoek)

>   4 overrijpe bananen
>   4 grote eieren
>   4 eetlepels suiker
>   2 pakjes vanillesuiker
>   20 gram bloem of hoen kweemeel
>   20 gram boter
>   snufje zout

Beboter een lage vuurvaste schotel in met de boter en bedek de bodem met de in stukken gesneden bananen.
Klop eieren, suiker, vanillesuiker en bloem tot een luchtig beslag. Giet dit beslag over de bananen in de schotel. Verdeel de boter in klontjes over het oppervlak en bak de koek in een oven van $\pm$ 175 °C (gasovenstand 3) in 20 minuten goudgeel.
Kan warm zowel koud gegeten worden.

566. ANANAS-BEIGNETS

>   1 blik ananas of 1 rijpe verse ananas
>   olie

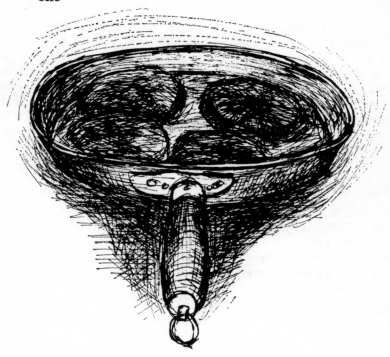

Maak een beslag als voor Pisang Goreng III (563). Halveer de ananasschijven uit blik en laat ze uitlekken. Doe hetzelfde wanneer verse ananas wordt gebruikt, maar snijd er bovendien het harde hart uit en laat ze met enkele lepels suiker bestrooid enige tijd uitlekken.

Dompel de schijven in het beslag en bak ze op de manier van appelbeignets.

567. ANANAS-PROL

8 plakken ananas
8 sneedjes oud brood
3 eieren
100 gram basterdsuiker
2 dl melk
kaneel
boter

Snijd een verse ananas in plakken, halveer ze, verwijder het hart en bestrooi ze met 2 à 3 eetlepels suiker en een weinig kaneel. Laat ze uitlekken. Halveer, wanneer ananas uit blik wordt gebruikt de schijven, bestrooi ze met kaneel en laat ze uitlekken. Klop 1 ei samen met 50 gram suiker, kaneel en melk. Week het brood hierin.

Boter een vuurvaste schaal in. Leg er een laag geweekt brood in en daar bovenop de gehalveerde schijven ananas. Vervolgens weer een laag geweekt brood. Scheid van 2 eieren dooiers en eiwit. Klop het restant van de suiker schuimig met de eierdooiers. Sla het eiwit stijf. Meng geklopte dooiers en het geslagen eiwit goed door elkaar, zodat een egale witte massa ontstaat. Spreid het uit over de bovenste broodlaag in de vuurvaste schotel en bak haar in een oven van 150 °C (gasovenstand 2) gaar en lichtbruin. Warm of koud eten.

568. KOKOSKOEK

250 gram kokosmeel
200 gram basterdsuiker
2 eieren
2 eetlepels bloem
3 à 4 eetlepels melk
zout

Klop de eieren met de suiker en de bloem tot een beslag, meng het kokosmeel er doorheen en enkele lepels melk. Vet een lage wijde taartvorm in met boter. Doe er het beslag in en bak het in de oven bruin en gaar.
Zo vers mogelijk eten.

569. JAVAANSE FLENSJES

Voor het beslag:
75 gram zelfrijzend bakmeel
2¹/₂ dl dikke santen
1 ei
kaneel
zout
Verder:
Javaanse suiker
kokosmeel
suiker

Maak op de gewone manier van deze ingrediënten een flensjes-beslag. Bak ze in een flensjespan, maar iets dikker dan de Hollandse flensjes. Rasp er Javaanse suiker overheen en rol ze op of vul ze met een mengsel van kokosmeel en suiker.

570. VULSEL voor JAVAANSE FLENSJES

100 gram kokosmeel
100 gram santen
1 eetlepel Javaanse suiker
mespuntje zout

Kook de santen en de suiker samen op, meng het kokosmeel er doorheen en zo nodig een weinig kaneel.
Dit mengsel kan enkele dagen in de koelkast bewaard worden. Is ook zeer geschikt als broodbeleg voor kinderen.

571. MASOEBAH (Bandjermasin)

200 gram bloem
50 gram suiker
4 eieren

½ theelepel kaneel
¼ theelepel nagelgruis
mespuntje anijszaad
zout
boter

Klop de eieren met de suiker schuimig en werk er al kloppende
de gezeefde bloem, de kruiden en het zout doorheen.
Maak een klontje boter heet in een flensjespan met dikke bodem.
Doe er een lepel beslag in en bak het aan beide zijden lichtbruin.
Breng nu op het gare beslag opnieuw een laagje beslag aan van
circa ½ cm. Draai het wanneer het gestold is om en herhaal de
bewerking tot al het beslag is verbruikt. Het resultaat is een dikke
pannekoek, die doorgesneden een aantal laagjes laat zien.
Snijd het gerecht in punten en bestrooi het met poedersuiker.

572. SPEKKOEK

100 gram bloem
7 grote eieren No. 7 of 10 kleine No. 3
500 gram boter
250 gram basterd- of poedersuiker
10 theelepels kaneel
5 theelepels fijne anijs
3 theelepels nootmuskaat
3 theelepels nagelgruis
3 theelepels gemalen cardamom
2 eetlepels koffieroom
zaadjes geschrapt uit 1 stokje vanille
of 5 theelepels vanillesuiker
zout

Roer de boter met de vanille en de helft van de suiker tot een
glanzende massa. Scheid de eieren in dooiers en eiwit. Klop de
dooiers schuimig met het restant suiker en klop daarna het eiwit
stijf. Roer vervolgens het boter-vanille-suikermengsel luchtig
door elkaar met het geklopte eiwit en de schuimig geroerde eierdooiers. Zeef er de bloem en het zout doorheen en schep het met
de melk nogmaals goed om en om. Verdeel dit beslag over 2 kom-
men in gelijke hoeveelheden. Voeg aan één kom de kruiden toe.
Dit beslag wordt beige-bruin, het andere blijft lichtgeel.

Boter een springvorm van ongeveer 27 cm doorsnee goed in.
Schep hierin een dun laagje van het lichte beslag. Schuif de vorm
op het bovenste rooster onder de grill, die op zijn hoogste stand
moet worden gesteld. Als het beslag gaar is wat na enkele minuten het geval is, wordt eenzelfde dun laagje van het „bruine"
beslag op de gare laag aangebracht. Deze handeling herhalen tot
al het beslag op is. Nadat 5 à 6 laagjes zijn aangebracht moet de
springvorm op het lagere rooster gezet worden. De koek is klaar
als het bovenste laagje gaar is.
In plaats van een grill kan de spekkoek ook gebakken worden in
een oven met aparte onder- en bovenwarmte. Breng de oven op
een temperatuur van 125 °C. Zet de springvorm met het eerste
dunne laagje in de oven en schakel de onderwarmte uit. Bak verder de koek als in een grill.

445

573. AVOCADO-MOES

2 à 3 rijpe avocado's
$^1/_2$ dl port
eventueel wat poedersuiker

Schil de avocado's. Verwijder de pit en snijd het vlees in stukjes.
Doe ze in de mixer en draai ze zo nodig met de suiker minstens
5 à 6 minuten tot de massa schuimig is. Meng de port er doorheen. Koelen voor het serveren.
In plaats van port kan men ook koffie-extract nemen.

574. VRUCHTENSALADE I

1 verse ananas
4 bananen
1 à 2 manggas
basterdsuiker

Schil de ananas zo dun mogelijk. Snijd daarna in schuine groeven de ogen eruit. Snijd de ananas dan in plakken en de plakken in stukjes. Verwijder de harde kern. Bestrooi haar met suiker en zet haar enige tijd op een koele plaats.
Schil daarna de manggas. Snijd het vruchtvlees weg dicht langs de pit en snijd het vervolgens in blokjes van ± 2 cm. Meng de manggablokjes met de ananas. Voeg er als zich voldoende sap heeft ontwikkeld de in plakjes gesneden bananen aan toe. Roer ze goed door de massa.
Proef het vocht. Doe er eventueel nog wat suiker of citroensap bij. Koel ze even voor het serveren.

575. VRUCHTENSLA II (van gedroogde vruchten)

50 gram geconfijte nootmuskaat (pala)
100 gram dadels
100 gram pisang salé (gedroogde geconfijte bananen,
worden in pakjes verkocht)
2 eetlepels zoete tamarinde
water
citroensap

Ontpit de dadels en snijd het vruchtvlees in kleine stukjes. Snijd ook de pisang salé fijn. Meng ze met de tamarinde, de pala en de dadels. Week de vruchten een halve dag in ± 2 dl water en maak het geheel af met het citroensap. Eventueel vermengen met dobbelsteentjes zure appel of ananas.

576. ROEDJAK

¹/₄ komkommer
2 bijna rijpe appelen
¹/₂ ananas
100 gram kruisbessen (niet te rijp)
of 100 gram afgeriste aalbessen
Voor de saus:
2 theelepels sambal oelek of sambal terasi

2 à 3 eetlepels geraspte Javaanse suiker
1 à 2 eetlepels zoete ketjap
1 à 2 eetlepels water
mespuntje zout
1 eetlepel keuken-tamarinde

Wrijf de sambal met de suiker, zout en tamarinde tot een brij.
Maak haar af met de ketjap en een weinig water.
Schil de vruchten en de komkommer. Snijd ze met uitzondering
van de kruisbessen in grove schijfjes en meng ze door de saus.
De vruchtenvariaties zijn in Indonesië oneindig. Men kan de in
dit recept opgegeven vruchten variëren met halfrijpe tomaten en
halfrijpe pruimen.

577. KOLAK van ZOETE AARDAPPELEN

$^1/_2$ kg oebi djalar (zoete aardappelen)
100 gram Javaanse suiker
$^1/_4$ blok santen
mespuntje zout

Schil de zoete aardappelen. Snijd ze in dobbelstenen van ± 3 cm.
Kook ze in een weinig water met wat zout half gaar.
Los de suiker op in 1 dl kokend water, zeef ze en roer ze door
de half gare aardappelen. Voeg er ook het blokje santen aan toe
en kook de massa tot de aardappelen gaar zijn. Ze mogen niet tot
pap koken.

578. GEBAKKEN ZOETE AARDAPPELEN

$^1/_2$ kg zoete aardappelen
2 dl gesmolten Javaanse suiker
olie

Schil de zoete aardappelen, snijd ze in dikke plakken van een
pinkdikte.
Bak ze in hete olie aan beide zijden goudbruin en knappend. Laat
ze uitlekken en overgiet ze met dik ingekookte Javaanse suikerstroop.

REGISTER

De nummers achter de recepten corresponderen met de nummers van de recepten in het boek.

RIJST

SAMBALS

SAMBAL GORENG

449

SAJOERS en SOEPEN

VLEESGERECHTEN

Tjah Babi, 184
Tollo pamarasan, 154
Vlees met Boemboe Bali, 146
Vlees met Boemboe Besengèk, 170

Vlees met Boemboe Mangoet, 153
Vlees met Boemboe Roedjak, 169
Vlees met Ketjapsaus, 145

VIS EN ANDERE ZEEDIEREN

KIP- EN EENDGERECHTEN

EIERGERECHTEN

TAHOE- EN TEMPEGERECHTEN

Tahoe, droge en tempe, 365
Tahoe, gebakken, 342
Tahoe, gekookt (uit Rembang), 352
Tahoe goling, 357
Tahoe krida, 362
Tahoe, laksa van, 363
Tahoe pedas, 348
Tahoe tjampoer, 349
Tahoe met Balinese kruiden, 361
Tahoe met Ketjap, 356
Tahoe met Petis, 360
Tahoe met Pindasaus, 350
Tahoe met Taotjo, 351
Tahoe/tempe met roedjakkruiden, 366

Tahoe uit O. Java, 355
Tahoe uit Poerwokerto, 343
Tahoe, omelet van, 345
Tahoe, sla van, 353
Tahoe, smoor van, 346
Tempe, balletjes van, 372
Tempe, besengèk van, 373
Tempe, oesih van, 375
Gorengan tempe, 367
Keripik tempe, 368
Tempe batjan, 371
Tempe kemoel, 369
Tempe van Banjoemas, 370
Tempe van Rembang, 374

GORENGANS
(Droog gebakken gerechten)

Aubergines, gebakken, 399/400
Bloemkoolkoekjes, 390
Empal, 391
Empal pedas, 392
Empal met Santen, 393
Emping belindjoe, 377
Garnalenkoekjes, 401/402
Gegado, 405
Geklopt vlees, 394/395
Hersens, gebakken, 396

Kroepoek oedang, 376
Kroepoek Palembang, 378
Keripik van Aardappelen, 379
Long, gebakken, 397
Maiskoekjes, 386/389
Pindas, gebakken, 398
Rempèjèk, 383
Rempèjèk van Rundergehakt, 385
Rempèjèk van Teri, 384

ZUREN
(Atjar)

Chutney van Kwetsen, 430/431
Eieren in het zuur, 412
Gemengd zuur, 418/419
Helder zuur, 420
Komkommers in het zuur, 413/415
Timorees zuur, 417
Vis in het zuur, 406/409
Zoetzuur van Ananas, 421
Zoetzuur van Kwetsen, 432
Zuur van Bieten, 422
Zuur van Boontjes, 423

Zuur van Eieren, 411
Zuur van Kool en Taogé, 425
Zuur van groene Lomboks, 424
Zuur van Ramenas, 426
Zuur van Taogé, 427
Zuur van rauwe Tomaten, 429
Zuur van Tomaat en Komkommer
    zonder azijn, 416
Zuur van Varkensvlees, 410
Zuur van Uitjes, 428

INDONESISCHE SALADES
E. A. GROENTEGERECHTEN DIE GEEN SAJOERS ZIJN

SAUZEN

MIE EN ANDERE CHINESE GERECHTEN

ZOETE GERECHTEN